초등 국어

일등급 독해력

②

초등 국어 독해, 왜 필요할까요?

1 초등학생에게 국어 독해가 중요한 이유

'독해'란 글을 읽고 뜻을 이해하는 것을 말합니다.
초등학생 때는 한글을 배우고 처음 글을 접하면서 독해력을 키우는 시기입니다.
이때 형성된 독서 습관이 생각하는 힘을 길러 주며, 모든 학습 능력의 기초가 됩니다.
글 속의 중심 생각과 정보를 자기 것으로 만들어 문제를 해결하는 능력은 한 번에 생기는 것이 아니므로, 좋은 글을 읽으며 차근차근 쌓아야 합니다.

2 초등학생 때부터 국어 독해를 잘 하기 위한 방법

❶ 다양한 글감으로 재미있게 독해하기
생활 속의 현상과 관계된 재미있는 글, 이야기, 동시 등 다양한 글감으로 독해에 흥미를 느끼게 합니다.

❷ 쉬운 글부터 어려운 글을 단계별로 학습하기
처음에는 쉽고 짧은 글부터 시작하여, 점점 길고 어려운 글을 읽으면서 독해력을 조금씩 향상합니다.

❸ 교과서와 연계된 글로 학교 공부 잡기
개정 교과서에서 찾은 다양한 글감을 읽으면서 자연스럽게 전 과목 교과서와 연계하여 학습합니다.

❹ 문제를 풀면서 사고력 기르기
글을 읽고 문제를 푸는 과정을 통해, 글에서 답을 찾아내는 연습을 하면서 스스로 생각하는 힘을 기릅니다.

❺ 글에 나온 어휘를 꼼꼼하게 익히기
독해 마무리 활동으로 글에 쓰인 어휘의 뜻과 쓰임을 예문을 통해 복습하면서 독해력을 완성합니다.

3 교과서와 연계된 다양한 글감으로 독해력 향상

비문학

제재	종류	회차	제목	교과 연계
인문	논설문	11회	책을 읽어야 하는 까닭	
인문	설명문	01회	조선 시대 왕들이 좋아한 음식	
인문	설명문	06회	세계의 기념일	
인문	설명문	27회	신문 기사는 어떻게 만들어질까?	
인문	설명문	31회	우리나라 글자의 역사	
사회	논설문	02회	거짓말을 하면 안 돼요	
사회	논설문	12회	잘 듣고 잘 말하는 방법	[국어 2-1 (나)] 10. 다른 사람을 생각해요
사회	논설문	17회	물가 친구들을 돕고 싶어요	[여름 2] 2. 초록이의 여름 여행
사회	논설문	21회	까치밥	[가을 2] 2. 가을아 어디 있니
사회	설명문	16회	세계 여러 지역의 집	[겨울 2] 1. 두근두근 세계 여행
사회	설명문	32회	새로운 다섯 자리 우편 번호	[국어 2-1 (가)] 5. 낱말을 바르고 정확하게 써요
과학	논설문	33회	봄에 꽃샘추위가 자주 발생하는 까닭	[봄 2] 2. 봄이 오면
과학	설명문	03회	우리 몸의 감각	[봄 2] 1. 알쏭달쏭 나
과학	설명문	07회	겨울잠, 잠만 자도 괜찮을까?	[겨울 2] 2. 겨울 탐정대의 친구 찾기
과학	설명문	13회	곤충을 연구한 과학자들	
과학	설명문	22회	개미와 개미집의 특징	
과학	설명문	35회	태풍은 왜 생길까?	
기술	설명문	04회	미래의 로봇들	
기술	설명문	14회	플라스틱의 쓰임새	
기술	설명문	23회	컴퓨터는 언제 만들어졌을까?	
기술	설명문	25회	우리 조상들의 염색 기술	
기술	설명문	34회	에어프라이어	
기술	설명문	37회	자동차의 역사	
예술	설명문	05회	옛날 사람들의 미술	
예술	설명문	15회	여러 시대의 도자기	
예술	설명문	24회	변기도 예술이 될 수 있을까?	
예술	설명문	36회	악기의 종류	
예술	전기문	26회	음악가 모차르트의 삶	

문학

	갈래	회차	제목	교과 연계
문학	동시	08회	팝콘	[국어 2-2 (가)] 5. 간직하고 싶은 노래
문학	동시	09회	봄	[국어 2-1 (가)] 1. 시를 즐겨요
문학	동시	18회	민달팽이	[국어 2-2 (가)] 5. 간직하고 싶은 노래
문학	동시	28회	옛날 사진	[국어 2-1 (가)] 1. 시를 즐겨요
문학	동시	29회	풀이래요	[국어 2-2 (가)] 1. 장면을 떠올리며
문학	동시	38회	나만 보면	[국어 2-2 (가)] 5. 간직하고 싶은 노래
문학	동요	20회	나물 노래	
문학	동화	10회	개미집에 간 콩이	[국어 2-2 (나)] 7. 일이 일어난 차례를 살펴요
문학	동화	19회	이름 짓기 가족회의	[국어 2-1 (가)] 3. 마음을 나누어요
문학	동화	30회	치과 의사 드소토 선생님	[국어 2-1 (나)] 11. 상상의 날개를 펴요
문학	동화	39회	7년 동안의 잠	[국어 활동 2-1] 11. 상상의 날개를 펴요
문학	동화	40회	꽃보다 아름다운 마음	

1 다양한 글로 **사고력 키우기**

1. **쉽고 짧은 독해부터 길고 어려운 독해**까지 10일씩 난이도를 높여 학습하는 40일 완성 독해 훈련서입니다.
2. 학년별 **교과서 제재를 연계**하여 다양한 형식의 글로 엮었습니다.
3. 독해하면서 학생들이 지루해하지 않도록 글의 내용에 맞는 **재미있는 그림과 사진**을 실었습니다.
4. 글 속의 어려운 **낱말의 뜻을 풀이**하여, 그때그때 찾아보며 글을 읽을 수 있도록 하였습니다.

2 문제를 풀며 **독해력 키우기**

1. 수능 문학, 비문학에 실제로 출제되는 **수능 출제 유형을 반영**하여 통일된 유형으로 문제를 출제하였습니다.
2. 글을 읽은 뒤 스스로 글의 전체 구조를 학습하기 위한 **지문 구조화 문제**를 마지막에 수록하였습니다.
3. 1~2문장으로 간단히 쓸 수 있는 **서술형 문제를 제시**하여 글을 읽고 느낀 점을 생각하게 하였습니다.

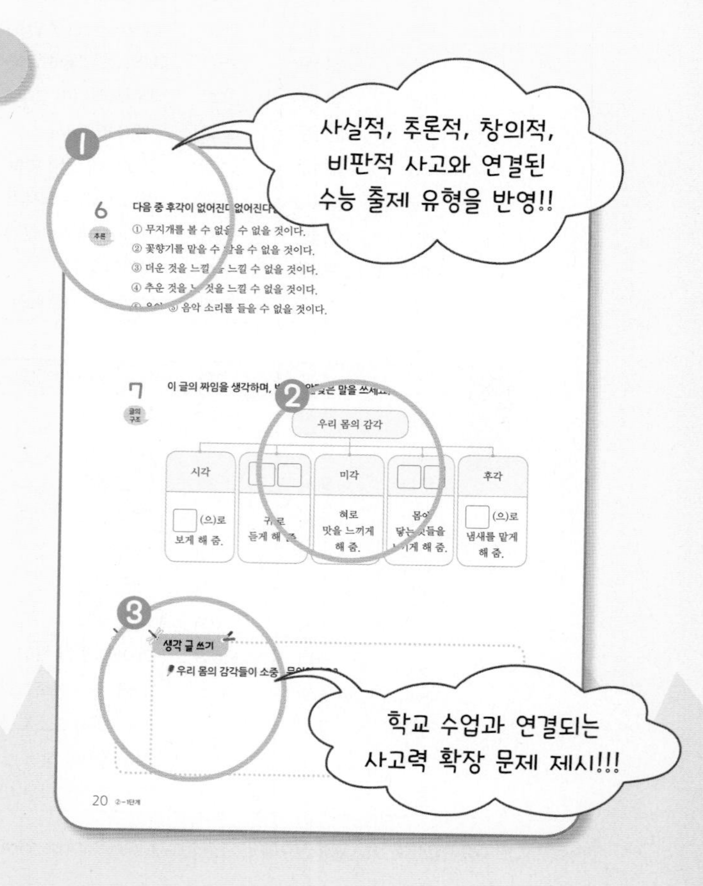

3 어휘 학습으로 **어휘력 키우기**

❶ 마무리 활동으로 글에 쓰인 어휘의 뜻과 쓰임을 복습하는 **어휘 다지기**를 수록하였습니다.

❷ 글을 읽고 어떤 문제 유형을 맞고 틀렸는지 **매일 스스로 평가하고 점검**할 수 있도록 하였습니다.

❸ 매일매일 맞은 문제 수에 따라 스스로 느낀 **학습 난이도를 스티커로** 붙이도록 하였습니다.

※ **스티커는 문제편 마지막 장에 수록되어 있습니다.**

4 해설을 보며 **문제 해결력 키우기**

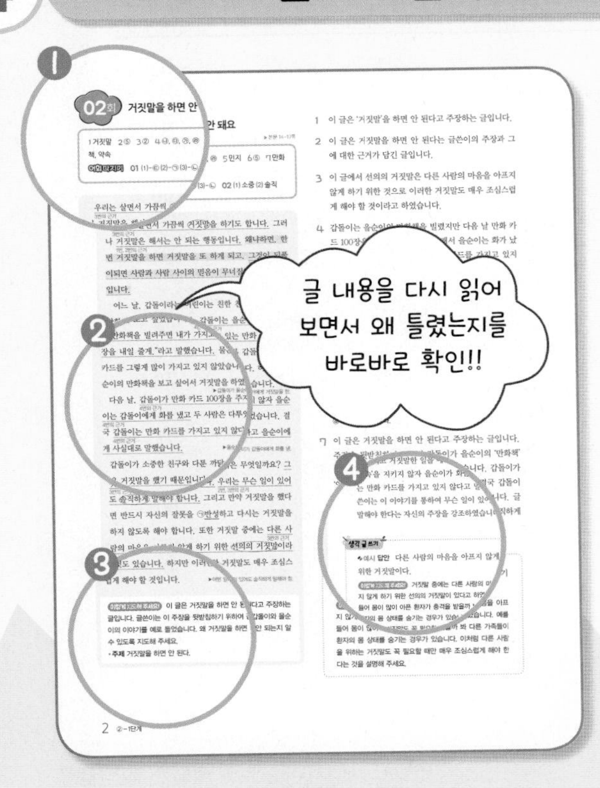

❶ 문제의 정답을 한 번에 맞춰 볼 수 있도록 **보기 쉽게 구성**하였습니다.

❷ **문단별 핵심 내용**과 문제 풀이의 근거가 되는 부분을 표시하고, 글 전체를 자세하고 꼼꼼하게 분석하였습니다.

❸ 학생들을 돕기 위한 **가이드 해설**을 실어서 학부모님과 교사분들이 직접 설명하고 지도하기 쉽게 구성하였습니다.

❹ 생각 글쓰기 문제의 **예시 답안**과, 학생들이 더 깊게 생각할 수 있는 해설을 수록하였습니다.

1단계 상상력을 키우는 짧은 독해

2단계 이해력을 키우는 재미있는 독해

3단계 사고력을 키우는 **다양한 독해**

4단계 독해력을 완성하는 **긴 독해**

상상력을 키우는 **짧은 독해**

✿ 자신의 학습 능력과 상황에 따라 꾸준하게 공부하는 것이 가장 중요합니다.

✿ 학습 계획을 먼저 세우고, 스스로 지킬 수 있도록 노력해 보세요.

				학습할 날짜
01회	조선 시대 왕들이 좋아한 음식	설명문	인문	월 일
02회	거짓말을 하면 안 돼요	논설문	사회	월 일
03회	우리 몸의 감각	설명문	과학	월 일
04회	미래의 로봇들	설명문	기술	월 일
05회	옛날 사람들의 미술	설명문	예술	월 일
06회	세계의 기념일	설명문	인문	월 일
07회	겨울잠, 잠만 자도 괜찮을까?	설명문	과학	월 일
08회	팝콘	문학	동시	월 일
09회	봄	문학	동시	월 일
10회	개미집에 간 콩이	문학	동화	월 일

공부한 날 월 일

조선 시대의 왕들은 어떤 음식을 먹었을까요? 조선 시대의 왕들도 오늘날 우리가 먹는 것처럼 밥과 반찬, 국을 골고루 먹었지만, 왕마다 특별히 좋아하는 음식이 있었다고 해요.

먼저, 한글을 *창제하여 조선 시대의 가장 *위대한 왕으로 *칭송받는 세종 대왕은 고기 반찬이 없으면 식사를 거의 못 했을 정도로 고기를 좋아했어요. 어릴 때부터 고기를 즐겨 먹었지만 운동을 좋아하지 않았던 세종 대왕은 ㉠ 병을 자주 앓았다고 해요.

그리고 조선 시대의 왕들 중 가장 오래 살았던 영조 임금은 ㉡ 채소를 넣은 음식을 좋아했어요. 영조 임금은 *청포묵에 미나리, 숙주 같은 채소를 섞어 만든 음식에 '탕평채'라는 이름을 붙이기도 했지요.

또한, 조선의 마지막 왕인 고종 임금은 여름에는 냉면을 즐겨 먹고, 겨울에는 설렁탕과 온면을 즐겨 먹었어요. 그리고 *서양 사람들이 우리나라에 들여온 커피를 마시는 것을 ㉢ 무척 좋아했다고 해요.

뜻 풀이

- **창제**: 전에 없던 것을 처음으로 만들거나 제정함.
- **위대한**: 도량이나 능력, 업적 등이 뛰어나고 훌륭한.
- **칭송**: 훌륭한 것을 잊지 아니하고 일컬음.
- **청포묵**: 녹두로 쑨 묵을 통틀어 이르는 말.
- **서양**: 유럽과 남북아메리카의 여러 나라를 통틀어 이르는 말.

1 제목

이 글의 제목으로 알맞은 것은 무엇인가요?

① 조선 시대 왕들이 좋아한 고기

② 조선 시대 왕들이 좋아한 계절

③ 조선 시대 왕들이 좋아한 음식

④ 조선 시대 왕들이 좋아한 음악

⑤ 조선 시대 왕들이 좋아한 채소

2

세부 내용

다음 조선 시대 왕들이 좋아했던 음식을 찾아 선으로 이으세요.

(1) 세종 •　　　　　　　　• ㉠ 채소

(2) 영조 •　　　　　　　　• ㉡ 커피

(3) 고종 •　　　　　　　　• ㉢ 고기반찬

▶정답과 해설 1쪽

3

추론

㉠의 까닭은 무엇일까요?

① 운동을 많이 하였기 때문에

② 운동을 하지 않았기 때문에

③ 채소를 먹지 않았기 때문에

④ 고기반찬을 먹지 않았기 때문에

⑤ 고기와 냉면을 같이 먹었기 때문에

4

적용

다음 중 ㉡에 알맞은 음식을 두 가지 골라 기호를 쓰세요.

㉮　　　　㉯

㉰

㉱

5

세부 내용

이 글의 내용에 맞게 다음 빈칸에 알맞은 말을 쓰세요.

고종 임금은 여름에는 □□, 겨울에는 □□□와/과 온면을 즐겨 먹었다.

6

어휘

ⓒ과 바꾸어 쓸 수 있는 말이 아닌 것은 무엇인가요?

① 매우 ② 몹시 ③ 아주 ④ 약간 ⑤ 정말

7

글의 구조

이 글의 짜임을 생각하며, 빈칸에 알맞은 말을 쓰세요.

조선 시대 왕들이 좋아했던 □□

□□	영조	고종
고기반찬을 좋아했음.	□□을/를 넣은 음식을 좋아했음.	계절별로 즐기는 음식이 달랐고 커피를 좋아했음.

생각 글 쓰기

병을 앓지 않고 건강하게 살기 위한 방법은 무엇일까요?

01 다음 낱말에 알맞은 뜻을 찾아 선으로 이으세요.

(1) 위대하다 •   • ㉠ 훌륭한 것을 잊지 아니하고 일컬음.

(2) 창제 •   • ㉡ 전에 없던 것을 처음으로 만들거나 제정함.

(3) 칭송 •   • ㉢ 도량이나 능력, 업적 등이 뛰어나고 훌륭하다.

02 아래 상황에 알맞은 낱말을 찾아 빈칸에 쓰세요.

서양   위대한   칭송

(1)

거북선은 [   ] 이순신 장군이 만들었다.

(2)

커피는 조선 시대에 [   ] 에서 들어왔다.

매일 학습 평가 맞은 문제에 표시해 주세요.

1 제목	2 세부 내용	3 추론	4 적용	5 세부 내용	6 어휘	7 글의 구조	맞은 개수
□	□	□	□	□	□	□	개

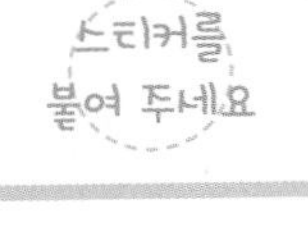

논설문 | 사회

공부한 날 (월 (일

우리는 살면서 가끔씩 거짓말을 하기도 합니다. 그러나 거짓말은 해서는 안 되는 행동입니다. 왜냐하면, 한 번 거짓말을 하면 거짓말을 또 하게 되고, 그것이 되풀이되면 사람과 사람 사이의 믿음이 무너질 수 있기 때문입니다.

어느 날, 갑돌이라는 어린이는 친한 친구인 을순이의 만화책이 보고 싶었습니다. 갑돌이는 을순이에게 "나한테 만화책을 빌려주면 내가 가지고 있는 만화 카드 100장을 내일 줄게."라고 말했습니다. 물론 갑돌이는 만화 카드를 그렇게 많이 가지고 있지 않았습니다. 하지만 을순이의 만화책을 보고 싶어서 거짓말을 하였습니다.

다음 날, 갑돌이가 만화 카드 100장을 주지 않자 을순이는 갑돌이에게 화를 냈고 두 사람은 다투었습니다. 결국 갑돌이는 만화 카드를 가지고 있지 않다고 을순이에게 •사실대로 말했습니다.

갑돌이가 •소중한 친구와 다툰 까닭은 무엇일까요? 그것은 거짓말을 했기 때문입니다. 우리는 무슨 일이 있어도 •솔직하게 말해야 합니다. 그리고 만약 거짓말을 했다면 반드시 자신의 잘못을 ㉠반성하고 다시는 거짓말을 하지 않도록 해야 합니다. 또한 거짓말 중에는 다른 사람의 마음을 아프지 않게 하기 위한 •선의의 거짓말이라는 것도 있습니다. 하지만 이러한 거짓말도 매우 조심스럽게 해야 할 것입니다.

낱말 뜻 풀이

- 사실: 실제로 있었던 일이나 현재에 있는 일.
- 소중한: 매우 귀중한.
- 솔직하게: 거짓이나 숨김이 없이 바르고 곧게.
- 선의: 좋은 뜻.

1 **이 글에 알맞은 제목을 쓰세요.**

제목

☐☐☐ 을/를 하면 안 돼요.

2

이 글에 대한 설명으로 알맞은 것은 무엇인가요?

① 갑돌이의 생일을 축하하는 글이다.
② 만화 카드에 대해 소개하는 글이다.
③ 갑돌이가 을순이에게 쓴 편지글이다.
④ 거짓말이 무엇인지 설명하는 글이다.
⑤ 거짓말을 하면 안 된다고 주장하는 글이다.

3

세부
내용

이 글의 내용으로 알맞지 않은 것은 무엇인가요?

① 우리는 가끔씩 거짓말을 한다.
② 선의의 거짓말은 마음을 아프게 한다.
③ 무슨 일이 있어도 솔직하게 말해야 한다.
④ 거짓말을 하면 사람 사이의 믿음이 무너질 수 있다.
⑤ 갑돌이와 을순이가 다툰 것은 갑돌이의 거짓말 때문이다.

4

보기의 ㉮~㉱를 이 글의 두 사람이 다투게 된 순서에 따라 차례대로 쓰세요.

㉮ 을순이가 갑돌이에게 화를 냄.
㉯ 갑돌이가 을순이의 만화책을 빌림.
㉰ 갑돌이가 만화 카드 100장을 주지 않음.
㉱ 갑돌이가 만화 카드를 가지고 있지 않다고 사실대로 말함.

(　　　) → (　　　) → (　　　) → (　　　)

5

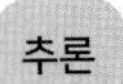

다음 중 이 글을 읽고 느낀 점을 잘못 말한 사람은 누구인가요?

- 유주: 예전에 거짓말했던 일을 반성해야겠어.
- 민지: 거짓말은 들키지만 않으면 또 해도 되겠어.
- 유하: 거짓말을 많이 한 양치기 소년의 이야기가 생각났어.
- 윤서: 친구와 사이좋게 지내려면 거짓말을 하면 안 되겠어.

6

어휘

㉠의 뜻으로 알맞은 것을 고르세요.

① 자기의 의견 등을 굳게 내세움.

② 어떤 행동이나 의견 등이 옳거나 좋다고 생각함.

③ 어떤 일이 원하는 대로 이루어지기를 바라면서 기다림.

④ 어떤 행동이나 의견 등에 따르지 아니하고 맞서 거스름.

⑤ 자신의 말과 행동에 대하여 잘못이나 부족함이 없는지 돌이켜 봄.

7

글의 구조

이 글의 내용을 생각하며, 빈칸에 알맞은 말을 쓰세요.

거짓말은 해서는 안 되는 행동임.

→ 갑돌이는 을순이의
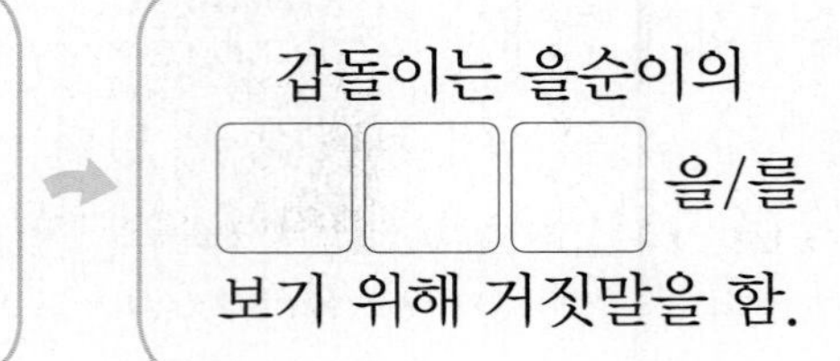
☐☐☐ 을/를 보기 위해 거짓말을 함.

→ 갑돌이가 ☐☐ 을/를 지키지 않자 을순이는 화를 냄.

→ 갑돌이는 만화 카드를 가지고 있지 않다고 사실대로 말함.

→ 우리는 무슨 일이 있어도 솔직하게 말해야 함.

선의의 거짓말의 뜻은 무엇일까요?

어휘 다지기

01 **다음 낱말에 알맞은 뜻을 찾아 선으로 이으세요.**

(1) 사실 •　　　　• ㉠ 매우 귀중하다.

(2) 소중하다 •　　　　• ㉡ 거짓이나 숨김이 없이 바르고 곧다.

(3) 솔직하다 •　　　　• ㉢ 실제로 있었던 일이나 현재에 있는 일.

02 **아래 상황에 알맞은 낱말을 찾아 빈칸에 쓰세요.**

선의	소중	솔직

(1)

소풍을 가서 [　　　] 한 추억을 만들었다.

(2)

나는 [　　　] 히 카레를 제일 좋아한다.

매일 학습 평가	맞은 문제에 표시해 주세요.						맞은 개수
1 제목 □	2 전개 방식 □	3 세부 내용 □	4 세부 내용 □	5 추론 □	6 어휘 □	7 글의 구조 □	개

03회

설명문 | 과학

[봄 2] 1. 알쏭달쏭 나

공부한 날 ( )월 ( )일

우리 몸에는 여러 가지 *감각들이 있어요. '감각'은 우리가 보고, 듣고, 맛을 보고, 닿아서 느끼고, 냄새를 맡게 해 주는 우리 몸 안의 *자치예요. 감각의 종류는 모두 다섯 가지이지요. 이 다섯 가지 감각에 대하여 자세히 알아볼까요?

먼저 우리가 눈으로 무엇인가를 보게 해 주는 감각을 '시각'이라고 불러요. 책을 읽고 색깔을 알아볼 수 있는 것은 모두 이 시각 *덕분이에요. 또한 귀로 소리를 듣게 해 주는 감각은 '청각'이라고 해요. 친구들이 *대화하는 소리, 강아지가 멍멍 짖는 소리 등을 들을 수 있는 것은 모두 청각 덕분이지요. 그리고 '미각'은 우리가 초콜릿을 먹을 때 혀로 단맛을 느낄 수 있게 해 주어요. 미각은 음식을 먹을 때 맛을 느끼게 해 주는 감각이지요. 우리에게 바깥이 추운지 더운지 알려 주는 감각은 무엇일까요? 바로 '촉각'이에요. 촉각은 우리 몸에 닿는 것들을 느끼게 해 주는 감각이에요. 마지막으로 '후각'은 코로 냄새를 맡게 해 주는 감각인데 우리는 후각으로 맛있는 음식 냄새, 향긋한 꽃향기 등을 맡을 수 있어요.

우리 몸에 감각이 없다면 우리는 이러한 다양한 느낌을 느껴 볼 수 없을 거예요. 이렇게 ㉠우리 몸의 감각은 정말 소중하답니다.

낱말 뜻 풀이

- **감각**: 눈, 코, 귀, 혀, 살갗을 통하여 바깥의 어떤 자극을 알아차림.
- **자치**: 자기 일을 스스로 다스림.
- **덕분**: 베풀어 준 은혜나 도움.
- **대화**: 마주 대하여 이야기를 주고받음. 또는 그 이야기.

1 이 글에서 가장 중요한 낱말은 무엇인가요?

핵심어

① 맛　② 색깔　③ 냄새
④ 소리　⑤ 감각

2 세부 내용

이 글의 내용에 맞게 다음 빈칸에 알맞은 말을 쓰세요.

청각은 우리가 [ ] (으)로 [ ][ ] 을/를 듣게 해 주는 감각이다.

03회 ▶ 정답과 해설 3쪽

3 세부 내용

몸에서 무엇인가를 보게 해 주는 부분은 어디인가요?

① 눈 ② 귀 ③ 코
④ 혀 ⑤ 피부

4 추론

보기에서 철수가 사용한 감각은 무엇인지 빈칸에 쓰세요.

- 철수: 나는 오늘 학교에서 집으로 오는 길에 달콤한 케이크를 먹었습니다. 그리고 집에서는 짠맛이 나는 과자도 먹었습니다.
- 철수가 사용한 감각: [ ][ ]

5 적용

다음 중 촉각으로 설명한 것이 아닌 것은 무엇인가요?

① 책상은 딱딱하다.
② 레몬은 노란색이다.
③ 강아지 털은 부드럽다.
④ 지우개는 말랑말랑하다.
⑤ 키위는 껍질이 까칠까칠하다.

6

다음 중 후각이 없어진다면 일어날 수 있는 일은 무엇인가요?

① 무지개를 볼 수 없을 것이다.

② 꽃향기를 맡을 수 없을 것이다.

③ 더운 것을 느낄 수 없을 것이다.

④ 추운 것을 느낄 수 없을 것이다.

⑤ 음악 소리를 들을 수 없을 것이다.

7

글의 구조

이 글의 짜임을 생각하며, 빈칸에 알맞은 말을 쓰세요.

우리 몸의 감각

시각	☐☐	미각	☐☐	후각
☐ (으)로 보게 해 줌.	귀로 듣게 해 줌.	혀로 맛을 느끼게 해 줌.	몸에 닿는 것들을 느끼게 해 줌.	☐ (으)로 냄새를 맡게 해 줌.

우리 몸의 감각들이 소중한 까닭은 무엇일까요?

어휘 다지기

03회
▶ 정답과 해설 3쪽

01 **다음 낱말에 알맞은 뜻을 찾아 선으로 이으세요.**

(1) 감각 •　　　　• ㉠ 자기 일을 스스로 다스림.

(2) 대화 •　　　　• ㉡ 마주 대하여 이야기를 주고받음. 또는 그 이야기.

(3) 자치 •　　　　• ㉢ 눈, 코, 귀, 혀, 살갗을 통하여 바깥의 어떤 자극을 알아차림.

02 **아래 상황에 알맞은 낱말을 찾아 빈칸에 쓰세요.**

감각　　대화　　덕분

(1)

나는 냄새를 맡는 [　　　] 이/가 예민하다.

(2)

친구와 책을 읽으며 [　　　] 을/를 하였다.

매일 학습 평가	맞은 문제에 표시해 주세요.						맞은 개수
1 핵심어 ☐	2 세부 내용 ☐	3 세부 내용 ☐	4 추론 ☐	5 적용 ☐	6 추론 ☐	7 글의 구조 ☐	개

04회

설명문 | 기술

공부한 날 ( )월 ( )일

만화나 영화에서 로봇을 본 적이 있을 것입니다. 여러분은 '로봇'을 생각하면 무엇이 떠오르나요? 악당들로부터 지구를 지키는 *정의의 로봇이 생각날 수도 있고, 타고 다니던 자동차가 갑자기 로봇으로 *변신해서 날아다니는 모습이 떠오를 수도 있어요. 그렇다면 앞으로 다가올 미래에는 정말 이러한 로봇들이 만들어질까요?

로봇이란 사람과 *유사한 모습이나 기능을 가진 기계 또는 스스로 일하는 능력을 가진 기계를 말해요. 전 세계의 과학자들은 우리의 생활을 *편리하게 해 주는 로봇들을 만들고 있다고 해요. 최근에 과학자들은 사람과 동물의 움직임을 연구하여 마치 사람이나 ㉠동물처럼 움직이는 로봇을 만드는 데 힘쓰고 있어요. 미국에서는 살아 있는 개의 움직임을 연구해서 [㉡]처럼 낯선 사람을 보면 짖는 개 로봇을 만들었답니다.

이 밖에도 미래에는 사람들에게 편리함을 주는 다양한 로봇들이 더 만들어질 거예요. 깊은 바닷속에 들어가서 사람들이 살 집을 짓는 로봇, 사람 대신 글씨를 써 주거나 글을 읽어 주는 로봇, 하늘과 우주를 돌아다니며 우리에게 *필요한 물건을 *배달해 주는 로봇 등이 생길 거예요. 이러한 로봇들이 만들어지면 사람들은 지금보다 더욱 편하게 살 수 있을 것입니다.

낱말 뜻 풀이

- **정의**: 진리에 맞는 올바른 도리.
- **변신**: 몸의 모양이나 태도 등을 바꿈. 또는 그렇게 바꾼 몸.
- **유사**: 서로 비슷함.
- **편리**: 편하고 이로우며 이용하기 쉬움.
- **필요**: 반드시 요구되는 바가 있음.
- **배달**: 물건을 가져다가 몫몫으로 나누어 돌림.

1 이 글의 중심이 되는 낱말을 쓰세요.

핵심어

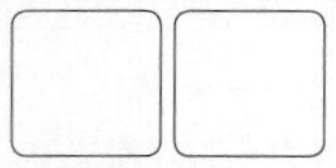

2 주제

이 글을 쓴 까닭은 무엇인가요?

① 친구를 설득하기 위하여
② 선생님께 안부를 전하기 위하여
③ 책을 읽고 느낀 점을 표현하기 위하여
④ 앞으로 만들어질 로봇들을 설명하기 위하여
⑤ 상상하여 지어낸 이야기를 들려 주기 위하여

3 적용

㉠의 예로 알맞지 않은 것은 무엇인가요?

① 쥐처럼 빠르게 달리는 로봇
② 새처럼 날개로 하늘을 나는 로봇
③ 원숭이처럼 나무에 매달리는 로봇
④ 고양이처럼 높은 곳에 올라가는 로봇
⑤ 도로를 달리다가 변신하여 하늘을 나는 로봇

4 추론

다음 중 미래에 만들어질 로봇에 대하여 알맞지 않게 말한 사람은 누구인가요?

- 나연: 무슨 일이든 로봇보다는 사람이 더 잘 할 거야.
- 동우: 사람에게 위험한 일을 로봇이 대신 할 수 있을 거야.
- 하은: 글씨를 써 주는 로봇이 생기면 숙제를 같이 해 달라고 할 거야.
- 지은: 글을 읽어 주는 로봇이 있으면 눈을 감고도 책의 내용을 알 수 있게 될 거야.

5 어휘

㉡에 들어갈 말로 알맞은 것은 무엇인가요?

① 가족　② 도둑　③ 이웃
④ 친구　⑤ 선생님

6

추론

이 글의 내용에 맞게 다음 문장에 알맞은 말을 골라 ○표를 하세요.

미래에 우리의 생활은 다양한 로봇들 덕분에 (더욱 / 덜) 편리해질 것이다.

7

글의 구조

이 글의 짜임을 생각하며, 빈칸에 알맞은 말을 쓰세요.

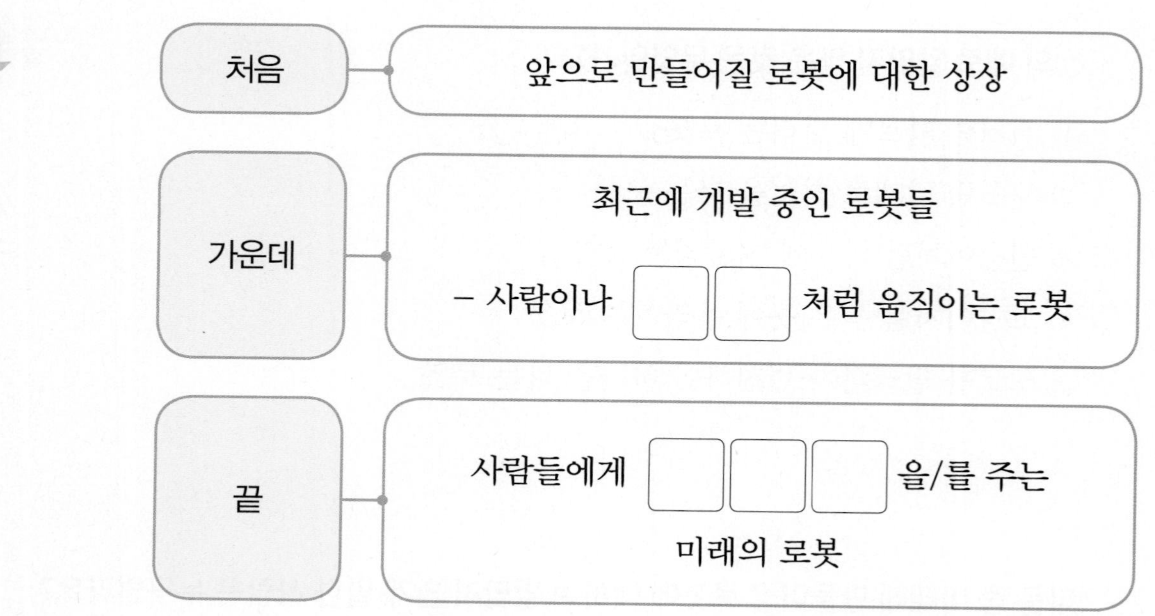

과학자들이 사람이나 동물처럼 움직이는 로봇을 만드는 까닭은 무엇일까요?

01 다음 낱말에 알맞은 뜻을 찾아 선으로 이으세요.

(1) 변신 •　　　• ㉠ 서로 비슷함.

(2) 유사 •　　　• ㉡ 진리에 맞는 올바른 도리.

(3) 정의 •　　　• ㉢ 몸의 모양이나 태도 등을 바꿈. 또는 그렇게 바꾼 몸.

02 아래 상황에 알맞은 낱말을 찾아 빈칸에 쓰세요.

배달 　변신 　필요

(1)

요즘 ☐ 음식이 많아졌다.

(2)

식물이 자라는 데 햇빛은 꼭 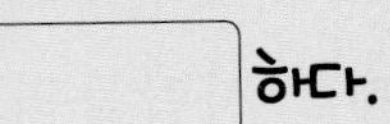 하다.

매일 학습 평가	맞은 문제에 표시해 주세요.						맞은 개수	
1 핵심어 ☐	2 주제 ☐	3 적용 ☐	4 추론 ☐	5 어휘 ☐	6 추론 ☐	7 글의 구조 ☐	개	스티커를 붙여 주세요.

설명문 | 예술

공부한 날 ( )월 ( )일

아주 오래전에 살았던 사람들은 오늘날의 우리들처럼 아름다운 것들을 만들고 싶은 마음이 있었어요. 그래서 여러 가지 방법과 *도구를 사용하여 그림을 그렸지요. 또한 돌을 깎아서 여러 가지 모양을 만들기도 했답니다.

그렇다면 옛날에는 종이와 물감이 없었는데 어떻게 그림을 그렸을까요? 아주 먼 옛날에는 사람들이 동굴에 주로 살았는데, 동굴 벽에 돌멩이를 긁어 그림을 그렸다고 해요. 붉은색, 검은색, 갈색 돌멩이들을 벽에 긁으면 돌멩이의 색깔이 벽에 그대로 남았기 때문에 ㉠여러 가지 색깔들로 그림을 그릴 수 있었어요. 이렇게 벽에 그린 그림을 '벽화'라고 불러요. 프랑스에 있는 「라스코 동굴 벽화」가 아주 *유명하지요.

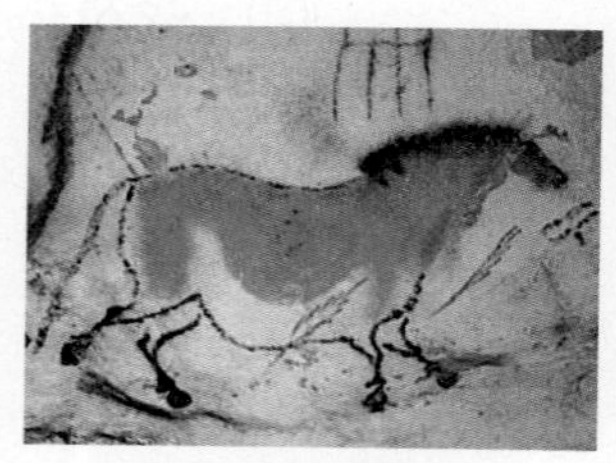
「라스코 동굴 벽화」

「원반 던지는 사람」

옛날 사람들은 돌을 깎아서 자신들이 아름답다고 생각하는 여러 가지 모양들을 만들기도 했어요. 그리스에서는 돌을 깎아서 *조각을 만들었어요. ㉡「*원반 던지는 사람」은 약 2500년 전에 만들어졌지만 오늘날의 작품들과 *비교해도 전혀 뒤떨어지지 않는 멋진 작품이에요.

낱말 뜻 풀이

- **도구**: 일을 할 때 쓰는 연장을 통틀어 이르는 말.
- **유명**: 이름이 널리 알려져 있음.
- **조각**: 재료를 새기거나 깎아서 입체 형상을 만듦.
- **원반**: 접시 모양으로 둥글고 넓적하게 생긴 물건.
- **비교**: 둘 이상의 사물을 견주어 서로 간의 유사점, 차이점, 일반 법칙 등을 고찰하는 일.

1 이 글의 주제는 무엇인가요?

주제

① 옛날 사람들의 음악
② 옛날 사람들의 수학
③ 옛날 사람들의 운동
④ 옛날 사람들의 축제
⑤ 옛날 사람들의 미술

2

옛날 사람들이 동굴에 그림을 그릴 때 사용한 재료는 무엇인가요?

① 붓　② 물감　③ 돌멩이
④ 색연필　⑤ 크레파스

05회
▶ 정답과 해설 5쪽

3

세부 내용

이 글에 대한 설명으로 알맞지 않은 것은 무엇인가요?

① 옛날 사람들은 동굴에 주로 살았다.
② 「라스코 동굴 벽화」는 프랑스에 있다.
③ 그리스에서는 돌을 붙여서 조각을 만들었다.
④ 옛날 사람들은 도구를 사용하여 그림을 그렸다.
⑤ 「원반 던지는 사람」은 약 2500년 전에 만들어진 것이다.

4

㉠의 까닭은 무엇인가요?

색깔이 있는 [　][　][　]들을 동굴 벽에 긁으면 그 색깔이 벽에 그대로 남았기 때문이다.

5

적용

이 글에서 설명한 '벽화'로 알맞은 것을 두 가지 골라 기호를 쓰세요.

6 보기의 물음에 알맞게 답한 사람은 누구인가요?

선생님: ㉡은 옛날 사람들이 만든 작품이에요. 어떻게 만들었을까요?

① 상원: 돌을 깎아서 만들었습니다.

② 용승: 뜨거운 불에 구워서 만들었습니다.

③ 지호: 동굴 벽에 돌멩이를 긁어서 만들었습니다.

④ 종구: 동물의 뼈를 동굴 벽에 붙여서 만들었습니다.

⑤ 상희: 나뭇가지를 잘라서 모양대로 엮어 만들었습니다.

7 이 글의 짜임을 생각하며, 빈칸에 알맞은 말을 쓰세요.

글의 구조

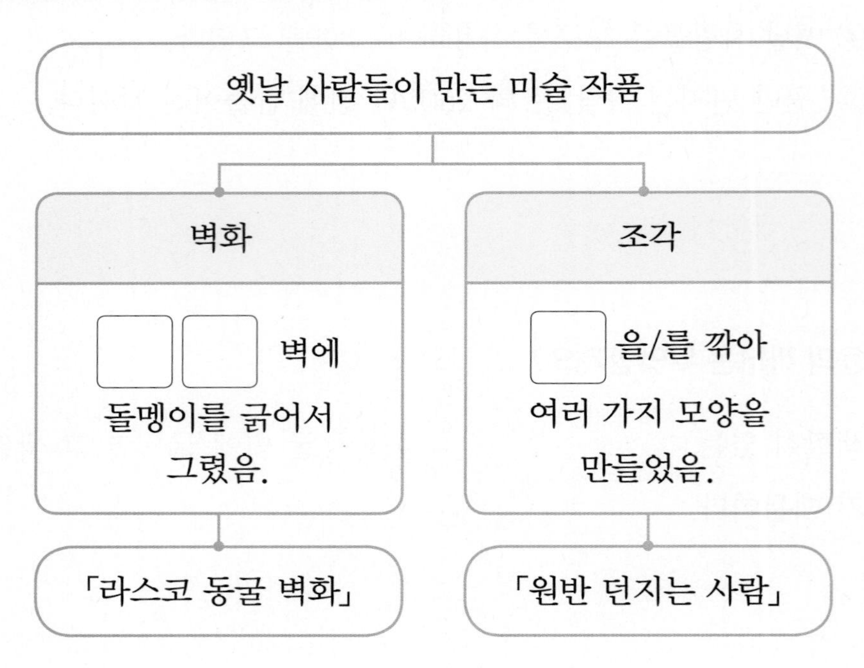

생각 글 쓰기

옛날 사람들이 여러 가지 미술 작품을 만든 까닭은 무엇일까요?

어휘 다지기

01 다음 낱말에 알맞은 뜻을 찾아 선으로 이으세요.

(1) 도구 •   • ㉠ 이름이 널리 알려져 있음.

(2) 유명 •   • ㉡ 일을 할 때 쓰는 연장을 통틀어 이르는 말.

(3) 조각 •   • ㉢ 재료를 새기거나 깎아서 입체 형상을 만듦.

02 아래 상황에 알맞은 낱말을 찾아 빈칸에 쓰세요.

도구	비교	유명

(1)

물감과 붓은
그림을 그리는
[ ] 이다.

(2)

과일들의 모양을
[ ] 해
보았다.

매일 학습 평가	맞은 문제에 표시해 주세요.						맞은 개수
1 주제 ☐	2 세부 내용 ☐	3 세부 내용 ☐	4 세부 내용 ☐	5 적용 ☐	6 추론 ☐	7 글의 구조 ☐	개

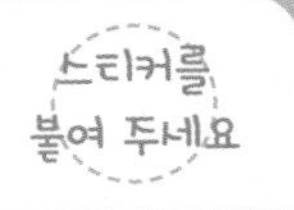

설명문 | 인문

공부한 날 ( )월 ( )일

달력을 살펴보면 '학생의 날', '어린이날'과 같이 여러 가지 날들이 많아요. 우리는 매년 무엇인가를 축하하거나 기릴 만한 일이 있는 날을 ㉠기념하게 되는데요. 이러한 날들을 '기념일'이라고 불러요. 예를 들면 '학생의 날'은 학생을 위한 기념일이고, '어린이날'은 어린이를 위한 기념일이에요. 기념일은 '한글날'처럼 우리나라에만 있는 기념일도 있지만, 전 세계적으로 똑같은 날로 정해진 기념일도 있어요.

매년 3월 8일은 '세계 여성의 날'이에요. '세계 여성의 날'은 여성들을 위한 세계적인 기념일이지요. 1908년에 미국에서는 수많은 여성들이 모여 여성들도 °투표할 수 있게 하자는 목소리를 냈어요. 그 이후, 전 세계 나라들은 1975년을 '세계 여성의 해'로 정하고 매년 3월 8일을 여성의 날로 정하였지요. 그리고 이날에는 여성의 자유와 °평등을 위한 여러 가지 행사를 °실시해요.

그리고 매년 9월 21일은 '세계 °평화의 날'이에요. 전 세계 사람들은 단 하루만이라도 전쟁과 °폭력을 멈추자는 목소리를 냈어요. 그리고 1981년에 9월 21일을 세계의 평화를 위한 기념일로 정하였어요.

이날들뿐만 아니라 세계에는 더 많은 기념일들이 있어요. 달력이나 인터넷으로 다른 기념일들은 무엇이 있는지 더 살펴보고 그 의미도 생각해 보는 것은 어떨까요?

낱말 뜻 풀이

- **투표**: 선거를 하거나 가부를 결정할 때에 투표용지에 의사를 표시하여 일정한 곳에 내는 일.
- **평등**: 권리, 의무, 자격 등이 차별 없이 고르고 한결같음.
- **실시**: 실제로 시행함.
- **평화**: 평온하고 화목함.
- **폭력**: 남을 거칠고 사납게 제압할 때에 쓰는, 주먹이나 발 또는 몽둥이 등의 수단이나 힘.

1 이 글은 무엇에 대하여 쓴 것인가요?

주제

세계의 □□□

2

추론

보기 에서 세계의 기념일과 우리나라만의 기념일로 알맞은 것을 각각 골라 쓰세요.

보기

① 세계 여성의 날	② 한글날	③ 개천절
④ 세계 평화의 날	⑤ 세계 물의 날	⑥ 광복절

(1) 세계의 기념일:

(2) 우리나라만의 기념일:

3

세부 내용

'세계 여성의 날'이 3월 8일로 정해진 것은 몇 년부터인가요?

① 1945년 ② 1955년 ③ 1965년 ④ 1975년 ⑤ 1985년

4

세부 내용

이 글의 내용에 따라 다음 빈칸에 알맞은 말을 쓰세요.

'세계 평화의 날'은 단 하루만이라도 ☐☐ 와/과 폭력을 멈추기 위하여 정한 날이다.

5

추론

보기 에서 다음 세계의 기념일에 어울리는 그림은 무엇인지 기호를 쓰세요.

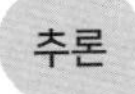

㉮

㉯

㉰

(1) 세계 춤의 날:

(2) 세계 환경의 날:

(3) 세계 아동 노동 반대의 날:

6 어휘

㉠의 뜻으로 알맞은 것은 무엇인가요?

① 여럿 중에서 가려내거나 뽑음.

② 이전의 잘못을 깨치고 뉘우침.

③ 돈이나 물건 등을 대가 없이 내놓음.

④ 오래도록 잊지 아니하고 마음에 간직함.

⑤ 요구나 부탁 등을 받아들이지 않고 물리침.

7 글의 구조

이 글의 짜임을 생각하며, 빈칸에 알맞은 말을 쓰세요.

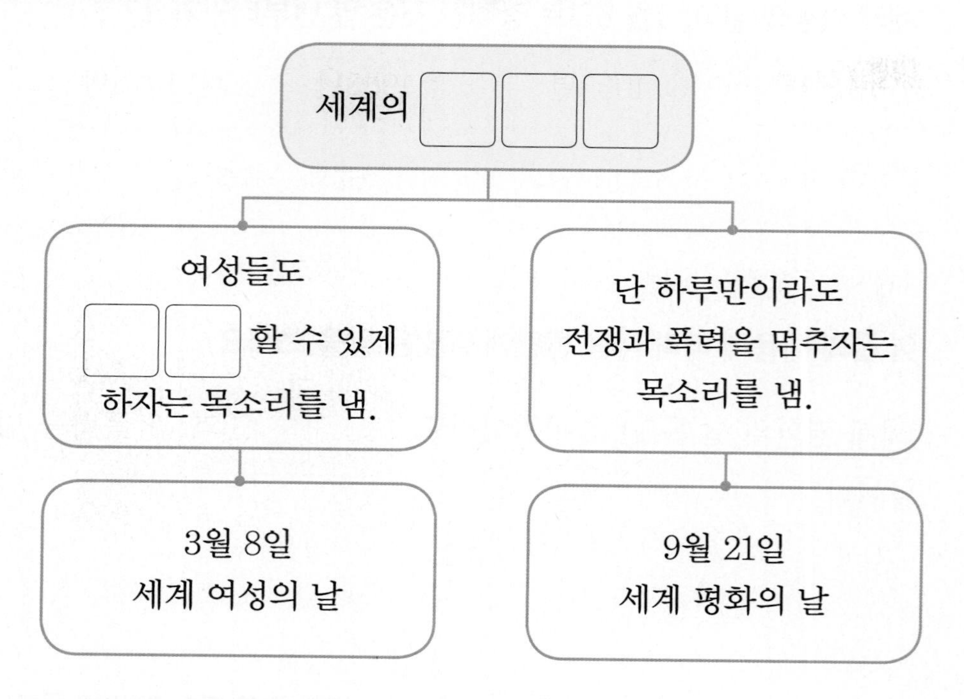

세계의 기념일에는 또 무엇이 있을까요?

01 다음 낱말에 알맞은 뜻을 찾아 선으로 이으세요.

(1) 실시 • • ㉠ 실제로 시행함.

(2) 평등 • • ㉡ 평온하고 화목함.

(3) 평화 • • ㉢ 권리, 의무, 자격 등이 차별 없이 고르고 한결같음.

02 아래 상황에 알맞은 낱말을 찾아 빈칸에 쓰세요.

실시 평화 폭력

(1)

[ ] 은/는 절대로 써서는 안 된다.

(2)

비둘기는 [ ] 의 상징이다.

매일 학습 평가	맞은 문제에 표시해 주세요.						맞은 개수	
1 주제 ☐	2 추론 ☐	3 세부 내용 ☐	4 세부 내용 ☐	5 추론 ☐	6 어휘 ☐	7 글의 구조 ☐	개	스티커를 붙여 주세요

07회

설명문 | 과학

[겨울 2] 2. 겨울 탐정대의 친구 찾기

 월 일

겨울은 매우 추운 계절이에요. 추운 겨울에는 먹을 것이 없는데 동물들은 어떻게 살아남을 수 있는 것일까요? 그 °이유는 동물들은 추운 겨울이 오면 오랫동안 잠을 자기 때문이에요. 이 잠을 °겨울잠이라고 해요. 곰, 다람쥐, 개구리 같은 동물들은 겨울 내내 잠을 자요. 그런데 겨울잠을 자는 동물들은 어떻게 먹이를 먹지 않고도 잠을 잘 수 있을까요? 오랫동안 먹이를 먹지 않으면 동물들이 잠을 자다가 죽지는 않을까요?

동물들은 겨울잠에 들어가기 전인 가을에 먹이를 많이 먹어요. 겨울에는 먹이를 제대로 구할 수 없기 때문에 미리 많이 먹어 두는 거예요. 그리고 동물들은 겨울잠을 잘 때에는 숨을 쉬는 것만 남기고 몸의 ㉠ °작동을 멈추어요. 그렇게 동물들은 °최대한 에너지를 아끼기 위하여 몸의 작동을 멈추는 것이에요. 심지어 겨울잠을 자는 동안 화장실도 거의 안 간다고 해요.

그런데 만약 겨울에도 먹이가 °풍부하고 날씨가 따뜻하다면 동물들은 겨울잠을 자지 않기도 할 거예요. 예를 들어, °야생의 곰은 겨울잠을 자지만 ㉡ 동물원에 있는 곰은 겨울잠을 자지 않아요. 그리고 요즘에는 예전보다 겨울이 따뜻해지고 짧아져서 겨울잠을 자지 않는 동물들이 생기고 있다고 해요.

낱말 뜻 풀이

- **이유**: 어떠한 결론이나 결과에 이른 까닭이나 근거.
- **겨울잠**: 겨울이 되면 동물이 활동을 중단하고 땅속 등에서 겨울을 보내는 일.
- **작동**: 기계 등이 작용을 받아 움직임.
- **최대**: 수나 양, 정도 등이 가장 큼.
- **풍부**: 넉넉하고 많음.
- **야생**: 산이나 들에서 저절로 나서 자람.

1 이 글에서 가장 중요한 낱말은 무엇인가요?

① 날씨
② 먹이
③ 겨울잠
④ 다람쥐
⑤ 동물원

2

동물들이 겨울잠을 자기 전에 먹이를 많이 먹는 계절은 언제인가요?

① 봄
② 여름
③ 가을
④ 겨울
⑤ 아무 때나

3

어휘

이 글의 ㉠과 바꾸어 쓸 수 없는 낱말은 무엇인가요?

① 동작
② 성장
③ 행동
④ 활동
⑤ 움직임

4

다음 중 동물들이 겨울잠을 잘 때 몸의 작동을 멈추는 까닭은 무엇인지 기호를 쓰세요.

㉮ 화장실을 안 가기 위하여
㉯ 먹이를 많이 먹기 위하여
㉰ 겨울을 제대로 즐기기 위하여
㉱ 최대한 에너지를 아끼기 위하여

5

이 글에서 ㉡의 까닭으로 알맞은 것은 무엇인가요?

① 동물원이 너무 추워서
② 동물원의 먹이가 맛이 없어서
③ 동물원은 먹이가 풍부하고 따뜻해서
④ 동물원에 오는 사람들이 시끄럽게 해서
⑤ 동물의 동물 친구들과 계속 놀고 싶어서

6 [보기]의 뉴스를 보고 빈칸에 알맞은 말을 고르세요.

세부 내용

[보기]
아나운서: 요즘 겨울잠을 자지 않는 야생 동물들이 많아지고 있다고 합니다. 그 이유는 [ ] 때문입니다.

① 가을에 먹이를 먹지 못했기
② 사람들을 피해 다녀야 하기
③ 겨울에 눈이 너무 많이 왔기
④ 겨울이 따뜻해지고 짧아졌기
⑤ 겨울잠을 자기에는 겨울이 너무 춥기

7 이 글의 짜임을 생각하며, 빈칸에 알맞은 말을 쓰세요.

글의 구조

동물들이 겨울 내내 겨울잠을 자도 살 수 있는 이유

- 겨울잠을 자기 전 가을에 [ ][ ] 을/를 많이 먹어 둠.
- 에너지를 아끼기 위하여 몸의 [ ][ ] 을/를 멈춤.

먹이가 [ ][ ] 하고 날씨가 따뜻하면 겨울잠을 자지 않기도 함.

추운 겨울에 겨울잠을 자지 않으면, 야생의 동물들에게 생기는 나쁜 점은 무엇일까요?

01 **다음 낱말에 알맞은 뜻을 찾아 선으로 이으세요.**

(1) 야생 • • ㉠ 넉넉하고 많음.

(2) 이유 • • ㉡ 산이나 들에서 저절로 나서 자람.

(3) 풍부 • • ㉢ 어떠한 결론이나 결과에 이른 까닭이나 근거.

02 **아래 상황에 알맞은 낱말을 찾아 빈칸에 쓰세요.**

야생 최대 풍부

(1)

[　　　]의 꽃들이 참 아름답다.

(2)

맑은 샘물이 [　　　]하게 나온다.

매일 학습 평가	맞은 문제에 표시해 주세요.						맞은 개수
1 핵심어 □	2 세부 내용 □	3 어휘 □	4 세부 내용 □	5 추론 □	6 세부 내용 □	7 글의 구조 □	개

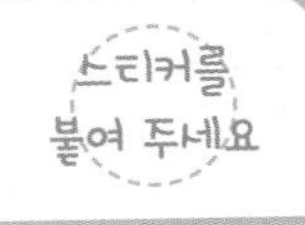

팝콘

쪼그만 옥수수 알갱이가
냄비 안에서
㉠ 탁 타타탁
㉡ 펑펑 펑펑
유리 뚜껑을 열고
나갈라 한다.
힘도 세지
입안에 들어가니
㉢ 아삭아삭 사라라
부드러운데.

– 한영우

낱말 뜻풀이

- **알갱이:** 열매나 곡식 등의 하나하나 따로따로인 알.
- **펑펑:** 물건이 갑자기 잇따라 크게 터지는 소리. 또는 그 모양.
- **나갈라 :** '나가려고'의 시적 표현.
- **아삭아삭:** 연하고 싱싱한 과일이나 채소 등을 보드랍게 베어 물 때 자꾸 나는 소리.

1 

이 시에 나타난 경험은 무엇인가요?

① 팝콘을 사 먹은 일
② 옥수수를 구워 먹은 일
③ 팝콘을 만들어 먹은 일
④ 펑펑 눈이 오는 모습을 본 일
⑤ 부드러운 아이스크림을 먹은 일

2 어휘

이 시의 '쪼그만'과 바꾸어 쓸 수 있는 말은 무엇인가요?

① 작은
② 거대한
③ 동그란
④ 거칠거칠한
⑤ 울퉁불퉁한

3 표현

㉠~㉢ 중 옥수수 알갱이가 튀어 오르는 소리가 아닌 것은 무엇인가요?

4 추론

옥수수 알갱이를 '힘도 세지'라고 표현한 까닭은 무엇인가요?

① 옥수수 알갱이가 너무 많아서
② 옥수수 알갱이가 아주 커져서
③ 옥수수 알갱이가 계속 뜨거워져서
④ 옥수수 알갱이가 터지면서 작은 소리를 내서
⑤ 옥수수 알갱이가 유리 뚜껑을 열 것처럼 튀어 올라서

5 표현

팝콘을 먹을 때의 느낌을 표현한 부분을 찾아 빈칸에 쓰세요.

□□□□ □□□ 부드러운데.

6 보기를 읽고 이 시와의 공통점에 ○표를 하세요.

감상

보기

줄넘기를 하는데
나도 끼워 줘
나도 끼워 줘
너도나도 끼워 달라고 조르는 바람에
줄넘기는 하난데
머리 나풀나풀 뛰는 애들은 여럿이란다.
숨바꼭질을 하는데
나도 끼워 줘
나도 끼워 줘
너도나도 끼워 달라고 조르는 바람에
술래는 하난데
머리 꼭꼭 숨는 애들은 여럿이란다.

– 이준관, 「나도 끼워 줘」

• 자신이 (겪은 / 공부한 / 상상한) 일에 대해 표현하였다.

생각 글 쓰기

시에서 '탁 타타탁', '펑펑'과 같이 소리를 흉내 내는 말을 사용하면 좋은 점은 무엇일까요?

어휘 다지기

01 **다음 낱말에 알맞은 뜻을 찾아 선으로 이으세요.**

(1) 아삭아삭 •   • ㉠ 열매나 곡식 등의 하나하나 따로따로인 알.

(2) 알갱이 •   • ㉡ 물건이 갑자기 잇따라 크게 터지는 소리. 또는 그 모양.

(3) 펑펑 •   • ㉢ 연하고 싱싱한 과일이나 채소 등을 보드랍게 베어 물 때 자꾸 나는 소리.

02 **아래 상황에 알맞은 낱말을 찾아 빈칸에 쓰세요.**

아삭아삭	알갱이	펑펑

(1)

풍선이 소리 내며 [ ] 터졌다.

(2)

나는 [ ] 한 사과를 좋아한다.

매일 학습 평가	맞은 문제에 표시해 주세요.					맞은 개수
1 주제 □	2 어휘 □	3 표현 □	4 추론 □	5 표현 □	6 감상 □	개

봄

우리 아기는
아래 *발치에서 *코올코올

고양이는
*부뚜막에서 가릉가릉

아기 바람이
나뭇가지에서 *소올소올

아저씨 해님이
하늘 ㉠한가운데서 *째앵째앵.

– 윤동주

낱말 뜻 풀이
- **발치**: 누울 때 발이 가는 쪽.
- **코올코올**: '콜콜'을 길게 말한 것. 곤하게 깊이 자면서 숨을 쉬는 소리.
- **부뚜막**: 아궁이 위에 솥을 걸어 놓는 언저리.
- **소올소올**: '솔솔'을 길게 말한 것. 바람이 보드랍게 부는 모양.
- **째앵째앵**: '쨍쨍'을 길게 말한 것. 햇볕 등이 몹시 내리쬐는 모양.

1 **이 시는 몇 연 몇 행으로 이루어져 있는지 쓰세요.**

글의 구조

☐ 연 ☐ 행

2

배경

이 시에 나타난 계절은 언제인가요?

① 봄
② 여름
③ 가을
④ 겨울
⑤ 나타나 있지 않다.

3

세부 내용

이 시에 등장하지 않은 것은 무엇인가요?

① 바람
② 아기
③ 해님
④ 강아지
⑤ 고양이

4

표현

이 시의 내용에 맞게 글감과 글감의 몸짓을 선으로 이으세요.

(1) 아기 •	• ㉠ 가릉가릉
(2) 해님 •	• ㉡ 째앵째앵
(3) 고양이 •	• ㉢ 코올코올

5

추론

이 시를 읽고 떠올릴 수 있는 장면은 무엇인가요?

① 하늘에 구름이 가득 낀 장면
② 고양이와 아기가 함께 노는 장면
③ 나뭇잎에 빗방울이 떨어지는 장면
④ 나뭇가지가 바람에 흔들리는 장면
⑤ 아기가 엄마 머리맡에서 자는 장면

6

감상

이 시를 읽고 느낄 수 있는 분위기는 어떠한가요?

① 무섭다.

② 외롭다.

③ 시끄럽다.

④ 쓸쓸하다.

⑤ 평화롭다.

7

어휘

다음 중 ㉠과 바꾸어 쓸 수 있는 말은 무엇인가요?

① 왼쪽

② 변두리

③ 오른쪽

④ 한복판

⑤ 가장자리

생각 글 쓰기

이 시에서 '콜콜, 솔솔, 쨍쨍'을 '코올코올, 소올소올, 째앵째앵'으로 쓴 까닭은 무엇일까요?

▶ 정답과 해설 9쪽

01 **다음 낱말에 알맞은 뜻을 찾아 선으로 이으세요.**

(1) 발치 •   • ㉠ 누울 때 발이 가는 쪽.

(2) 부뚜막 •   • ㉡ 바람이 보드랍게 부는 모양.

(3) 솔솔 •   • ㉢ 아궁이 위에 솥을 걸어 놓는 언저리.

02 **아래 상황에 알맞은 낱말을 찾아 빈칸에 쓰세요.**

쌩쌩   졸졸   쨍쨍

(1)

시합에서 이기려고 [   ] 달렸다.

(2)

바닷가에 해가 [   ] 내리쬔다.

매일 학습 평가	맞은 문제에 표시해 주세요.						맞은 개수
1 글의 구조 ☐	2 배경 ☐	3 세부 내용 ☐	4 표현 ☐	5 추론 ☐	6 감상 ☐	7 어휘 ☐	개

생쥐 콩이는 새로 이사를 온 집에 놀러 갔어요.

"어서 오세요!"

문을 열고 나온 것은 작은 일개미였어요. 개미는 콩이를 굴 안으로 안내했어요. 땅속으로 뚫린 굴은 아늑한 방으로 연결되었지요.

아침에는 애벌레 방을 구경했어요. 방에는 쌀알처럼 생긴 개미알이 쌓여 있었어요. 알 사이사이로 뽀얗고 포동포동한 애벌레가 기지개를 켰어요.

"정말 귀여운 아기야."

콩이는 애벌레를 살짝 쓰다듬어 주었어요.

점심때는 여왕개미 방에 갔어요. 여왕개미는 막 알을 낳고 잠깐 쉬는 중이었지요. 여왕개미가 활짝 웃으며 콩이를 맞이했어요.

"반가워요. 앞으로 자주 놀러 와요."

콩이는 상냥한 여왕개미가 마음에 들었어요.

저녁때가 되었어요. 콩이는 굴을 나가려다가 신기한 방을 보았어요.

"여기는 무슨 방일까?"

콩이는 고개를 갸웃하다가 방 안으로 살금살금 들어갔어요. 방 안에는 무지갯빛 안개가 몽실몽실 피어나고 있었지요.

"콩이라더니 정말 콩알만 하군."

문득 어디선가 우렁우렁한 목소리가 들렸어요.

머리에는 무지갯빛 모자를 쓰고 발까지 닿는 망토를 걸친 이상한 개미였어요. 개미는 싱글벙글 웃으며 다가왔어요.

"어서 와! 아까부터 기다리고 있었단다."

콩이는 얼떨떨해서 물었어요.

"제 이름을 어떻게 아세요?"

그러자 개미가 호탕하게 웃으며 대답했어요.

"하하하. 난 마법사 개미거든!"

– 천효정, 「개미집에 간 콩이」

▶ 정답과 해설 10쪽

낱말 뜻 풀이

- **아늑한:** 포근하게 감싸 안기듯 편안하고 조용한 느낌이 있는.
- **상냥한:** 성질이 싹싹하고 부드러운.
- **우렁우렁:** 소리가 매우 크게 울리는 모양.
- **호탕하게:** 호기롭고 걸걸하게.

1

이 글에서 콩이가 놀러 간 곳은 어디인가요?

① 숲　　② 벌집　　③ 학교
④ 개미집　　⑤ 개울가

2

표현

애벌레 방에 쌓여 있는 개미알은 어떻게 생겼는지 빈칸에 쓰세요.

☐☐ 처럼 생긴 개미알

3

콩이가 여왕개미 방에 갔을 때 여왕개미가 하고 있던 것은 무엇인가요?

① 맛있는 점심을 먹고 있었다.
② 열심히 운동을 하고 있었다.
③ 깨끗이 방 청소를 하고 있었다.
④ 막 알을 낳고 잠깐 쉬고 있었다.
⑤ 마법사 개미와 대화를 하고 있었다.

4

인물

콩이가 만난 여왕개미의 성격으로 알맞은 것에 모두 ○표를 하세요.

차갑다　　따뜻하다　　상냥하다　　겁이 많다

5

표현

이 글에서 마법사 개미의 목소리를 나타낸 말을 쓰세요.

□□□□ 한 목소리

6

세부 내용

마법사 개미가 쓰고 있던 모자의 색깔로 알맞은 것은 무엇인가요?

① 노란빛 ② 빨간빛 ③ 초록빛

④ 파란빛 ⑤ 무지갯빛

7

전개 방식

다음을 보고 시간에 따라 콩이가 들어간 방을 쓰세요.

(1) 아침에는 □□□ 방

(2) 점심에는 □□□□ 방

(3) 저녁에는 □□□ 방

생각 글 쓰기

마법사 개미의 성격은 어떠할까요?

▶ 정답과 해설 10쪽

01 **다음 낱말에 알맞은 뜻을 찾아 선으로 이으세요.**

(1) 상냥하다 •　　　　• ㉠ 호기롭고 걸걸하다.

(2) 아늑하다 •　　　　• ㉡ 성질이 싹싹하고 부드럽다.

(3) 호탕하다 •　　　　• ㉢ 포근하게 감싸 안기듯 편안하고 조용한 느낌이 있다.

02 **아래 상황에 알맞은 낱말을 찾아 빈칸에 쓰세요.**

상냥　　아늑　　우렁우렁

(1)

다락방은 언제나 (　　　) 하게 느껴진다.

(2)

동굴에서 목소리가 (　　　) 하게 울렸다.

매일 학습 평가	맞은 문제에 표시해 주세요.						맞은 개수
1 배경 ☐	2 표현 ☐	3 세부 내용 ☐	4 인물 ☐	5 표현 ☐	6 세부 내용 ☐	7 전개 방식 ☐	개

스티커를 붙여 주세요

이해력을 키우는 **재미있는 독해**

❀ 자신의 학습 능력과 상황에 따라 꾸준하게 공부하는 것이 가장 중요합니다.

❀ 학습 계획을 먼저 세우고, 스스로 지킬 수 있도록 노력해 보세요.

회차	제목	갈래	분야	학습할 날짜
11회	책을 읽어야 하는 까닭	논설문	인문	월 일
12회	잘 듣고 잘 말하는 방법	논설문	사회	월 일
13회	곤충을 연구한 과학자들	설명문	과학	월 일
14회	플라스틱의 쓰임새	설명문	기술	월 일
15회	여러 시대의 도자기	설명문	예술	월 일
16회	세계 여러 지역의 집	설명문	사회	월 일
17회	물가 친구들을 돕고 싶어요	논설문	사회	월 일
18회	민달팽이	문학	동시	월 일
19회	이름 짓기 가족회의	문학	동화	월 일
20회	나물 노래	문학	동요	월 일

11회

논설문 | 인문

공부한 날 월 일

책을 읽는 것이 중요하다고 하지만, 세상의 모든 사람들이 책 읽는 것을 좋아하지는 않아요. 그렇지만 *훌륭한 사람들은 모두 책을 좋아하고 책을 많이 읽었다고 해요. 우리가 책을 읽으면 어떤 점이 좋을까요?

책에는 책을 쓴 많은 사람들의 *지식과 *지혜가 담겨 있어요. 우리는 알고 싶은 것들이 생기면 책을 읽어서 그것들을 배울 수 있지요. 만약 여러분이 친구와 사이좋게 지내는 방법을 알고 싶다면, 친구와 사이좋게 지내는 방법에 대하여 쓴 책을 읽어 보세요. 그러면 그런 책을 몇 권만 읽어도 여러분은 정말 많은 방법들을 배울 수 있을 거예요.

또한, ㉠ 읽은 책의 양이 점점 늘어날수록 책을 읽는 속도가 점점 빨라져요. 그래서 책을 더 빨리, 더 많이 읽을 수 있어요. 왜 그럴까요? 그 까닭은 내가 전에 읽었던 책의 내용이 머릿속에 남아서 *나중에 다른 책을 읽을 때 이해에 도움이 되기 때문이에요.

미국의 대통령이었던 버락 오바마는 "책 읽기가 나에게 가장 힘이 되었다."라고 말했어요. 그리고 프랑스의 군인이자 *황제였던 나폴레옹은 책을 가득 담은 수레를 전쟁터까지 가져가서 시간만 나면 책을 읽었답니다. 우리도 훌륭한 사람이 되려면 책을 많이 읽어야 한다는 것을 *명심하세요.

낱말 뜻 풀이

- **훌륭한**: 썩 좋아서 나무랄 곳이 없는.
- **지식**: 어떤 대상에 대하여 배우거나 실천을 통하여 알게 된 명확한 인식이나 이해.
- **지혜**: 사물의 이치에 대해 빨리 깨닫고 사물을 정확하게 처리하는 정신적 능력.
- **나중**: 얼마의 시간이 지난 뒤.
- **황제**: 왕이나 제후를 거느리고 나라를 통치하는 임금을 왕이나 제후와 구별하여 이르는 말.
- **명심**: 잊지 않도록 마음에 깊이 새겨 둠.

1 이 글에서 글쓴이가 말하고 싶은 내용은 무엇인가요?

주제

① 책을 읽는 것은 좋다.
② 책을 읽는 것은 귀찮다.
③ 책을 읽을 시간이 부족하다.
④ 책을 읽는 것은 도움이 안 된다.
⑤ 책을 읽는 것은 시간을 빼앗는다.

2

이 글의 내용에 맞게 다음 빈칸에 알맞은 말을 쓰세요.

책에는 많은 사람들의 지식과 [ ][ ] 이/가 담겨 있다.

3

보기를 읽고, 준수가 읽으면 좋을 책을 고르세요.

• 준수: 나는 1인 방송을 하고 싶은데, 사람들 앞에서 말을 잘 못하겠어. 나는 어떤 책을 읽어야 할까?

① 방송의 역사에 대하여 쓴 책
② 글을 잘 읽는 방법에 대하여 쓴 책
③ 말을 잘 하는 방법에 대하여 쓴 책
④ 동영상을 만드는 방법에 대하여 쓴 책
⑤ 맛있는 음식을 만드는 방법에 대하여 쓴 책

4

세부 내용

㉠의 까닭으로 알맞은 것은 무엇인가요?

① 내가 읽은 책이 재미없어서
② 책을 읽으면 나도 모르게 졸려서
③ 책을 읽으면 부모님께 칭찬을 받아서
④ 내가 읽은 책이 다른 책을 읽을 때 방해가 되어서
⑤ 내가 읽은 책이 다른 책을 읽을 때 도움이 되어서

5

추론

다음 나폴레옹의 말에서 '이것'이 무엇인지 쓰세요.

• 나폴레옹: 나는 200년 전에 살았던 프랑스의 군인이자 황제입니다. 나는 수많은 전쟁터에서 싸웠지요. 그래도 어느 때나 '이것'을 가지고 다녔습니다. 그리고 시간이 날 때마다 '이것'을 보았지요.

11회 ▶ 정답과 해설 11쪽

6 감상

이 글을 읽고 느낀 점으로 알맞지 않은 것은 무엇인가요?

① 상원: 책이 나에게 정말 큰 힘이 되겠어.
② 하은: 나도 이제부터 책을 많이 읽어야겠어.
③ 주현: 훌륭한 사람이 되려면 책을 많이 읽어야겠어.
④ 승진: 책을 읽으면 나에게 전혀 도움이 되지 않겠어.
⑤ 유주: 책을 많이 읽을수록 책을 더 빨리 읽을 수 있겠어.

7 글의 구조

이 글의 짜임을 생각하며, 빈칸에 알맞은 말을 쓰세요.

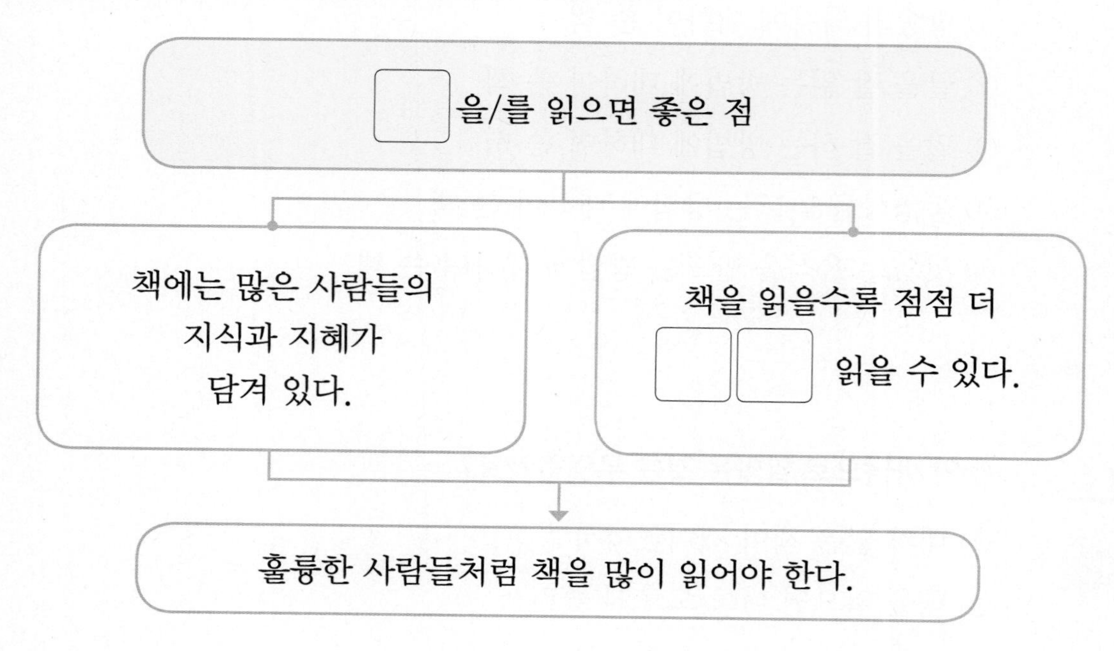

책을 많이 읽으면 좋은 점은 또 무엇일까요?

어휘 다지기

▶ 정답과 해설 11쪽

01 **다음 낱말에 알맞은 뜻을 찾아 선으로 이으세요.**

(1) 명심 •　　　　• ㉠ 썩 좋아서 나무랄 곳이 없다.

(2) 지혜 •　　　　• ㉡ 잊지 않도록 마음에 깊이 새겨 둠.

(3) 훌륭하다 •　　　　• ㉢ 사물의 이치에 대해 빨리 깨닫고 사물을 정확하게 처리하는 정신적 능력.

02 **아래 상황에 알맞은 낱말을 찾아 빈칸에 쓰세요.**

명심　　지혜　　황제

(1)

[　　　　] 이/가 살았던 궁전을 둘러보았다.

(2)

교통안전 수칙을 [　　　　] 해야 한다.

매일 학습 평가	맞은 문제에 표시해 주세요.						맞은 개수	스티커를 붙여 주세요
1 주제 □	2 세부 내용 □	3 적용 □	4 세부 내용 □	5 추론 □	6 감상 □	7 글의 구조 □	개	

12회

논설문 | 사회

[국어 2-1 (나)] 10. 다른 사람을 생각해요

공부한 날 월 일

우리는 가끔 다른 사람의 말을 잘 듣지 않을 때가 있어요. 그래서 다른 사람을 *서운하게 하기도 해요. 또, 어느 때는 다른 사람에게 하고 싶은 말을 제대로 하지 못할 때도 있어요. 과연 잘 듣고, 잘 말할 수 있는 방법은 무엇일까요?

우리가 다른 사람의 말을 잘 듣기 위해서는 먼저 말하는 사람에게 *집중해야 해요. 먼저 말하는 사람에게 몸을 향하고, *편안한 표정을 지으면서 눈을 맞추면 그 사람은 '내 말을 잘 들어 주고 있구나.'라고 생각할 거예요. 그리고 말을 들으면서 *동의한다는 뜻으로 가끔씩 고개를 끄덕이고, 자신이 들은 말을 정리해서 다시 말해 주는 것도 좋은 방법이지요.

그리고 다른 사람에게 잘 말하기 위해서는 듣는 사람의 기분을 생각하며 말해야 해요. 자신이 하고 싶은 말만 하는 게 아니라, 듣는 사람이 자신의 말을 어떻게 받아들일지 생각하며 ㉠신중하게 말해야 하지요. 그리고 듣는 사람에게 자신이 하고 싶은 말을 *차분하게 하고, *긍정적이고 좋은 말을 사용하여 말해 보세요. 또, 살짝 미소를 지으면서 말하는 것도 좋은 방법이에요.

이렇게 다른 사람의 말을 잘 듣고, 잘 말하는 것은 어려운 일이 아니에요. 우리가 먼저 웃으면서 말을 잘 들어 주고, 듣는 사람의 기분을 생각하며 좋은 말을 하면 다른 사람들도 우리의 말을 잘 들어 줄 거예요.

낱말 뜻풀이

- **서운하게:** 마음에 모자라 아쉽거나 섭섭한 느낌이 있게.
- **집중:** 한곳을 중심으로 하여 모임. 또는 그렇게 모음.
- **편안:** 편하고 걱정 없이 좋음.
- **동의:** 같은 뜻. 또는 뜻이 같음.
- **차분하게:** 마음이 가라앉아 조용하게.
- **긍정:** 그러하다고 생각하여 옳다고 인정함.

1 글쓴이가 말하고자 하는 내용은 무엇인가요?

주제

잘 듣고 잘 □□□ 방법

2 이 글에서 말을 잘 듣는 방법이 아닌 것은 무엇인가요?

① 가끔씩 고개를 끄덕인다.

② 말하는 중간에 끼어든다.

③ 몸을 말하는 사람에게 향한다.

④ 편안한 표정을 짓고 눈을 맞춘다.

⑤ 들은 말을 정리해서 다시 말해 준다.

12회
▶ 정답과 해설 12쪽

3 잘 말하는 방법으로 알맞지 않은 것은 무엇인가요?

① 자신이 하고 싶은 말만 한다.

② 살짝 미소를 지으면서 말한다.

③ 긍정적인 말을 사용하여 말한다.

④ 하고 싶은 말을 차분하게 말한다.

⑤ 듣는 사람의 기분을 생각하면서 말한다.

4 다음 대화에서 빈칸에 들어갈 알맞은 말은 무엇인가요?

> • 상원: 어제 친구가 나한테 '너는 왜 심각한 표정을 지으면서 내 말을 잘 듣지 않니?'라고 화를 내며 말했어. 나는 어떻게 해야 할까?
>
> • 아름: 상원아, [   ]

① 친구의 말을 들을 때 바닥을 봐.

② 친구가 화낸 것은 무시해도 괜찮아.

③ 말을 들을 때 표정은 중요하지 않아.

④ 편안한 표정으로 친구의 눈을 보며 말을 들어 봐.

⑤ 친구에게 '너도 내 말을 들어 주지 않잖아.'라고 말해 봐.

5 ㉠과 바꾸어 쓸 수 있는 말로 알맞은 것은 무엇인가요?

어휘

① 대강　　② 차갑게　　③ 함부로

④ 자랑스럽게　　⑤ 조심스럽게

6

적용

이 글을 읽을 사람으로 알맞은 것은 누구인가요?

① 말을 잘 하는 사람

② 대화를 좋아하지 않는 사람

③ 만화책 읽기를 좋아하는 사람

④ 영화 보는 것을 좋아하는 사람

⑤ 말을 잘 들어 주고, 잘 말하고 싶은 사람

7

글의 구조

이 글의 짜임을 생각하며, 빈칸에 알맞은 말을 쓰세요.

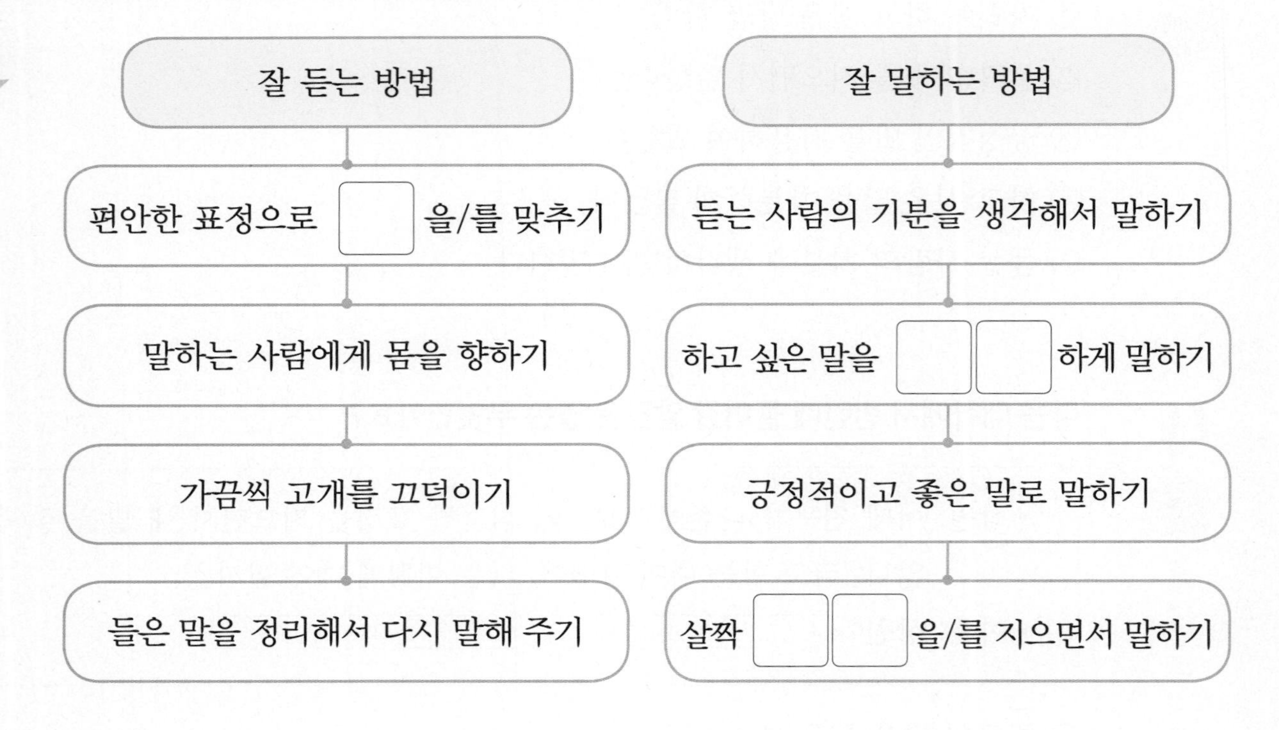

생각 글 쓰기

말하는 사람에게 자신이 들은 말을 정리하여 말해 주면 좋은 점은 무엇일까요?

01 다음 낱말에 알맞은 뜻을 찾아 선으로 이으세요.

(1) 긍정 •　　　• ㉠ 편하고 걱정 없이 좋음.

(2) 집중 •　　　• ㉡ 그러하다고 생각하여 옳다고 인정함.

(3) 편안 •　　　• ㉢ 한곳을 중심으로 하여 모임. 또는 그렇게 모음.

02 아래 상황에 알맞은 낱말을 찾아 빈칸에 쓰세요.

동의	서운	차분

(1)

친구의 말에 [　　　] 하며 악수하였다.

(2)

수지는 생일 선물을 못 받아서 [　　　] 하였다.

12회 ▶ 정답과 해설 12쪽

매일 학습 평가	맞은 문제에 표시해 주세요.						맞은 개수
1 주제 □	2 세부 내용 □	3 세부 내용 □	4 추론 □	5 어휘 □	6 적용 □	7 글의 구조 □	개

설명문 | 과학

공부한 날 ( )월 ( )일

여러분은 '곤충'하면 어떤 느낌이 드나요? 곤충을 징그럽다고 느끼는 사람도 있고, 귀엽다고 느끼는 사람도 있을 거예요. 혹시 여러분은 곤충을 *연구하는 과학자들이 있다는 사실을 알고 있나요? 과학자들 중에는 곤충을 너무나 좋아해서 곤충만 연구하는 과학자들도 있어요.

파브르라는 프랑스의 곤충 과학자는 정말 많은 곤충에 대하여 연구했어요. 파브르는 곤충과 같이 놀아 주는 것을 좋아하였고 곤충이 다치지 않게 조심하며 자세히 *관찰했지요. 또한 밖을 걸어 다닐 때에는 곤충을 밟을까 봐 조심조심 다녔다고 해요.

이러한 파브르는 재미있는 연구도 했어요. 어느 날, 벌집에서 벌을 잡아 아주 멀리 떨어진 곳으로 갔어요. 그리고 벌을 풀어 주고 벌이 자신이 살고 있는 벌집으로 잘 찾아가는지 관찰했어요. 신기하게도, 벌은 아무리 멀리 떨어져 있어도 벌집에 잘 찾아갔답니다.

그리고 패트릭 맨슨이라는 영국의 곤충 과학자는 모기에 대하여 연구했어요. 맨슨이 살던 때에는 *'말라리아'라는 무서운 *질병이 *유행했는데, 그때만 해도 왜 말라리아에 걸리는지 알지 못했어요. 그런데 때마침 맨슨의 *조수는 모기가 많은 *습지에 살았는데, 모기장을 치고 자니 놀랍게도 ㉠말라리아에 걸리지 않았어요. 그래서 맨슨은 모기가 말라리아를 옮긴다는 사실을 알게 되었고, 모기의 몸속에서 말라리아의 원인인 *기생충을 발견했어요. 그 후, 맨슨은 모기가 말라리아를 옮기는 과정을 ㉡밝혀낸 과학자로 알려졌어요. 이렇게 곤충을 연구한 과학자들의 노력으로 우리는 많은 것들을 알게 되었답니다.

낱말 뜻 풀이

- **연구**: 어떤 일이나 사물에 대하여서 깊이 있게 조사하고 생각하여 진리를 따져 보는 일.
- **관찰**: 사물이나 현상을 주의하여 자세히 살펴봄.
- **말라리아**: 말라리아 병원충을 가진 학질모기에게 물려서 감염되는 법정 전염병.
- **질병**: 몸의 온갖 병.
- **유행**: 특정한 행동 양식이나 사상 등이 일시적으로 많은 사람의 추종을 받아서 널리 퍼짐.
- **조수**: 어떤 책임자 밑에서 지도를 받으면서 그 일을 도와주는 사람.
- **습지**: 습기가 많은 축축한 땅.
- **기생충**: 다른 동물체에 붙어서 양분을 빨아 먹고 사는 벌레.

1 제목

이 글에 알맞은 제목을 쓰세요.

□□ 을/를 연구한 과학자들

2 세부 내용

이 글에 등장한 곤충으로 알맞게 짝지은 것은 무엇인가요?

① 나비, 벌 ② 모기, 벌 ③ 개미, 모기
④ 파리, 나비 ⑤ 파리, 개미

3 요약

이 글의 내용에 맞게 다음 빈칸에 알맞은 말을 쓰세요.

곤충 과학자 파브르는 벌이 아주 □ 곳에서도 □□ 에 잘 찾아가는지 관찰하였다.

4 세부 내용

말라리아가 생기는 까닭은 무엇인지 빈칸에 쓰세요.

모기 안에 살고 있는 □□□ 때문이다.

5 추론

㉠의 까닭은 무엇일까요?

① 모기장을 치지 않아서
② 모기장을 치면 잠을 잘 자서
③ 모기장에 구멍이 뚫려 있어서
④ 모기장을 치면 잘 때 따뜻해서
⑤ 모기장을 치면 모기가 들어오지 못해서

13회 ▶ 정답과 해설 13쪽

6

ⓛ의 뜻으로 알맞은 것은 무엇인가요?

① 어떤 사실이나 감정 등을 남이 모르게 한.

② 거짓이나 없는 것을 사실인 것처럼 지어낸.

③ 진리, 가치, 옳고 그름 등을 판단하여 드러낸.

④ 어떤 사실, 책임, 필요성 등을 체험하여 깨달은.

⑤ 둘 이상의 사람, 사물, 현상 등이 서로 얽혀서 가까운 관계에 있는.

7

글의 구조

이 글의 짜임을 생각하며, 빈칸에 알맞은 말을 쓰세요.

곤충을 연구한 과학자들

프랑스의 파브르	영국의 패트릭 맨슨
□ 이/가 거리에 상관없이 자신의 벌집으로 잘 찾아가는지를 관찰함.	모기가 □□□□ 을/를 옮긴다는 것을 밝힘.

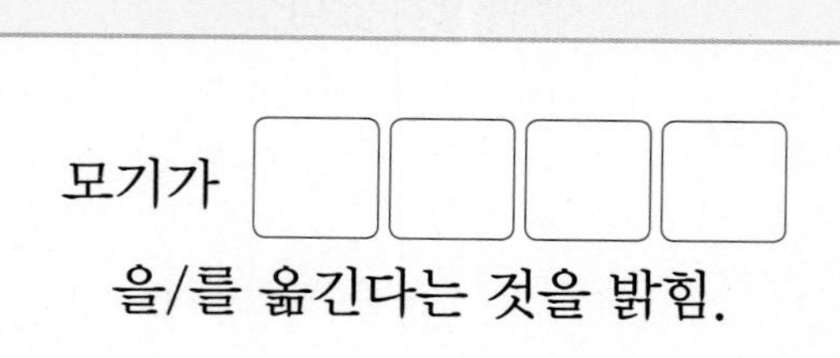

파브르가 곤충을 사랑한 과학자라는 것을 어떻게 알 수 있을까요?

어휘 다지기

01 **다음 낱말에 알맞은 뜻을 찾아 선으로 이으세요.**

(1) 관찰 •　　　　• ㉠ 습기가 많은 축축한 땅.

(2) 습지 •　　　　• ㉡ 사물이나 현상을 주의하여 자세히 살펴봄.

(3) 연구 •　　　　• ㉢ 어떤 일이나 사물에 대하여서 깊이 있게 조사하고 생각하여 진리를 따져 보는 일.

02 **아래 상황에 알맞은 낱말을 찾아 빈칸에 쓰세요.**

기생충　　연구　　유행

(1)

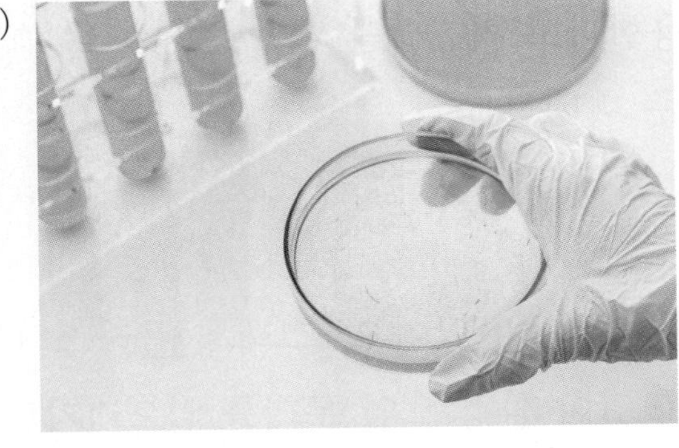

실험실에서는 다양한 [　　　] 이/가 이루어진다.

(2)

겨울에는 독감이 [　　　] 한다.

13회 ▶ 정답과 해설 13쪽

매일 학습 평가	맞은 문제에 표시해 주세요.						맞은 개수
1 제목 □	2 세부 내용 □	3 요약 □	4 세부 내용 □	5 추론 □	6 어휘 □	7 글의 구조 □	개

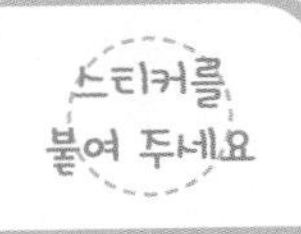

14회

설명문 | 기술

공부한 날 ( )월 ( )일

우리는 플라스틱으로 만든 물건들을 많이 쓰고 있어요. 여러분은 플라스틱이 무엇인지 잘 알고 있나요? 음료수 페트병, 컴퓨터 키보드, 빨대와 같은 °일상 용품들을 만드는 데 쓰이는 재료가 바로 플라스틱이에요. 플라스틱은 많은 곳에서 정말 °다양하게 쓰여요. 플라스틱이 어디에 쓰이는지 더 알아볼까요?

한 유명한 신발 회사에서는 플라스틱 페트병을 녹여서 옷과 신발의 재료를 만드는 기술을 °개발했어요. 원래 옷이나 신발을 만들 때는 °일반적으로 자연에서 얻어 낸 실을 사용하지만, 플라스틱을 녹여서 새롭게 실을 만들게 된 거예요. 더욱 신기한 것은, 플라스틱을 녹인 실로 만든 신발과 옷이 자연에서 얻어 낸 실로 만든 것보다 더 가볍고 좋다고 해요.

또한, 우주 비행선에도 플라스틱이 쓰여요. 원래 우주 비행선에는 °금속 같은 무거운 재료를 사용했는데, 요즘에는 플라스틱을 재료로 사용한다고 해요. 그 까닭은 플라스틱을 사용하면 우주 비행선을 더욱 가볍게 만들 수 있고, 뜨거운 열도 잘 견딜 수 있기 때문이에요.

하지만 플라스틱은 오랜 시간이 지나도 잘 썩지 않아요. 그래서 플라스틱을 사용하고 버리면 그 쓰레기가 썩지 않고 계속 남아 있어 환경 오염 문제를 일으키기도 하지요. 그러나 썩는 플라스틱이 개발되고 있으니, 곧 환경 오염 문제도 많이 해결될 거예요.

낱말 뜻 풀이

- **일상**: 날마다 반복되는 생활.
- **다양**: 여러 가지 모양이나 양식.
- **개발**: 토지나 천연자원 등을 유용하게 만듦.
- **일반적**: 일부에 한정되지 아니하고 전체에 걸치는. 또는 그런 것.
- **금속**: 열이나 전기를 잘 전도하고, 펴지고 늘어나는 성질이 풍부하며, 특유의 광택을 가진 물질.

1 이 글의 중심이 되는 낱말을 쓰세요.

핵심어

2

적용

다음 중 플라스틱을 재료로 만들 수 있는 물건이 아닌 것은 무엇인가요?

① 책
② 물컵
③ 빨대
④ 음료수 페트병
⑤ 컴퓨터 키보드

3

추론

이 글의 내용으로 알맞은 것에 ○표를 하세요.

플라스틱을 녹여서 만든 신발과 옷은 자연에서 얻어 낸 실로 만든 것보다 더 (가볍다 / 무겁다).

4

세부 내용

이 글의 내용에 맞게 다음 빈칸에 알맞은 말을 쓰세요.

플라스틱을 □□(으)로 사용하면 더욱 가볍고, 뜨거운 □도 잘 견딜 수 있는 우주 비행선을 만들 수 있다.

5

추론

보기의 뉴스를 듣고 할 수 있는 말로 알맞은 것은 무엇인가요?

보기

아나운서: 요즘 썩는 플라스틱이 개발되고 있다고 합니다. 썩는 플라스틱인 '산화 생분해 플라스틱'은 흙에 묻으면 분해되어 사라집니다. 국내에서는 2018년 □□산업이 산화 생분해 플라스틱 주방 용품을 출시했습니다.

① 썩는 플라스틱은 튼튼하지 않겠어.
② 플라스틱을 함부로 버려도 되겠어.
③ 환경 오염 문제가 많이 해결되겠어.
④ 플라스틱을 좀 더 많이 사용해야겠어.
⑤ 플라스틱 쓰레기가 점점 더 많아지겠어.

14회 ▶ 정답과 해설 14쪽

6 요약

이 글의 내용으로 알맞은 것은 ○표, 알맞지 않은 것은 ×표를 하세요.

㈎ 플라스틱이 썩지 않으면 우리 환경이 오염됩니다. ( )

㈏ 우주 비행선에도 플라스틱 재료를 사용하고 있습니다. ( )

㈐ 한 장난감 회사는 플라스틱을 태워서 로봇을 만들었습니다. ( )

7 글의 구조

이 글의 짜임을 생각하며, 빈칸에 알맞은 말을 쓰세요.

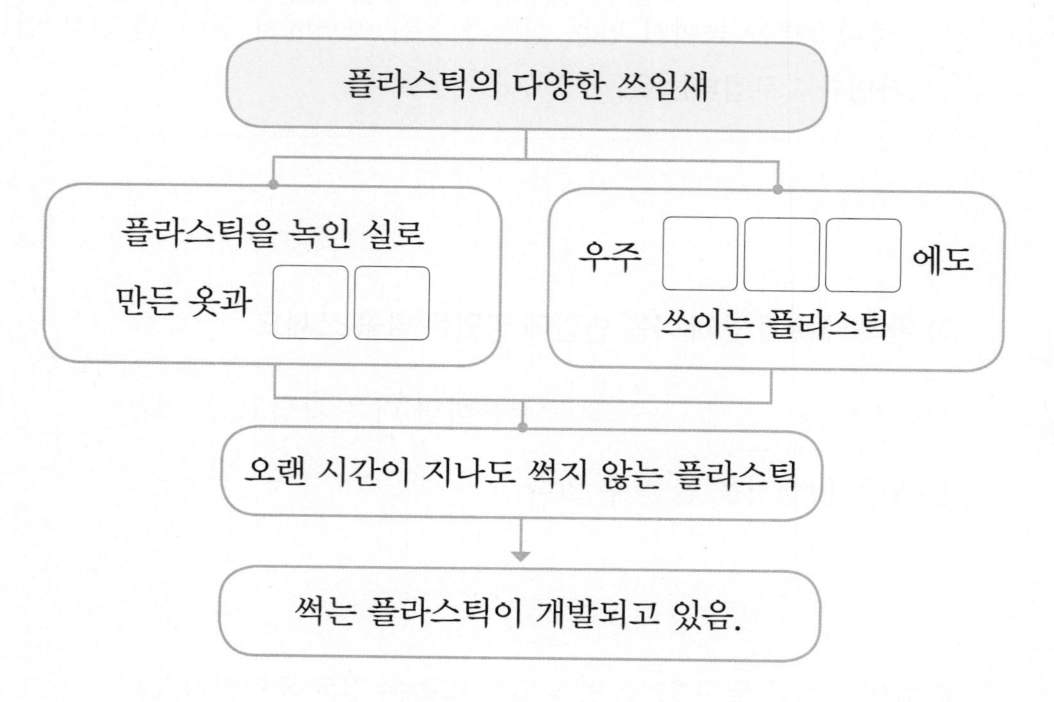

플라스틱이 환경 오염을 일으키는 까닭은 무엇일까요?

어휘 다지기

01 **다음 낱말에 알맞은 뜻을 찾아 선으로 이으세요.**

(1) 개발 •　　　　• ㉠ 날마다 반복되는 생활.

(2) 다양 •　　　　• ㉡ 여러 가지 모양이나 양식.

(3) 일상 •　　　　• ㉢ 토지나 천연자원 등을 유용하게 만듦.

02 **아래 상황에 알맞은 낱말을 찾아 빈칸에 쓰세요.**

개발　　금속　　다양

(1)

식탁에 [　　　] 한 모양의 컵과 접시가 있다.

(2)

그 악기는 반짝거리는 [　　　] (으)로 만들어졌다.

매일 학습 평가	맞은 문제에 표시해 주세요.						맞은 개수
1 핵심어 ☐	2 적용 ☐	3 추론 ☐	4 세부 내용 ☐	5 추론 ☐	6 요약 ☐	7 글의 구조 ☐	개

스티커를 붙여 주세요

15회

설명문 | 예술

공부한 날 ( )월 ( )일

도자기는 흙을 잘 빚고 구워서 만든 그릇이나 병, 항아리를 말해요. 세계 여러 *민족은 오랜 옛날부터 도자기를 만들어 사용해 왔어요. 아주 먼 옛날부터 지금까지 우리나라에는 어떤 도자기들이 있었을까요?

아주 먼 옛날, 사람들은 흙을 불에 구우면 꽤 단단해진다는 사실을 알게 되었어요. 이 사실을 알고 난 후 사람들은 그릇, 병, 항아리 같은 모양으로 흙을 빚고 불에 구워서 도자기를 만들었답니다. 이런 도자기를 '토기'라고 불러요.

시간이 많이 흘러서 고려 시대에는 흙을 빚어서 *가마에 넣고 구웠어요. 가마 안은 온도가 매우 높아서 도자기를 더욱 단단하게 만들 수 있었어요. 그리고 도자기를 푸른색으로 만드는 *기술도 알게 되어, 고려 시대의 도자기는 '고려청자'라는 이름까지 생겼지요. 고려청자에는 구름, 학, 꽃잎 등의 무늬가 *선명하고 아름다운 *특징이 있어요.

하지만 조선 시대에는 도자기를 푸른색으로 만들지 않았어요. 조선 시대에는 순수하고 소박한 느낌을 주는 하얀색 도자기인 '백자'가 인기 있었다고 해요. 그리고 무늬를 넣지 않은 것도 많았는데, 그 까닭은 우리 조상들이 순수한 멋을 좋아하였기 때문이에요. 고려 시대의 청자와 조선 시대의 백자는 온 세계에 널리 알려져 있고 지금도 유명하답니다.

토기

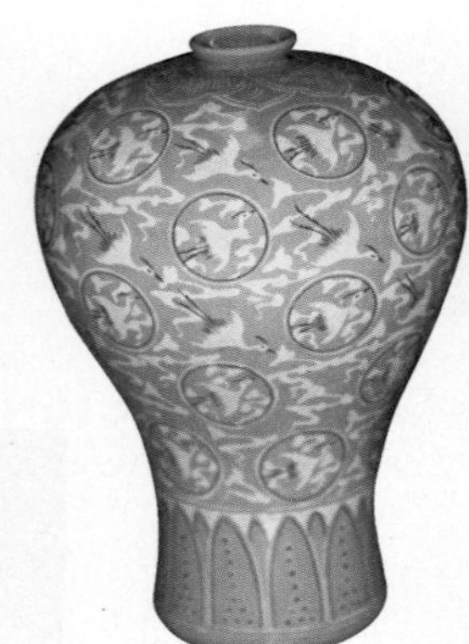
고려청자

백자

낱말 뜻 풀이

- **민족**: 일정한 지역에서 오랜 세월 동안 공동생활을 하면서 언어와 문화상의 공통성에 기초하여 역사적으로 형성된 사회 집단.
- **가마**: 숯이나 도자기 · 기와 · 벽돌 등을 구워 내는 시설.
- **기술**: 사물을 잘 다룰 수 있는 방법이나 능력.
- **선명**: 산뜻하고 뚜렷하여 다른 것과 혼동되지 않음.
- **특징**: 다른 것에 비하여 특별히 눈에 뜨이는 점.

1 주제

이 글에서 설명하는 것은 무엇인가요?

여러 시대 ☐☐☐ 들의 특징

2 세부 내용

고려 시대에 도자기를 만들 때 흙을 빚어서 넣고 구운 곳은 어디인가요?

① 방
② 가마
③ 땅속
④ 무쇠솥
⑤ 항아리

3 추론

고려 시대의 도자기에 '고려청자'라는 이름이 생긴 까닭은 무엇일까요?

① 도자기가 깨지기 쉬워서
② 도자기의 크기가 커져서
③ 도자기가 붉은색으로 보여서
④ 도자기에서 맑은 소리가 들려서
⑤ 도자기가 푸른색으로 만들어져서

4 적용

다음 도자기의 특징에 알맞은 이름을 찾아 선으로 이으세요.

(1) 도자기를 하얀색으로 만든 것. •	• ㉠ 토기
(2) 도자기에 구름, 학 등의 무늬가 있는 것. •	• ㉡ 고려청자
(3) 아주 먼 옛날에 흙을 빚고 불에 구워 만든 것. •	• ㉢ 백자

5 세부 내용

조선 시대에 무늬를 넣지 않은 도자기가 많았던 까닭은 무엇인지 쓰세요.

우리 조상들은 ☐☐ 한 멋을 좋아하였기 때문이다.

15회 ▶ 정답과 해설 15쪽

6 이 글을 읽고 알게 된 것에 대하여 알맞게 말한 사람은 누구인지 쓰세요.

- 지은: 모든 도자기는 흙으로 만드는 것이구나.
- 나영: 백자는 무늬가 선명하고 아름다운 특징이 있구나.
- 민희: 토기는 불에 녹여서 만든 도자기를 말하는 것이구나.
- 주호: 도자기는 높지 않은 온도에 구워야 단단하게 만들 수 있는 것이구나.

7 이 글의 짜임을 생각하며, 빈칸에 알맞은 말을 쓰세요.

글의 구조

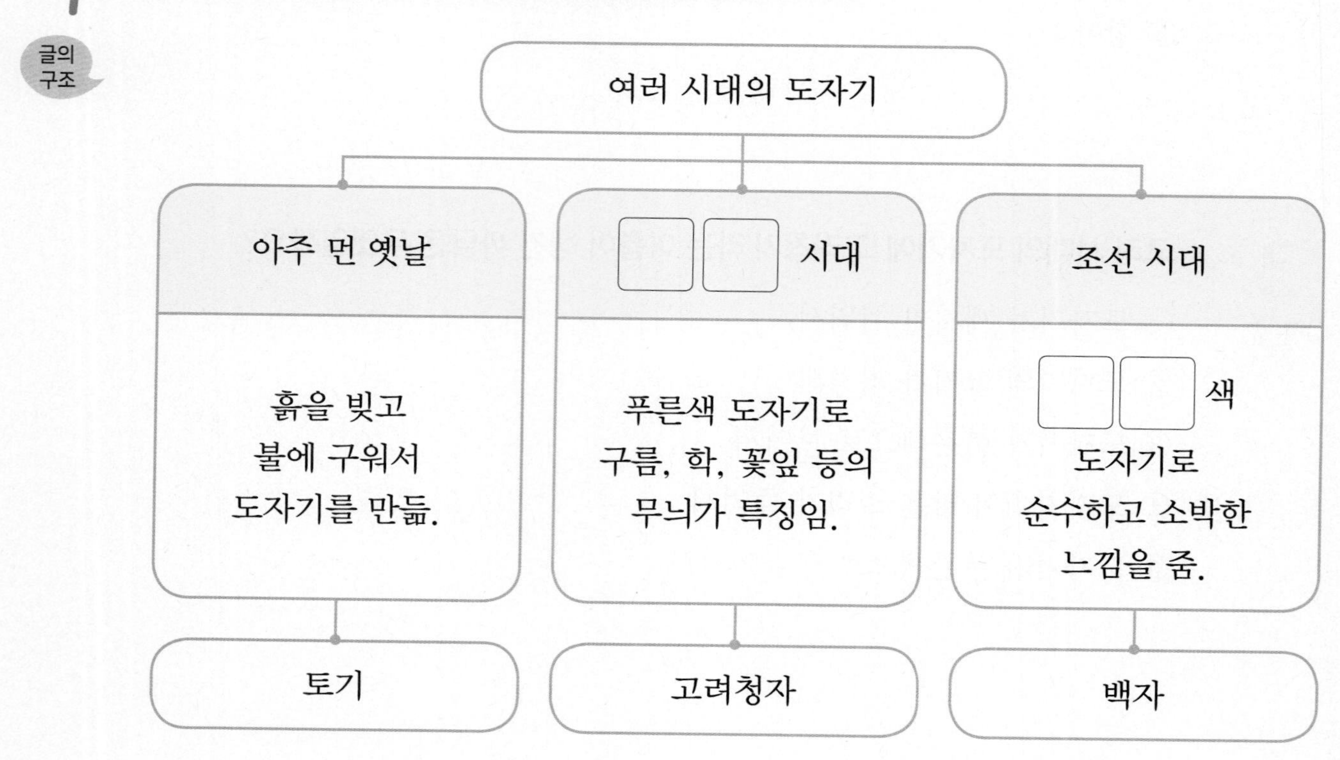

생각 글 쓰기

고려 시대에 흙을 빚어서 가마에 넣고 구운 까닭은 무엇일까요?

어휘 다지기

01 **다음 낱말에 알맞은 뜻을 찾아 선으로 이으세요.**

(1) 가마 •　　　　• ㉠ 사물을 잘 다룰 수 있는 방법이나 능력.

(2) 기술 •　　　　• ㉡ 다른 것에 비하여 특별히 눈에 뜨이는 점.

(3) 특징 •　　　　• ㉢ 숯이나 도자기 · 기와 · 벽돌 등을 구워 내는 시설.

02 **아래 상황에 알맞은 낱말을 찾아 빈칸에 쓰세요.**

기술　　민족　　특징

(1)

그는 차를 고치는 ☐ 이 뛰어나다.

(2)

우리 ☐ 은 판소리를 좋아하였다.

15회 ▶ 정답과 해설 15쪽

매일 학습 평가	맞은 문제에 표시해 주세요.						맞은 개수	
1 주제 ☐	2 세부 내용 ☐	3 추론 ☐	4 적용 ☐	5 세부 내용 ☐	6 추론 ☐	7 글의 구조 ☐	개	스티커를 붙여 주세요

16회

설명문 | 사회

[겨울 2] 1. 두근두근 세계 여행

공부한 날 (　)월 (　)일

세계 여러 지역은 집의 모양과 특징이 모두 달라요. 왜냐하면 사람들이 살아가는 지역이나 *환경 등이 다르기 때문이에요.

*정글처럼 비가 많이 오고 더운 지역에서는 나무로 만든 기둥을 물가에 세우고 그 위에 집을 지어요. 그 까닭은 비가 많이 올 때 집에 물이 들어오지 않게 하기 위해서예요. 그리고 그렇게 하면 벌레들이 집으로 쉽게 들어오지 못한답니다.

더운 지역의 집

그리고 *사막처럼 비가 거의 오지 않고 더운 지역에서는 흙으로 만든 벽돌로 집을 지어요. 사막은 낮에 아주 덥고 햇빛이 강하지만, 밤에는 무척 추워요. 그래서 흙으로 벽돌을 만들어 집을 지으면 낮에는 햇빛을 피할 수 있고, 밤에는 추위를 막을 수 있지요.

사막 지역의 집

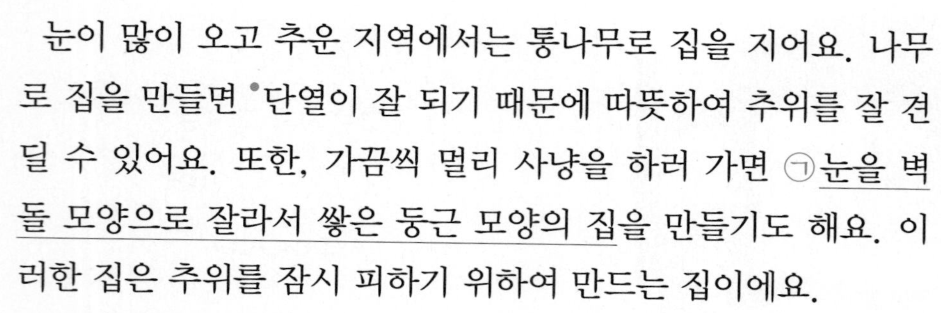

눈이 많이 오고 추운 지역에서는 통나무로 집을 지어요. 나무로 집을 만들면 *단열이 잘 되기 때문에 따뜻하여 추위를 잘 견딜 수 있어요. 또한, 가끔씩 멀리 사냥을 하러 가면 ㉠ 눈을 벽돌 모양으로 잘라서 쌓은 둥근 모양의 집을 만들기도 해요. 이러한 집은 추위를 잠시 피하기 위하여 만드는 집이에요.

추운 지역의 집

*몽골처럼 풀과 들판이 많은 지역에서는 *천막으로 집을 만들어요. 왜냐하면 천막은 집을 만드는 다른 재료들에 비해 가볍고, 비와 바람을 잘 막아 주기 때문이에요. 또한, 양을 많이 키우기 때문에 풀을 찾아 이곳저곳 이사를 쉽게 다닐 수 있도록 하기 위해서예요.

들판 지역의 집

낱말 뜻 풀이

- **환경**: 생물에게 직접 · 간접으로 영향을 주는 자연적 조건이나 사회적 상황.
- **정글**: 큰 나무들이 빽빽하게 들어선 깊은 숲.
- **사막**: 강수량이 적어서 식생이 보이지 않거나 적고, 인간의 활동도 제약되는 지역.
- **단열**: 물체와 물체 사이에 열이 서로 통하지 않도록 막음.
- **몽골**: 중국 본토의 북쪽, 만주의 서쪽, 시베리아의 남쪽, 신장성(新疆省) 동쪽에 있는 지역.
- **천막**: 비바람이나 이슬, 볕 등을 가리기 위하여 말뚝을 박고 기둥을 세우고 천을 씌워 막처럼 지어 놓은 것.

1
제목

이 글에 알맞은 제목을 쓰세요.

세계 여러 지역의 [ ]

2

세계 여러 지역의 집 모양과 특징이 다른 까닭은 무엇인가요?

① 사람들이 예쁜 집을 좋아하기 때문이다.

② 모든 지역은 집 모양을 법으로 정해 두었기 때문이다.

③ 지역마다 살고 있는 사람들의 나이가 다르기 때문이다.

④ 사람들이 살아가는 지역이나 환경 등이 다르기 때문이다.

⑤ 사람마다 자신의 집을 좋아하는 모양으로 만들기 때문이다.

16회
▶ 정답과 해설 16쪽

3
세부 내용

비가 많이 오고 더운 지역에서 기둥 위에 집을 짓는 까닭은 무엇인가요?

집에 [ ] 이/가 들어오지 않게 하고, [ ][ ] 들이 집으로 쉽게 들어오지 못 하게 하기 위해서이다.

4

사막에서 집을 지을 때 쓰는 재료는 무엇인가요?

① 눈　　② 풀　　③ 흙

④ 천막　　⑤ 통나무

5

㉠에서 설명하는 집으로 알맞은 것은 무엇인지 기호를 쓰세요.

㉮

㉯

㉰

6 보기의 빈칸에 들어갈 알맞은 말은 무엇인가요?

- 희원: 우와! 이곳은 풀이 정말 많은 곳이야!
- 준서: 여기 사는 사람들은 양들을 키우면서 이사를 자주 다닌대.
- 희원: 그러면 여기 사람들은 (   ).

① 물가에 기둥을 세우고 그 위에 집을 짓겠구나.
② 추위를 견디기 위하여 통나무로 집을 짓겠구나.
③ 잠시 추위를 피하기 위하여 눈으로 집을 짓겠구나.
④ 이사를 쉽게 다닐 수 있도록 천막으로 집을 짓겠구나.
⑤ 햇빛을 피하기 위하여 흙으로 만든 벽돌로 집을 짓겠구나.

7 이 글의 짜임을 생각하며, 빈칸에 알맞은 말을 쓰세요.

글의 구조

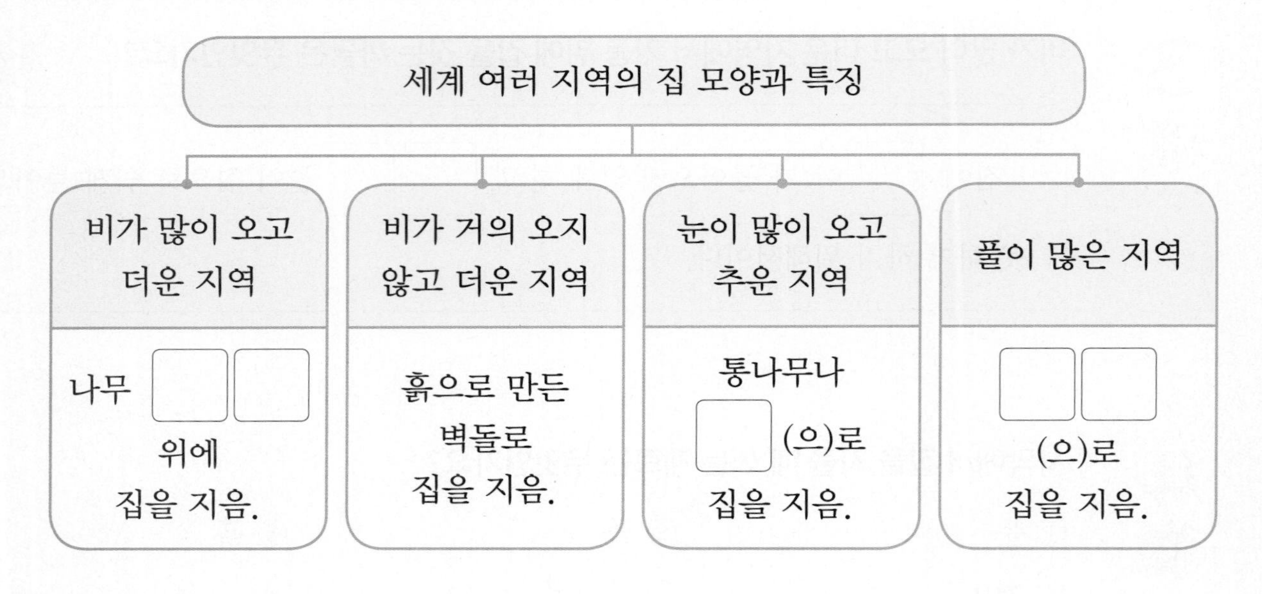

생각 글 쓰기

집 모양이 달라서 그 지역의 사람들에게 좋은 점은 무엇일까요?

어휘 다지기

01 다음 낱말에 알맞은 뜻을 찾아 선으로 이으세요.

(1) 정글 • • ㉠ 큰 나무들이 빽빽하게 들어선 깊은 숲.

(2) 천막 • • ㉡ 생물에게 직접 · 간접으로 영향을 주는 자연적 조건이나 사회적 상황.

(3) 환경 • • ㉢ 비바람이나 이슬, 볕 등을 가리기 위하여 말뚝을 박고 기둥을 세우고 천을 씌워 막처럼 지어 놓은 것.

02 아래 상황에 알맞은 낱말을 찾아 빈칸에 쓰세요.

단열 사막 천막

(1)

[ ]에는 비가 거의 오지 않아서 물이 부족하다.

(2)

우리는 [ ]을 치고 놀기로 하였다.

16회 ▶ 정답과 해설 16쪽

매일 학습 평가	맞은 문제에 표시해 주세요.						맞은 개수	스티커를 붙여 주세요
1 제목 □	2 세부 내용 □	3 세부 내용 □	4 세부 내용 □	5 추론 □	6 적용 □	7 글의 구조 □	개	

여러분은 강에 놀러 가 본 적이 있나요? 강에는 많은 물고기들이 살고, 여러 동물들이 물을 마시고 식물들도 함께 사는 곳이에요. 그런데 요즘 강이 많이 더러워지고 있어요.

강 *주변에는 공장들이 있어요. 공장에서는 *사용한 물을 깨끗이 *정화해서 강으로 내보내야 하지요. 그런데 몇몇 공장들이 ㉠ 오염된 물을 몰래 내보내서 강이 오염되고 있어요. 그렇게 오염된 물 때문에 강에 살고 있는 물고기들이 죽기도 해요. 그리고 그 물을 마신 동물들은 병이 들어요.

또 강 주변에서 농사를 짓는 것도 어떤 경우에는 강을 오염시킬 수 있어요. 농사를 지을 때 벌레를 내쫓기 위하여 *농약을 사용하는데, 비가 내리면 농약이 강으로 흘러들어 갈 수 있어요. 농약이 흘러들어 가면 강을 많이 오염시켜요. 그래서 많은 물고기들과 물가에 사는 동물들이 아파하게 돼요.

그리고 사람들이 강으로 놀러 가서 버린 쓰레기들도 강을 많이 오염시켜요. 사람들이 버린 쓰레기들이 강에 둥둥 떠다니다가, 햇빛을 받으면 썩게 돼요. 썩은 쓰레기들은 물을 많이 오염시키고 심지어 물고기들은 쓰레기를 먹이로 *착각하고 먹어서 죽기도 해요.

우리는 반드시 강을 깨끗하게 지켜야 해요. 그렇게 하기 위해서 강에 놀러 가면 쓰레기는 정해진 곳에만 버리는 등 우리들이 할 수 있는 작은 일부터 해 나가는 마음가짐이 가장 중요해요.

낱말 뜻 풀이

- **주변**: 어떤 대상의 둘레.
- **사용**: 일정한 목적이나 기능에 맞게 씀.
- **정화**: 불순하거나 더러운 것을 깨끗하게 함.
- **농약**: 농작물에 해로운 벌레, 병균, 잡초 등을 없애거나 농작물이 잘 자라게 하는 약품.
- **착각**: 어떤 사물이나 사실을 실제와 다르게 지각하거나 생각함.

1 이 글에서 말하고자 하는 것은 무엇인가요?

주제

☐ 을/를 깨끗하게 지키자.

2

어휘

㉠과 바꾸어 쓸 수 있는 말은 무엇인가요?

① 맑은
② 깨끗한
③ 더러운
④ 정화한
⑤ 투명한

17회 ▶정답과 해설 17쪽

3

세부 내용

이 글의 내용으로 알맞지 않은 것은 무엇인가요?

① 요즘 강이 많이 더러워지고 있다.
② 오염된 물을 마신 동물들은 병이 든다.
③ 오염된 물 때문에 물고기들이 죽기도 한다.
④ 쓰레기들은 햇빛을 받으면 물고기의 먹이가 된다.
⑤ 몇몇 공장들이 오염된 물을 몰래 내보내서 강이 오염되고 있다.

4

다음은 강 주변에서 농사를 지어 강이 오염되는 과정입니다. 빈칸에 알맞은 말을 쓰세요.

농사에 농약을 사용한다. → □ 이/가 내린다. → □□ 이/가 강으로 흘러들어 간다. → 강이 오염된다.

5

강에 둥둥 떠다니는 쓰레기를 물고기들이 먹는 까닭은 무엇인가요?

물고기들이 쓰레기를 □□(으)로 착각하기 때문이다.

6 이 글을 읽고 말한 내용으로 알맞은 것은 무엇인가요?

① 강 주변의 공장은 강물을 깨끗하게 하고 있어.
② 강에 놀러 가면 물고기에게 먹이를 주어야겠어.
③ 강 주변에서 농사를 지으면 물고기가 잘 살 수 있어.
④ 앞으로는 무슨 일이 있어도 강에 놀러 가지 말아야겠어.
⑤ 강을 깨끗하게 지키기 위하여 할 수 있는 일을 찾아봐야겠어.

7 이 글의 짜임을 생각하며, 빈칸에 알맞은 말을 쓰세요.

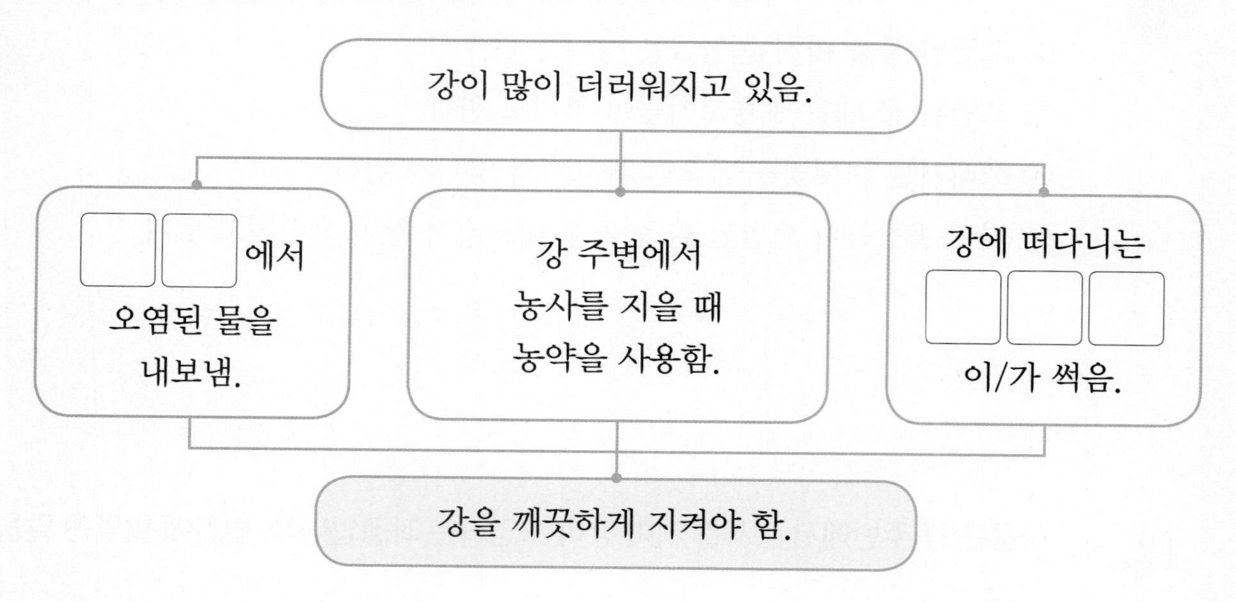

강을 깨끗하게 지키기 위하여 우리가 할 수 있는 일은 무엇일까요?

어휘 다지기

01 다음 낱말에 알맞은 뜻을 찾아 선으로 이으세요.

(1) 정화 •　　　　• ㉠ 어떤 대상의 둘레.

(2) 주변 •　　　　• ㉡ 불순하거나 더러운 것을 깨끗하게 함.

(3) 착각 •　　　　• ㉢ 어떤 사물이나 사실을 실제와 다르게 지각하거나 생각함.

02 아래 상황에 알맞은 낱말을 찾아 빈칸에 쓰세요.

사용　　정화　　착각

(1)

가위를 [　　　] 하여 종이를 오렸다.

(2)

등교 시간을 [　　　] 하여 지각할 뻔했다.

17회
▶ 정답과 해설 17쪽

매일 학습 평가 맞은 문제에 표시해 주세요.

1 주제	2 어휘	3 세부 내용	4 요약	5 세부 내용	6 추론	7 글의 구조	맞은 개수
☐	☐	☐	☐	☐	☐	☐	개

스티커를 붙여 주세요.

민달팽이

학교에 갈 때
㉠ 비가 많이 온다.
*민달팽이가
벽에 *천천히
*느릿느릿 기어간다.
우리는 학교로 가고
빨리빨리 가고
달팽이는 자기 갈 길을
㉡ 꿋꿋이 간다.

– 김혁진

낱말 뜻풀이

- **민달팽이:** 민달팽잇과의 하나. 몸의 길이는 6~7센티미터이며, 껍데기가 없고 밤색의 가로줄이 있다.
- **천천히:** 동작이나 태도가 급하지 아니하고 느리게.
- **느릿느릿:** 동작이 재지 못하고 매우 느린 모양.

1 **이 시에서 말하는 이가 본 것은 무엇인가요?**

소재

① 벌
② 개미
③ 나비
④ 지렁이
⑤ 민달팽이

2

말하는 이가 민달팽이를 보았을 때의 날씨로 알맞은 것을 고르세요.

① 구름이 많다.

② 눈이 많이 온다.

③ 비가 많이 온다.

④ 햇볕이 쨍쨍하다.

⑤ 바람이 많이 분다.

18회
▶ 정답과 해설 18쪽

3

㉠을 꾸며서 표현할 수 있는 말은 무엇인가요?

① 아삭아삭

② 주룩주룩

③ 철썩철썩

④ 퍼덕퍼덕

⑤ 퐁당퐁당

4

이 시의 내용에 알맞게 다음 낱말에 어울리는 문장을 선으로 이으세요.

(1) 민달팽이 •	• ㉠ 학교로 간다.
(2) 우리 •	• ㉡ 자기 갈 길을 간다.

5

㉡과 바꾸어 쓸 수 있는 말은 무엇인가요?

① 약하게

② 어렵게

③ 열심히

④ 힘없이

⑤ 정신없이

6

추론

이 시에서 떠올릴 수 있는 장면은 무엇인가요?

① 말하는 이가 밥을 먹는 장면

② 하늘에서 눈이 오고 있는 장면

③ 민달팽이가 벽에서 기어가는 장면

④ 민달팽이가 비를 피해 숨어 있는 장면

⑤ 말하는 이가 학교에 지각하여 혼나는 장면

7

감상

이 시를 읽고 알맞지 않게 말한 사람은 누구인가요?

- 유주: 민달팽이를 자세히 관찰하고 싶어.
- 민준: 민달팽이가 어디로 가는 것인지 궁금해.
- 서희: 말하는 이는 느릿느릿 기어가는 민달팽이를 불쌍하게 생각하고 있어.
- 형우: 말하는 이는 민달팽이처럼 자신도 갈 길을 가야 한다고 생각했을 거야.

이 시의 '느릿느릿, 빨리빨리'처럼 반복되는 말을 사용하면 느껴지는 것은 무엇일까요?

어휘 다지기

18회 ▶ 정답과 해설 18쪽

01 **다음 낱말에 알맞은 뜻을 찾아 선으로 이으세요.**

(1) 깡충깡충 •　　　　• ㉠ 일정한 방향이 없이 요쪽 조쪽으로.

(2) 느릿느릿 •　　　　• ㉡ 동작이 재지 못하고 매우 느린 모양.

(3) 요리조리 •　　　　• ㉢ 짧은 다리를 모으고 자꾸 힘 있게 솟구쳐 뛰는 모양.

02 **아래 상황에 알맞은 낱말을 찾아 빈칸에 쓰세요.**

느릿느릿	요리조리	우당탕우당탕

(1)

벽이 무너지면서 [　　　　] 하는 소리가 들렸다.

(2)

웅덩이가 갑자기 나타나 [　　　　] 피하며 걸었다.

매일 학습 평가	맞은 문제에 표시해 주세요.						맞은 개수
1 소재 ☐	2 배경 ☐	3 표현 ☐	4 세부 내용 ☐	5 어휘 ☐	6 추론 ☐	7 감상 ☐	개

스티커를 붙여 주세요

저녁밥을 먹은 우리 가족은 '방울토마토 삼 형제 이름 짓기' 가족회의를 열었어요.

엄마는 나를 바라보며 씽긋 웃었어요.

"아영아, 하루 종일 쥐어짰는데 겨우 하나 건졌어. ㉠방글, 방실, 방긋 어때? 얘들 모습을 보니까 우리 아영이 어렸을 때 웃던 얼굴이 생각나서 말이야."

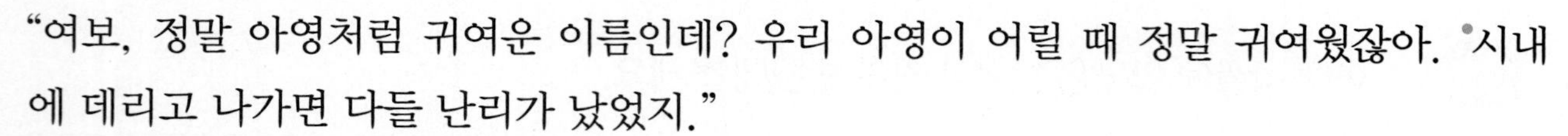

"여보, 정말 아영처럼 귀여운 이름인데? 우리 아영이 어릴 때 정말 귀여웠잖아. *시내에 데리고 나가면 다들 난리가 났었지."

아빠는 껄껄껄 웃으며 *맞장구를 쳤어요.

"그럼 이제 아영이 차례네. 두구두구두구!"

신이 난 아빠는 배를 두 손으로 마구 두드렸어요. 내 생각을 말할 차례가 되니까 조금 *긴장도 되고 부끄러웠어요. 숨이 가쁜 것 같기도 하고요.

"한영이, 두영이, 세영이……."

다른 친구들을 보니까 동생이나 언니, 오빠랑 이름 한 글자씩 똑같더라고요. 은비랑 은채, 재현이랑 재성이 오빠, 현아랑 영아 언니……. 그래서 내 이름에 있는 '영' 자에다 하나, 둘, 셋을 붙인 거예요.

"우리 아영이의 '영' 자를 *돌림자로 썼구나."

"와, 제법 기발한데? 아영이랑 방울토마토가 진짜 가족이 된 것 같네. 하하하."

이렇게 해서 ㉡만장일치로 방울토마토 삼 형제의 이름이 한영이, 두영이, 세영이로 *확정되었어요. 내 생각이 뽑히니까 기분이 좋아요.

— 허윤, 「이름 짓기 가족회의」

낱말 뜻 풀이

- **시내**: 도시의 안. 또는 시의 구역 안.
- **맞장구**: 남의 말에 덩달아 호응하거나 동의하는 일.
- **긴장**: 마음을 조이고 정신을 바짝 차림.
- **돌림자**: 항렬을 나타내기 위하여 이름자 속에 넣어 쓰는 글자.
- **확정**: 일을 확실하게 정함.

1

소재

아영이네 가족이 가족회의를 연 까닭은 무엇인가요?

방울토마토의 ☐☐ 을/를 짓기 위해서이다.

2

인물

엄마가 ㉠으로 이름을 지은 까닭은 무엇인가요?

㉮ 아영이가 잘 웃지 않기 때문이다.
㉯ 가족이 항상 웃기를 바라는 마음을 담았기 때문이다.
㉰ 방울토마토를 보니 아영이 어렸을 때 웃던 얼굴이 생각났기 때문이다.
㉱ 엄마가 아영이 이름을 지을 때 후보로 생각하였던 이름이기 때문이다.

19회
▶ 정답과 해설 19쪽

3

이 글의 내용으로 알맞지 않은 것은 무엇인가요?

① 아빠는 엄마의 말에 맞장구를 쳤다.
② 아영이가 지은 이름이 방울토마토 이름으로 뽑혔다.
③ 아영이는 자신의 생각을 말할 때 긴장이 되어 울었다.
④ 아영이의 가족은 저녁밥을 먹은 후 가족회의를 하였다.
⑤ 아영이는 자신의 이름에 돌림자를 써서 이름을 지었다.

4

이 글에서 ㉡의 의미로 가장 알맞은 것은 무엇인가요?

① 찬성하지 아니함.
② 다른 의견이나 논의.
③ 모든 사람의 의견이 같음.
④ 어떤 행동이나 견해, 제안 등에 따르지 않음.
⑤ 회의에서 많은 사람의 의견에 따라 찬성과 반대를 결정하는 것.

5 아영이가 지은 방울토마토의 이름은 무엇인가요?

세부 내용

☐☐☐, ☐☐☐, ☐☐☐

6 이 글의 내용을 생각하며, 빈칸에 알맞은 말을 쓰세요.

전개 방식

방울토마토 이름 짓기
☐☐☐☐

엄마는 '방글, 방실, 방긋'이라고 지음.

아영이는 자신의 이름에 있는 '☐' 자에
'하나, 둘, 셋'을 붙여 지음.

☐☐☐☐(으)로
아영이가 지은 이름이 확정됨.

가족회의에서 아영이의 마음은 어떻게 달라졌을까요?

어휘 다지기

01 다음 낱말에 알맞은 뜻을 찾아 선으로 이으세요.

(1) 긴장 • • ㉠ 일을 확실하게 정함.

(2) 맞장구 • • ㉡ 마음을 조이고 정신을 바짝 차림.

(3) 확정 • • ㉢ 남의 말에 덩달아 호응하거나 동의하는 일.

19회 ▶정답과 해설 19쪽

02 아래 상황에 알맞은 낱말을 찾아 빈칸에 쓰세요.

긴장 시내 확정

(1)

우리는 ☐ 을/를 구경하기로 하였다.

(2)

나는 ☐ 하지 않고 발표를 하였다.

매일 학습 평가	맞은 문제에 표시해 주세요.					맞은 개수
1 소재 ☐	2 인물 ☐	3 세부 내용 ☐	4 어휘 ☐	5 세부 내용 ☐	6 전개 방식 ☐	개

나물 노래

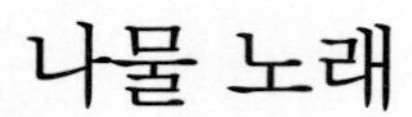

•꼬불꼬불 고사리 이 산 저 산 넘나물
가자 가자 갓나무 오자 오자 옻나무
•말랑말랑 말냉이 잡아 뜯어 꽃다지
배가 아파 배나무 •따끔따끔 가시나무
바귀바귀 씀바귀 •매끈매끈 기름나물

– 전래 동요

낱말 뜻 풀이

- **꼬불꼬불**: 이리로 저리로 고부라지는 모양.
- **말랑말랑**: 매우 또는 여기저기가 야들야들하게 보드랍고 무른 느낌.
- **따끔따끔**: 찔리거나 꼬집히는 것처럼 자꾸 아픈 느낌.
- **매끈매끈**: 흠이나 거친 데가 없어 밀리어 나갈 정도로 몹시 반드러운 모양.

1 소재

이 노래는 무엇에 관한 노래인가요?

① 산
② 배
③ 가시
④ 나물
⑤ 고사리

2 세부 내용

이 노래 속 나물 중 잡아 뜯어서 얻는 나물의 이름을 쓰세요.

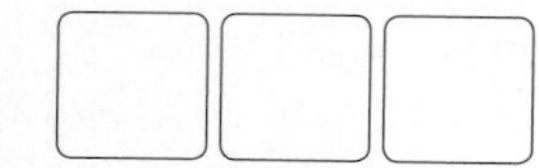

3 이 노래에서 떠오르는 장면으로 알맞은 것은 무엇인가요?

추론

① 화단에 꽃씨를 심는 장면
② 무거운 물건을 옮기는 장면
③ 바다에서 고기를 잡는 장면
④ 교실에서 쓰레기를 줍는 장면
⑤ 산과 들에서 나물을 캐는 장면

20회 ▶ 정답과 해설 20쪽

4 이 노래의 내용에 맞게 나물과 나물의 특징을 선으로 이으세요.

표현

(1) 말냉이 •   • ㉠ 따끔따끔하다.
(2) 가시나무 •   • ㉡ 매끈매끈하다.
(3) 기름나물 •   • ㉢ 말랑말랑하다.

5 이 노래와  보기 의 같은 점으로 알맞은 것은 무엇인가요?

적용

보기

이 서방 일하러 가세 / 김 서방 김매러 가세
조 서방 조하러 가세 / 신 서방 신이나 삼세
배 서방 배 사러 가세 / 방 서방 방석이나 틀세
우 서방 우물이나 좀 파 주게 / 오 서방 오이 사러 가세
유 서방 유쾌히 노세

– 전래 동요

① 흉내 내는 말을 사용했다.
② 노랫말로 나물의 맛을 설명했다.
③ 노랫말로 나물의 생김새를 설명했다.
④ 첫 글자가 같거나 비슷한 낱말로 말놀이를 했다.
⑤ 노랫말로 듣는 이에게 어딘가에 함께 가자고 했다.

6 이 노래와 보기에서 설명한 나물의 이름은 무엇인가요?

추론

보기

- 봄이 되면 꼭대기가 꼬불꼬불하게 말린 싹이 돋아요.
- 싹은 소금에 절이거나 말려서 먹어요.

① 고사리

② 넘나물

③ 씀바귀

④ 가시나무

⑤ 기름나물

생각 글 쓰기

노랫말에 '꼬불꼬불', '가자 가자'처럼 같은 말이 두 번씩 나온 까닭은 무엇일까요?

어휘 다지기

01 다음 낱말에 알맞은 뜻을 찾아 선으로 이으세요.

(1) 꼬불꼬불 •
(2) 말랑말랑 •
(3) 매끈매끈 •

• ㉠ 이리로 저리로 고부라지는 모양.
• ㉡ 매우 또는 여기저기가 야들야들하게 보드랍고 무른 느낌.
• ㉢ 흠이나 거친 데가 없어 밀리어 나갈 정도로 몹시 반드러운 모양.

02 아래 상황에 알맞은 낱말을 찾아 빈칸에 쓰세요.

꼬불꼬불	따끔따끔	말랑말랑

(1)

□한 오솔길을 한참 걸어갔다.

(2)

지각할까 봐 뛰었더니 발바닥이 □하다.

20회 ▶ 정답과 해설 20쪽

매일 학습 평가	맞은 문제에 표시해 주세요.					맞은 개수
1 소재 □	2 세부 내용 □	3 추론 □	4 표현 □	5 적용 □	6 추론 □	개

사고력을 키우는 **다양한 독해**

- 자신의 학습 능력과 상황에 따라 꾸준하게 공부하는 것이 가장 중요합니다.
- 학습 계획을 먼저 세우고, 스스로 지킬 수 있도록 노력해 보세요.

회차	제목	갈래	분야	학습할 날짜
21회	까치밥	논설문	사회	월 일
22회	개미와 개미집의 특징	설명문	과학	월 일
23회	컴퓨터는 언제 만들어졌을까?	설명문	기술	월 일
24회	변기도 예술이 될 수 있을까?	설명문	예술	월 일
25회	우리 조상들의 염색 기술	설명문	기술	월 일
26회	음악가 모차르트의 삶	전기문	예술	월 일
27회	신문 기사는 어떻게 만들어질까?	설명문	인문	월 일
28회	옛날 사진	문학	동시	월 일
29회	풀이래요	문학	동시	월 일
30회	치과 의사 드소토 선생님	문학	동화	월 일

논설문 | 사회

[가을 2] 2. 가을아 어디 있니

공부한 날 월 일

우리 조상들은 까치를 좋은 *소식을 전해 주는 동물로 생각했습니다. 그래서 곡식과 열매를 *수확하는 가을에 까치를 위해 곡식과 열매를 전부 수확하지 않았습니다. 이는 겨울에 먹이를 구하는 것이 힘들 까치를 위하여 먹을 것을 남겨 주었던 것으로 이것을 '까치밥'이라 부릅니다. 물론 이름이 까치밥이라고 해서 까치만 먹었던 것은 아닙니다. 우리 조상들은 까치뿐만 아니라 다른 동물들도 겨울에 굶주리지 않도록 곡식과 열매를 남겨 주었던 것입니다.

우리 조상들은 주로 감나무의 열매를 까치밥으로 남겼습니다. 감나무가 높게 자라서 감을 다 따기 어렵기도 하였지만, 겨울에 까치밥을 먹으러 온 새들이 감나무에서 편히 쉴 수 있도록 해 주었던 것입니다.

또, 우리 조상들의 *넉넉한 마음과 따뜻함을 느낄 수 있는 이야기도 있습니다. 우리 조상들은 밭에 콩을 심을 때 콩을 한 개씩만 심는 것이 아니라 세 알씩 심었습니다. 그 까닭은 첫 번째 콩은 사람들이 먹기 위하여, 두 번째 콩은 동물들이 먹게 하기 위하여, 그리고 마지막 콩은 밭에 있는 벌레들이 먹을 수 있도록 하였던 것입니다.

이렇게 까치밥과 콩 세 알 이야기를 통하여 우리 조상들의 넉넉한 마음과 ㉠ 주변의 *생명들까지 돌보던 따뜻한 마음을 느낄 수 있지 않나요? 우리도 조상들처럼 넉넉하고 따뜻한 마음을 가지고 살아가면 좋겠습니다.

낱말 뜻 풀이

- **소식**: 멀리 떨어져 있는 사람의 사정을 알리는 말이나 글.
- **수확**: 농사를 해서 익은 농작물을 거두어들임.
- **넉넉한**: 마음이 넓고 여유가 있는.
- **생명**: 동물과 식물의, 생물로서 살아 있게 하는 힘.

---

1 이 글의 중심 내용은 무엇인가요?

주제

넉넉하고 [ ][ ] 한 마음을 가지고 살아가자.

2 이 글에 대한 설명으로 알맞은 것은 무엇인가요?

① 조상들의 가난한 생활에 대하여 설명하고 있다.

② 조상들이 까치밥으로 하였던 놀이를 설명하고 있다.

③ 까치들이 추운 겨울을 보내는 방법을 설명하고 있다.

④ 까치들이 까치밥을 먹으면 안 되는 까닭을 설명하고 있다.

⑤ 까치밥과 콩 세 알 이야기를 통하여 글쓴이의 주장을 펼치고 있다.

3 '까치밥'과 콩 '세 알'의 공통점으로 알맞은 것은 무엇인가요?

① 조상들의 군것질거리이다.

② 건강에 좋지 않은 것들이다.

③ 조상들이 명절에 먹은 것들이다.

④ 동물들이 먹을 수 있도록 남긴 것들이다.

⑤ 아이들이 먹을 수 있도록 남긴 것들이다.

21회 ▶ 정답과 해설 21쪽

4 보기는 이 글을 읽고 난 후의 대화입니다. 이에 대한 설명으로 알맞은 것을 고르세요.

• 혜연: 나는 지금 도시에 까치밥이 사라진 것이 안타까웠어. 요즘에는 주변 동물들을 생각하지 않으니까 까치밥도 없어진 거야.

• 영서: 나는 그렇게 생각하지 않아. 도시에서 까치밥이 사라진 까닭은 우리가 사는 방식이 바뀌었기 때문이라고 생각해. 사람들이 농사를 별로 짓지 않기 때문에 까치밥이 사라진 게 아닐까?

① 혜연이는 까치밥이 아직까지 남아 있어서 다행이라고 생각한다.

② 혜연이는 까치밥이 없어진 까닭이 동물들 때문이라고 생각한다.

③ 영서는 까치밥이 없어진 까닭이 사람들의 마음 때문이라고 생각한다.

④ 영서는 사람들이 농사를 많이 지어서 까치밥이 사라졌다고 생각한다.

⑤ 영서는 사람들이 사는 방식이 바뀌어서 까치밥이 사라졌다고 생각한다.

5

㉠과 관련이 없는 것은 무엇인가요?

① 동물들이 사는 숲을 지키는 일

② 물고기들을 위해 강의 쓰레기를 치우는 일

③ 바닷가에서 아파하는 거북이를 치료해 주는 일

④ 새들이 오지 못하도록 논에 허수아비를 세우는 일

⑤ 길거리의 고양이들이 배고프지 않게 먹을 것을 주는 일

6

이 글의 짜임을 생각하며, 빈칸에 알맞은 말을 쓰세요.

□□□	□ 세 알
동물들이 겨울에 먹을 수 있도록 남겨 주었음.	하나는 사람들, 하나는 동물들, 하나는 밭에 있는 □□들이 먹을 수 있도록 심었음.

조상들처럼 넉넉하고 따뜻한 마음을 가지고 살아가자.

생각 글 쓰기

조상들이 주로 감나무의 열매를 까치밥으로 남겨 주었던 까닭은 무엇일까요?

어휘 다지기

01 **다음 낱말에 알맞은 뜻을 찾아 선으로 이으세요.**

(1) 생명 • 　　　　• ㉠ 농사를 해서 익은 농작물을 거두어들임.

(2) 소식 • 　　　　• ㉡ 동물과 식물의, 생물로서 살아 있게 하는 힘.

(3) 수확 • 　　　　• ㉢ 멀리 떨어져 있는 사람의 사정을 알리는 말이나 글.

02 **아래 상황에 알맞은 낱말을 찾아 빈칸에 쓰세요.**

생명　　소식　　수확

(1)

작은 [　　　　] 도 모두 소중하다.

(2)

편지는 [　　　　] 을 전해 준다.

매일 학습 평가	맞은 문제에 표시해 주세요.					맞은 개수
1 주제 □	2 전개 방식 □	3 세부 내용 □	4 추론 □	5 적용 □	6 글의 구조 □	개

21회 ▶ 정답과 해설 21쪽

설명문 | 과학

공부한 날 ( )월 ( )일

꽃밭에 가면 많은 개미들을 볼 수 있어요. 개미를 가까이에서 본 적이 있나요? 개미의 몸은 머리 · 가슴 · 배로 나누어져 있고 턱은 잘 *발달되어 아주 튼튼해요. 개미는 몸집이 작지만 강한 턱으로 자신보다 커다란 물건을 번쩍 들어 올릴 수 있어요.

개미는 작은 눈이 수없이 달려 있는 겹눈을 가지고 있어요. 하지만 ㉠ 개미의 *시력은 좋지 않아요. 그래서 개미는 앞에 가까이 있는 것도 아주 흐리게 보여요. 대신 *대상의 움직임은 재빨리 알아차릴 수 있지요.

㉡ 개미의 더듬이는 앞에 있는 것이 어떤 특징을 가지고 있는지 알게 해 주어요. 만약 사탕이 개미 앞에 있으면 개미는 더듬이로 그 사탕을 먹어도 *안전한지, 냄새는 어떠한지 등을 알아보아요. 또한 개미는 더듬이로 다른 개미들과 대화를 나눌 수도 있어요. 자신의 더듬이를 다른 개미들의 더듬이와 닿게 하여 다른 개미들과 여러 정보를 주고받는다고 해요.

그렇다면 개미가 살고 있는 개미집은 어떤 특징이 있을까요? 많은 개미들은 물기가 *적당히 있는 진흙 속에 집을 지어요. 왜냐하면 개미집에 물기가 너무 없으면 개미들과 애벌레가 물을 제대로 마시지 못하고, 물기가 너무 많으면 개미집에 물이 고이게 되기 때문이에요.

개미집에는 알을 낳는 여왕개미와 *식량을 모으고 사냥도 하며 알을 기르는 등 여러 가지 일을 하는 일개미 그리고 애벌레들이 살아요. 일개미들은 개미집 바깥에서 먹이를 가져오기도 하지만, 어떤 개미들은 개미집 안에 곰팡이나 버섯을 키우는 농장을 가지고 있기도 해요. 사람이 농사를 지어 먹을 것을 얻는 것과 같지요.

낱말 뜻 풀이

- **발달**: 신체, 정서, 지능 등이 성장하거나 성숙함.
- **시력**: 물체의 존재나 형상을 인식하는 눈의 능력.
- **대상**: 어떤 일의 상대 또는 목표나 목적이 되는 것.
- **안전**: 위험이 생기거나 사고가 날 염려가 없음.
- **적당히**: 정도에 알맞게.
- **식량**: 생존을 위하여 필요한 사람의 먹을거리.

1

제목

이 글에 알맞은 제목을 쓰세요.

개미와 ☐☐☐ 의 특징

2

세부 내용

이 글의 내용으로 알맞지 않은 것은 무엇인가요?

① 개미는 시력이 좋지 않다.
② 개미는 겹눈을 가지고 있다.
③ 개미는 물기가 많은 곳에 개미집을 짓는다.
④ 개미는 더듬이로 앞에 있는 물체를 알아본다.
⑤ 개미집에는 여왕개미, 일개미, 애벌레 등이 산다.

3

적용

다음은 ㉠과 ㉡ 중 무엇을 사용한 것인지 기호를 쓰세요.

(1) 개미는 다른 개미에게 먹이가 있는 곳을 알려 주었다. (　　　)
(2) 개미는 앞에 있는 벌레가 빠르게 움직이는 것을 알아차렸다. (　　　)

4

추론

보기를 읽고 개미와 벌에 대한 설명으로 알맞은 것을 고르세요.

보기

개미와 벌은 같은 조상을 가진 곤충들입니다. 벌도 개미처럼 집을 짓습니다. 그리고 개미들에게 여왕개미가 있듯이, 벌들도 여왕벌이 있으며 일을 하는 일벌도 있습니다.

① 개미와 벌은 친척 관계이다.
② 개미와 벌은 친한 친구이다.
③ 개미와 벌은 서로 잡아먹는다.
④ 개미와 벌은 아무 관계가 없다.
⑤ 개미와 벌은 이름은 다르지만 같은 곤충을 가리킨다.

22회 ▶ 정답과 해설 22쪽

5 추론

보기의 빈칸에 공통으로 들어갈 알맞은 말을 쓰세요.

보기

개미집에 '이상한 개미'가 한 마리 들어왔습니다. 이 개미는 다른 개미들과 한 가지 다른 점이 있었습니다. 개미집에 있던 개미들은 이 개미에게 말을 걸어 보려 하였지만, 말을 제대로 나눌 수 없었습니다.

그 까닭은 다른 개미들에게는 ☐☐☐ 이/가 있지만, '이상한 개미'는 ☐☐☐ 이/가 없었기 때문입니다.

6 글의 구조

이 글의 짜임을 생각하며, 빈칸에 알맞은 말을 쓰세요.

개미의 특징
- ☐ – 아주 튼튼함.
- 눈 – 시력이 좋지 않지만 움직임을 재빨리 알아차림.
- 더듬이 – 여러 정보를 주고받음.

개미집의 특징
- ☐☐ 이/가 적당히 있는 진흙 속에 지음.
- 여왕개미, 일개미, 애벌레 등이 삶.

만약 개미의 턱이 약하다면 어떤 일이 일어날까요?

01 다음 낱말에 알맞은 뜻을 찾아 선으로 이으세요.

(1) 발달 •　　　　• ㉠ 위험이 생기거나 사고가 날 염려가 없음.

(2) 시력 •　　　　• ㉡ 신체, 정서, 지능 등이 성장하거나 성숙함.

(3) 안전 •　　　　• ㉢ 물체의 존재나 형상을 인식하는 눈의 능력.

02 아래 상황에 알맞은 낱말을 찾아 빈칸에 쓰세요.

시력　　식량　　안전

(1)

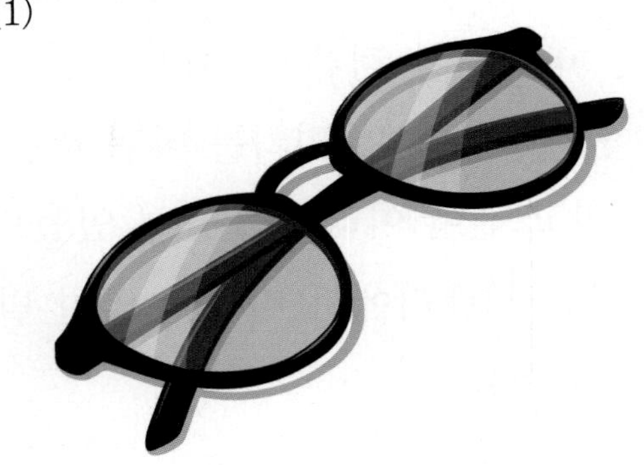

[　　　]이 좋지 않으면 안경을 써야 한다.

(2)

동물들은 겨울에 [　　　]을 구하기가 어렵다.

매일 학습 평가	맞은 문제에 표시해 주세요.					맞은 개수
1 제목 □	2 세부 내용 □	3 적용 □	4 추론 □	5 추론 □	6 글의 구조 □	개

스티커를 붙여 주세요

22회

▶ 정답과 해설 22쪽

23회

설명문 | 기술

공부한 날 ( )월 ( )일

컴퓨터는 언제 처음 만들어졌을까요? 가장 처음에 만든 컴퓨터는 지금 우리가 사용하는 컴퓨터와 많이 달랐어요.

컴퓨터가 만들어진 까닭은 전쟁 때문이었어요. 컴퓨터가 만들어진 것은 1939년부터 1945년까지 일어난 2차 세계 대전 때였지요. 이때 영국은 독일에서 사용하는 *암호를 알아내기 위하여 컴퓨터를 만들었어요. 그리고 비슷한 시기인 1946년에는 미국에서 '에니악'이라는 이름을 가진 컴퓨터를 만들었어요. 높이가 5.5미터, 길이 24.5미터, 무게가 30톤이나 되었어요. 에니악은 미국 육군들이 적군의 대포에서 쏜 *포탄이 어디로 날아갈지 계산하기 위하여 만들었다고 해요. 하지만 시간이 흐른 후 에니악은 *일기 예보나 우주선 연구 등 여러 가지 과학 연구를 위하여 사용되었어요.

이러한 컴퓨터들의 사용법은 오늘날의 컴퓨터 사용법과 많이 달랐어요. 오늘날에는 우리가 키보드를 눌러서 글자 등을 *입력하지만, 처음 만든 컴퓨터들에는 키보드가 없었어요. 컴퓨터에 무언가를 입력하려면 컴퓨터에 연결된 전선의 위치를 바꿔 주어야 하는 등 불편한 점이 많았어요. 또한 *진공관이 번쩍거리고 선이 이리저리 꼽혀 있었으며 소리도 아주 요란했답니다. 그리고 컴퓨터를 작동시키면 컴퓨터에서 엄청난 열이 발생하여 컴퓨터에 불이 나지 않을지 늘 *신경을 많이 써야 했어요.

낱말 뜻 풀이

- **암호**: 비밀을 유지하기 위하여 당사자끼리만 알 수 있도록 꾸민 약속 기호.
- **포탄**: 대포의 탄알.
- **일기 예보**: 일기의 변화를 예측하여 미리 알리는 일.
- **입력**: 문자나 숫자를 컴퓨터가 기억하게 하는 일.
- **진공관**: 유리나 금속 등의 용기에 몇 개의 전극을 봉입하고 내부를 높은 진공 상태로 만든 전자관.
- **신경**: 어떤 일에 대한 느낌이나 생각.

1 **이 글에서 설명하고 있는 것은 무엇인지 빈칸에 쓰세요.**

주제

처음 만든 □□□ 들의 특징

2 처음 컴퓨터를 만든 까닭은 무엇인가요?

① 독일이 미국과 영국을 이기기 위하여
② 프랑스가 일기 예보를 잘 하기 위하여
③ 독일이 영국의 암호를 알아내기 위하여
④ 영국이 독일의 암호를 알아내기 위하여
⑤ 미국이 프랑스의 암호를 알아내기 위하여

3 이 글의 내용으로 알맞지 않은 것은 무엇인가요?

① 에니악은 높이가 1.5미터, 무게가 20톤이었다.
② 컴퓨터가 처음 만들어진 것은 2차 세계 대전 때였다.
③ 처음 만든 컴퓨터들은 지금의 컴퓨터와 많이 달랐다.
④ 처음 만든 컴퓨터들은 작동할 때 많은 열이 발생하였다.
⑤ 에니악은 대포에서 쏜 포탄이 어디로 날아갈지 계산할 수 있었다.

23회
▶ 정답과 해설 23쪽

4 보기에서 설명하는 슈퍼컴퓨터와 에니악의 공통점은 무엇인지 쓰세요.

1969년에 닐 암스트롱은 아폴로 11호 우주선을 타고 달에 무사히 도착하였습니다. 사람이 달에 무사히 갈 수 있었던 것은 여러 가지 과학 기술들과 슈퍼컴퓨터 덕분이었습니다. 슈퍼컴퓨터가 과학 연구에 필요한 계산을 해 주었기 때문에 달까지 무사히 도착할 수 있었던 것입니다.

• 슈퍼컴퓨터와 에니악은 □□ 연구를 위하여 사용되었다.

5

세부 내용

이 글을 읽고 다음 빈칸에 들어갈 알맞은 말을 쓰세요.

처음 만든 컴퓨터들에는 □□□ 이/가 없었다.

6

이 글의 짜임을 생각하며, 빈칸에 알맞은 말을 쓰세요.

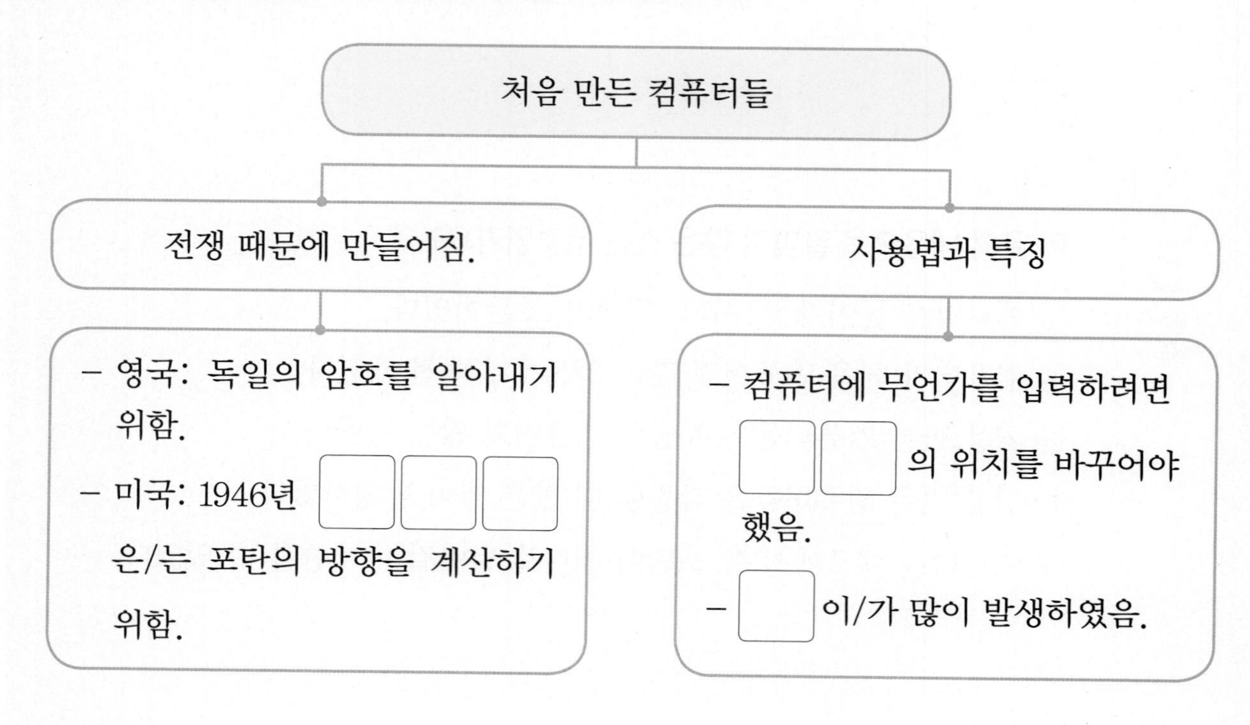

처음 만든 컴퓨터에 불이 날까 봐 신경 써야 했던 까닭은 무엇인가요?

어휘 다지기

01 다음 낱말에 알맞은 뜻을 찾아 선으로 이으세요.

(1) 암호 •

(2) 입력 •

(3) 포탄 •

• ㉠ 대포의 탄알.

• ㉡ 문자나 숫자를 컴퓨터가 기억하게 하는 일.

• ㉢ 비밀을 유지하기 위하여 당사자끼리만 알 수 있도록 꾸민 약속 기호.

02 아래 상황에 알맞은 낱말을 찾아 빈칸에 쓰세요.

일기 예보　　암호　　입력

(1)

[　　　　]에서
오늘은
무척 덥다고 하였다.

(2)

문서는
[　　　　](으)로
적혀 있었다.

매일 학습 평가	맞은 문제에 표시해 주세요.					맞은 개수
1 주제 ☐	2 세부 내용 ☐	3 세부 내용 ☐	4 추론 ☐	5 세부 내용 ☐	6 글의 구조 ☐	개

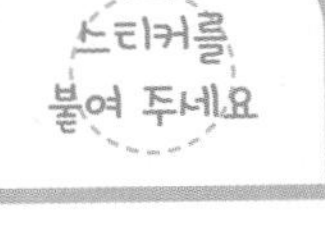

24회

설명문 | 예술

공부한 날 ( )월 ( )일

예전에는 그림이나 조각만 예술 작품이라고 여겼어요. 하지만 이제는 그림뿐만 아니라 모든 것이 예술 작품이 되는 시대가 되었고 심지어 주변에 있는 물건도 예술 작품이 될 수 있어요. 그리고 이미 100년 전에 변기를 예술 작품으로 *전시한 *예술가도 있었어요.

우리는 ㉠멋지고 훌륭한 예술 작품들은 모두 예술가가 직접 만들거나 그려야 한다고 생각해요. 그런데 변기는 예술가가 직접 만들거나 그리지 않은 *일상생활 속의 물건이에요. 그렇다면 어떻게 변기가 예술 작품이 될 수 있었을까요? 그 까닭은 예술가마다 자신의 생각을 표현하는 방법이 다르기 때문이에요. 예술가들은 작품을 직접 그리거나 만들기도 하지만, 자신의 몸을 움직이거나 주변의 물건을 사용하여 전시하는 등 아주 *다양한 방식으로 자신의 생각을 표현하기도 해요. 그러다 보니 변기라는 물건을 사용해서 자신의 생각을 표현하는 예술가도 나온 것이지요.

변기를 예술 작품으로 전시한 예술가는 마르셀 뒤샹이라는 사람이에요. 뒤샹은 변기로 자신의 어떤 생각을 표현한 것일까요? 뒤샹은 변기로 '모든 것이 예술 작품이다.'라는 생각을 표현했어요. ㉡예술 작품을 직접 만들거나 그릴 필요가 없다는 뜻이에요. 이렇게 뒤샹이 자신의 자유로운 생각을 변기를 통하여 표현한 덕분에 많은 예술가들이 여러 가지 방법으로 자신들의 생각을 표현하기 시작했어요. 그래서 지금은 예술의 폭이 예전보다 훨씬 넓어졌지요.

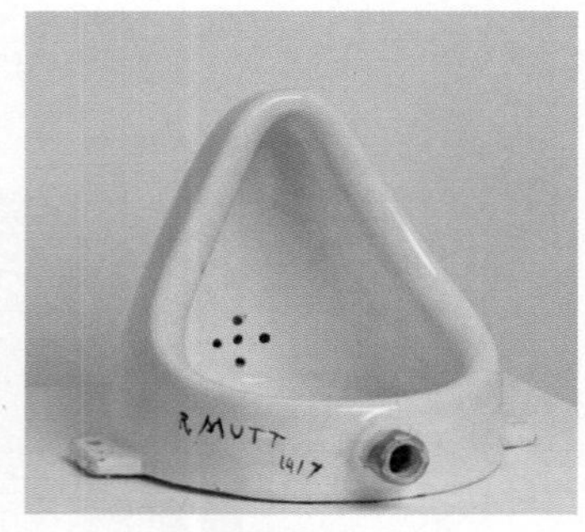

마르셀 뒤샹, 「샘」

낱말 뜻 풀이

- **전시**: 여러 가지 물품을 한곳에 벌여 놓고 보임.
- **예술가**: 예술 작품을 창작하거나 표현하는 것을 직업으로 하는 사람.
- **일상생활**: 평상시의 생활.
- **다양**: 여러 가지 모양이나 양식.

---

1 이 글의 중심 내용은 무엇인가요?

주제

모든 것이 [ ][ ] [ ][ ] 이/가 될 수 있다.

2 이 글에 대한 설명으로 알맞은 것은 무엇인가요?

세부 내용

① 예술가의 여러 작품을 설명하고 있다.
② 그림을 그리는 방법을 설명하고 있다.
③ 변기를 만드는 방법을 설명하고 있다.
④ 예술 작품에 대하여 예를 들어 설명하고 있다.
⑤ 예술 작품을 전시한 곳에 대하여 설명하고 있다.

3 다음을 보고 ㉠과 ㉡ 중 알맞은 것의 기호를 쓰세요.

적용

(1) 세영이는 두루마리 휴지를 멋진 예술 작품이라고 생각한다. (　　　)
(2) 은솔이는 유명한 화가가 그린 그림을 멋진 예술 작품이라고 생각한다. (　　　)

▶정답과 해설 24쪽

4 보기를 보고 빈칸에 들어갈 알맞은 말을 고르세요.

추론

예술가: 나는 지금까지 예술 작품을 직접 만들어 왔습니다. 그런데 뒤샹은 예술가가 작품을 직접 만들 필요가 없다고 하였습니다. 그렇다면 제가 직접 만든 작품들은 예술 작품이 아니겠군요?

뒤샹: 제 말은 그게 아닙니다. '모든 것이 예술 작품이다.'라는 말을 다시 생각해 보세요. 그러면 [　　　　　　　　　　]

① 당신이 직접 만든 것들은 멋지지 않습니다.
② 당신이 직접 만든 것들은 모두 버려야 합니다.
③ 당신이 직접 만든 것들도 모두 예술 작품입니다.
④ 당신이 직접 만든 것들은 모두 예술 작품이 아닙니다.
⑤ 당신이 직접 만들지 않은 것들은 예술 작품이 아닙니다.

5 보기를 읽고 전시관 직원이 ㉮와 같이 말한 까닭을 고르세요.

추론

뒤샹이 변기를 전시하고 몇 시간이 지난 후, 전시관 직원은 ㉮"누가 전시회에 변기를 버린 거야!"라고 하면서 변기를 치웠습니다.

① 뒤샹이 변기가 아닌 다른 물건을 전시하였기 때문이다.
② 전시관 직원은 변기가 깨끗하다고 생각하였기 때문이다.
③ 뒤샹이 변기를 예술 작품으로 생각하지 않았기 때문이다.
④ 전시관 직원은 변기를 예술 작품으로 생각하였기 때문이다.
⑤ 전시관 직원은 변기를 예술 작품으로 생각하지 않았기 때문이다.

6 이 글의 짜임을 생각하며, 빈칸에 알맞은 말을 쓰세요.

글의 구조

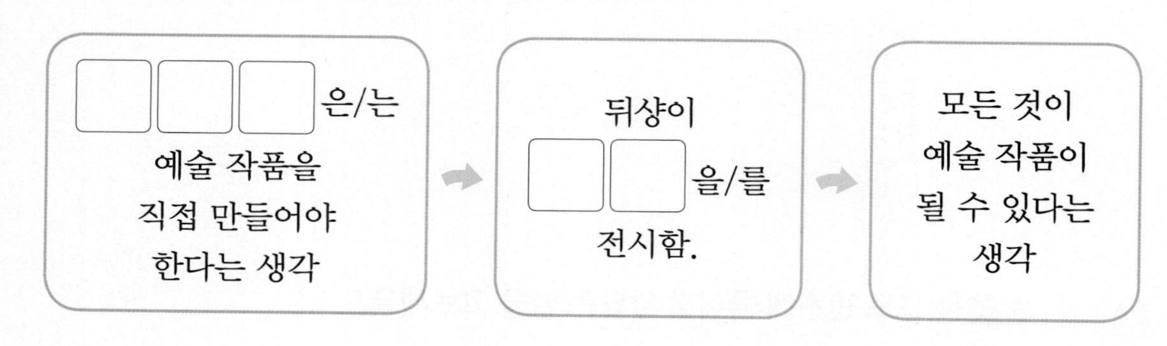

생각 글 쓰기

이 글에서 뒤샹이 변기를 전시한 후 일어난 변화는 무엇일까요?

어휘 다지기

01 **다음 낱말에 알맞은 뜻을 찾아 선으로 이으세요.**

(1) 다양 •　　　　• ㉠ 평상시의 생활.

(2) 일상생활 •　　　　• ㉡ 여러 가지 모양이나 양식.

(3) 전시 •　　　　• ㉢ 여러 가지 물품을 한곳에 벌여 놓고 보임.

02 **아래 상황에 알맞은 낱말을 찾아 빈칸에 쓰세요.**

다양	예술가	전시

(1)

미술관에 [　　　　] 된 작품들을 보았다.

(2)

과자 모양이 [　　　　] 하고 예쁘다.

24회

▶ 정답과 해설 24쪽

매일 학습 평가	맞은 문제에 표시해 주세요.					맞은 개수	스티커를 붙여 주세요
1 주제 □	2 세부 내용 □	3 적용 □	4 추론 □	5 추론 □	6 글의 구조 □	개	

25회

설명문 | 기술

공부한 날 ( )월 ( )일

옛부터 우리 민족은 하얀 옷을 주로 입었어요. 하지만 우리 *조상들은 옷감에 여러 가지 색깔을 물들여서 옷을 만들기도 했어요. 그러면 옛날에는 옷을 *염색하는 공장이 없었는데, 우리 조상들은 어떻게 옷을 염색했을까요?

옷을 염색하는 데에 사용하는 재료를 '*염료'라고 해요. 우리 조상들은 염료를 모두 나무나 꽃 등의 자연에서 얻었어요. 이 염료들은 *대개 몸에 좋은 식물에서 얻는 것이기 때문에 우리 몸에도 이롭지요. ㉠염료를 가장 손쉽게 얻을 수 있는 방법은 식물을 이용하는 것이었어요. 왜냐하면, 식물은 매우 다양한 종류가 있어서 여러 가지 색깔의 식물들에서 염료를 손쉽게 얻을 수 있기 때문이에요. 예를 들어 홍화, 꼭두서니라는 식물로 붉은색을 얻을 수 있고, 쪽으로 푸른색, 댓잎이나 버드나무 가지로 검은색을 만들 수 있다고 해요.

그렇다면 염료를 만드는 *구체적인 순서는 무엇이었을까요? 쪽으로 푸른색을 만들려고 하면, 먼저 3월에 쪽을 심어야 했어요. 그리고 8월에 쪽을 베어서 항아리에 시냇물과 함께 넣고 일주일 동안 기다렸어요. 그 후에 조개껍데기를 구운 가루를 뿌리며 물을 휘저었지요. 그러면 위쪽에는 맑은 물, 아래쪽에는 푸른색 물이 생기는데, ㉡그 물로 옷을 푸른색으로 염색했답니다.

낱말 뜻풀이

- **조상**: 자기 세대 이전의 모든 세대.
- **염색**: 염료를 사용하여 실이나 천 등에 물을 들임.
- **염료**: 옷감 등에 빛깔을 들이는 물질.
- **대개**: 일반적인 경우에.
- **구체적**: 사물이 직접 경험하거나 지각할 수 있도록 일정한 형태와 성질을 갖추고 있는. 또는 그런 것.

1 **이 글에 알맞은 제목을 쓰세요.**

제목

우리 조상들의 [ ][ ] 기술

2

이 글의 내용으로 알맞지 않은 것은 무엇인가요?

① 염료는 염색하는 데에 사용하는 재료이다.

② 우리 조상들은 염료를 모두 자연에서 얻었다.

③ 홍화, 꼭두서니로 붉은색 염료를 얻을 수 있다.

④ 푸른색 염료를 만들기 위해서는 3월에 쪽을 심어야 한다.

⑤ 푸른색 염료를 만들 때 쪽을 베어서 항아리에 홍화와 함께 넣는다.

3

㉠의 까닭은 무엇인지 빈칸에 알맞은 말을 쓰세요.

식물은 매우 다양하여 여러 가지 색깔의 식물들에서 ☐☐ 을/를 손쉽게 얻을 수 있기 때문이다.

4

보기 에서 만든 색깔은 무엇인가요?

추론

> **보기** 다혜는 자연에서 염료를 얻어 옷을 염색하려고 합니다. 다혜는 자연에서 댓잎과 버드나무 가지를 얻어 색깔을 만들었습니다. 이 색깔은 무엇일까요?

① 붉은색　② 노란색　③ 초록색

④ 검은색　⑤ 보라색

25회
▶ 정답과 해설 25쪽

5

다음은 우리 조상들이 푸른색을 만드는 순서입니다. 알맞지 않은 것의 기호를 쓰세요.

적용

㉮ 3월에 쪽을 심는다.

↓

㉯ 8월에 쪽을 벤다.

↓

㉰ 큰 항아리에 시냇물과 함께 쪽을 넣는다.

↓

㉱ 일주일 후 조개껍데기를 구운 가루를 뿌리며 휘젓는다.

↓

㉲ 아래쪽에 맑은 물, 위쪽에 푸른색 물이 생긴다.

6

㉡은 어떤 식물에서 얻은 것인가요?

① 쪽

② 댓잎

③ 홍화

④ 꼭두서니

⑤ 버드나무 가지

7

글의 구조

이 글의 짜임을 생각하며, 빈칸에 알맞은 말을 쓰세요.

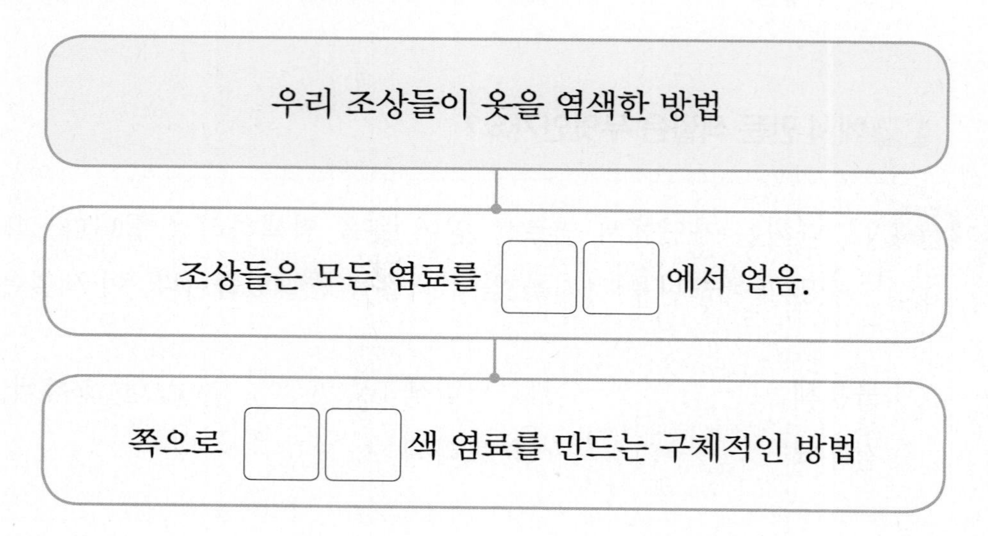

자연에서 얻은 염료가 공장에서 얻은 염료보다 좋은 점은 무엇일까요?

어휘 다지기

01 다음 낱말에 알맞은 뜻을 찾아 선으로 이으세요.

(1) 대개 •　　　　• ㉠ 일반적인 경우에.

(2) 염색 •　　　　• ㉡ 자기 세대 이전의 모든 세대.

(3) 조상 •　　　　• ㉢ 염료를 사용하여 실이나 천 등에 물을 들임.

02 아래 상황에 알맞은 낱말을 찾아 빈칸에 쓰세요.

대개	염료	조상

(1)

우리 [　　　] 들은 초가집에서 생활하였다.

(2)

곡식의 씨앗은 [　　　] 봄에 심는다.

25회

▶ 정답과 해설 25쪽

매일 학습 평가	맞은 문제에 표시해 주세요.						맞은 개수
1 제목 ☐	2 세부 내용 ☐	3 세부 내용 ☐	4 추론 ☐	5 적용 ☐	6 추론 ☐	7 글의 구조 ☐	개

전기문 | 예술

공부한 날 ( )월 ( )일

여러분은 '모차르트'라는 사람에 대하여 들어 보았나요? 모차르트는 우리가 알고 있는 *클래식 음악들을 정말 많이 만든 음악가예요. 모차르트는 250년 전, 오스트리아의 잘츠부르크에서 태어났어요. 모차르트의 아버지는 음악가였고 모차르트가 3살 때부터 모차르트에게 음악을 가르쳤어요. 모차르트는 음악적 *재능이 아주 ㉠ 뛰어나서 5살 때부터 노래를 만들기 시작했고, 소년 *시절에 음악을 더 배우기 위해 여행을 다녔어요.

그러나 모차르트는 항상 즐거운 삶을 산 것은 아니었어요. 모차르트는 여행을 마친 뒤 다시 고향에 돌아왔는데, 고향을 *다스리는 높은 사람이 모차르트의 음악적 재능을 제대로 알지 못하여 모차르트는 아주 적은 돈을 받을 수밖에 없었어요. 결국 모차르트는 고향을 떠나기로 *결심했어요.

모차르트는 오스트리아의 빈으로 이사를 갔어요. 그리고 다행히 빈은 모차르트의 음악적 재능을 제대로 알아주는 곳이었지요. 모차르트는 빈에서 아주 유명한 음악가가 되었고, 「피가로의 결혼」, 「마술피리」 등 유명한 작품들을 만들었어요. 모차르트는 35살의 나이로 일찍 세상을 떠났지만, 오늘날에도 많은 사람들이 모차르트의 음악을 즐겨 듣고 있어요.

낱말 뜻 풀이

- 클래식: 서양의 전통적 작곡 기법이나 연주법에 의한 음악.
- 재능: 어떤 일을 하는 데 필요한 재주와 능력.
- 시절: 일정한 시기나 때.
- 다스리는: 국가나 사회, 단체, 집안의 일을 보살펴 관리하고 통제한.
- 결심: 할 일에 대하여 어떻게 하기로 마음을 굳게 정함.

1 **이 글의 중심 내용은 무엇인지 빈칸에 쓰세요.**

주제

음악가 [ ][ ][ ][ ] 의 삶

2 이 글의 내용으로 알맞지 않은 것은 무엇인가요?

① 모차르트의 고향은 오스트리아 잘츠부르크이다.

② 모차르트는 5살 때부터 노래를 만들기 시작하였다.

③ 모차르트는 여행을 마치고 고향에 돌아가지 않았다.

④ 빈은 모차르트의 재능을 제대로 알아주는 곳이었다.

⑤ 모차르트는 「피가로의 결혼」, 「마술피리」 등을 만들었다.

3 보기 를 읽고 모차르트가 할 말로 알맞은 것을 고르세요.

추론

보기

- 모차르트의 친구 : 이봐, 모차르트! 이제 곧 빈으로 이사를 간다고 들었네. 도대체 왜 잘츠부르크를 떠나 빈으로 가려고 하는 건가?
- 모차르트 : 나의 고향을 다스리는 높은 사람이 [　　　　　　] 이네. 내가 받는 돈은 너무나 적다는 생각이 든다네.

① 너무 바빠서 음악을 들을 시간이 없기 때문

② 나의 음악적 재능을 제대로 알지 못하기 때문

③ 음악을 만드는 방법을 전혀 알지 못하기 때문

④ 음악을 들으며 책을 읽는 것을 좋아하기 때문

⑤ 음악보다 미술에 관심을 더 많이 가지기 때문

4 보기 를 읽고 빈칸에 알맞은 말을 쓰세요.

보기

- 「피가로의 결혼」은 주인공인 피가로가 자신이 사랑하는 사람인 수잔나와 결혼하기 위하여 자신의 주인을 속이는 내용의 오페라입니다.
- 「마술피리」는 주인공인 타미스 왕자가 밤의 여왕을 물리치고 파미나 공주와 결혼하는 내용의 오페라입니다.

- 두 오페라는 남녀의 [　][　] 에 대한 내용이다.

26회 ▶ 정답과 해설 26쪽

5

어휘

㉠의 뜻으로 알맞은 것은 무엇인가요?

① 물건이 뒤집혀서 젖혀져서.

② 모자 등을 머리에 얹어 덮어서.

③ 위쪽에서 아래쪽으로 움직여 가서.

④ 남보다 월등히 훌륭하거나 앞서서.

⑤ 물건 등을 남에게 건네어 가지게 해서.

6

글의 구조

이 글의 내용을 생각하며, 빈칸에 알맞은 말을 쓰세요.

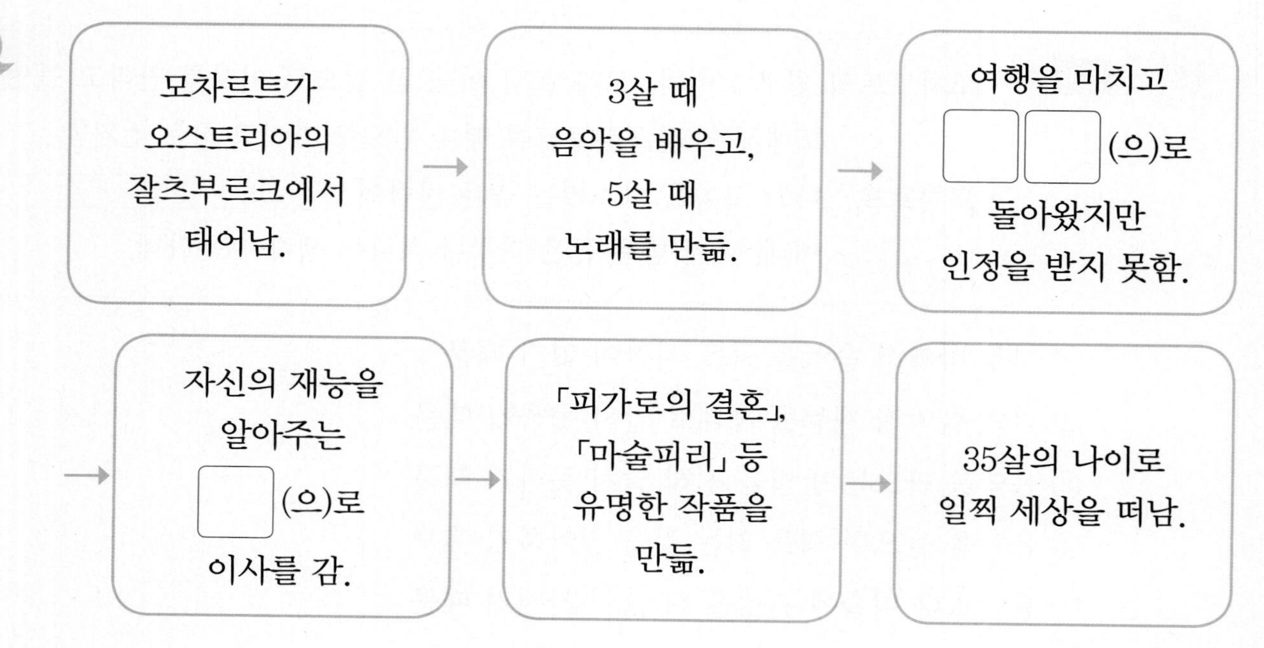

생각 글 쓰기

모차르트가 고향에 돌아와 음악적 재능을 인정받지 못하자 한 일은 무엇인가요?

어휘 다지기

01 **다음 낱말에 알맞은 뜻을 찾아 선으로 이으세요.**

(1) 결심 •　　　　• ㉠ 어떤 일을 하는 데 필요한 재주와 능력.

(2) 재능 •　　　　• ㉡ 할 일에 대하여 어떻게 하기로 마음을 굳게 정함.

(3) 클래식 •　　　　• ㉢ 서양의 전통적 작곡 기법이나 연주법에 의한 음악.

02 **아래 상황에 알맞은 낱말을 찾아 빈칸에 쓰세요.**

결심　　시절　　클래식

(1)

조용한 [　　　　] 음악을 들었다.

(2)

운동회를 열심히 하기로 [　　　　] 하였다.

매일 학습 평가	맞은 문제에 표시해 주세요.					맞은 개수
1 주제 □	2 세부 내용 □	3 추론 □	4 추론 □	5 어휘 □	6 글의 구조 □	개

26회
▶ 정답과 해설 26쪽

설명문 | 인문

공부한 날 ( )월 ( )일

우리가 읽는 신문 *기사는 어떻게 만들어질까요? 신문 기사는 다음과 같이 여러 과정을 거쳐서 만들어져요.

신문의 *취재 기자는 신문에 기사로 쓸 만한 것들을 찾아 다니면서 여러 정보를 모으고, 여러 사람들과 *인터뷰를 해요. 그리고 여러 정보와 인터뷰를 모아서 글을 써요. 그렇지만 이 글이 바로 신문 기사가 되는 것은 아니에요.

취재 기자가 글을 쓰면 *편집 기자가 글을 다시 보면서 틀린 곳은 없는지 확인해 보고, 이 글을 신문의 어느 곳에 넣으면 좋을지, 신문 기사의 제목은 무엇으로 할지 등을 정해요. 이러한 일은 혼자서 하는 것이 아니라 여러 명의 편집 기자들이 매일 모여서 회의를 하여 정해요.

그렇게 신문의 내용과 형식이 정해지면 신문을 *인쇄하기 시작해요. 신문을 인쇄하는 일은 인쇄 기술을 가진 회사에서 맡아요. 그렇게 해야만 많은 양의 신문이 빨리 인쇄되어 다음 날 새벽까지 배달될 수 있기 때문이에요.

하지만 신문 기사를 빨리 완성하려고 하다가 실수를 하는 경우도 있어요. 1948년에 미국의 한 신문사는 대통령 선거 결과가 아직 나오지 않았는데도 다음 날 신문에 미리 신기 위하여 '대통령 후보 트루먼이 [㉠]'(이)라고 기사를 썼어요. 그러나 다음 날 대통령으로 *당선된 사람은 트루먼이었고, 이 신문사는 트루먼에게 사과를 해야 했어요.

낱말 뜻 풀이

- **기사**: 신문이나 잡지 등에서, 어떠한 사실을 알리는 글.
- **취재**: 작품이나 기사에 필요한 재료 등을 조사하여 얻음.
- **인터뷰**: 개인이나 집단을 만나 정보를 수집하고 이야기를 나누는 일.
- **편집**: 여러 가지 재료를 모아 신문, 잡지, 책 등을 만드는 일.
- **인쇄**: 잉크를 사용하여 판면(版面)에 그려져 있는 글이나 그림 등을 종이, 천 등에 박아 냄.
- **당선**: 선거에서 뽑힘.

1 이 글에서 설명하는 것은 무엇인가요?

주제

[ ][ ] 기사가 만들어지는 [ ][ ]

2

취재 기자가 하는 일로 알맞은 것은 무엇인가요?

① 신문을 인쇄하는 일을 한다.
② 다음 날 새벽까지 신문을 배달하는 일을 한다.
③ 신문 기사의 위치를 정하기 위하여 회의를 한다.
④ 정보와 인터뷰를 모아서 신문 기사가 될 글을 쓴다.
⑤ 신문을 인쇄하는 회사의 인쇄 기계를 고치는 일을 한다.

3

이 글의 내용으로 알맞지 <u>않은</u> 것은 무엇인가요?

① 편집 기자는 신문 기사의 제목을 혼자서 정한다.
② 신문의 내용과 형식이 정해지면 신문을 인쇄한다.
③ 편집 기자는 글에서 틀린 부분이 없는지 확인한다.
④ 인쇄 기술을 가진 회사가 신문을 인쇄하는 일을 한다.
⑤ 취재 기자가 쓴 글이 바로 신문 기사가 되지는 않는다.

27회
▶ 정답과 해설 27쪽

4

보기를 보고 신문 기사가 만들어지는 순서대로 기호를 쓰세요.

㉮ 글을 쓴다.
㉯ 신문을 인쇄한다.
㉰ 신문에 기사로 쓸 정보들을 모은다.
㉱ 기사의 제목 등을 회의를 하여 정한다.

(　　　) → (　　　) → (　　　) → (　　　)

5

추론

㉠에 알맞은 신문 기사의 제목은 무엇인가요?

① 독감에 걸렸다
② 대통령 선거에서 졌다
③ 대통령 선거에 나왔다
④ 대통령 선거에서 이겼다
⑤ 말도 잘하고 인기가 많다

6 추론

다음 빈칸에 공통으로 들어갈 알맞은 낱말을 쓰세요.

요즘에는 신문을 [ ][ ] 하는 회사들이 점점 문을 닫고 있습니다. 왜냐하면, 이제는 신문 기사를 인터넷으로 볼 수 있기 때문입니다. 그래서 점점 [ ][ ] 된 신문을 읽는 사람들이 줄어들고 있는 것입니다.

7 글의 구조

이 글의 짜임을 생각하며, 빈칸에 알맞은 말을 쓰세요.

신문이 만들어지는 과정

신문 취재 기자	신문 편집 기자
여러 정보와 [ ][ ][ ] 을/를 모아서 글을 씀.	틀린 곳을 확인하고 기사의 위치와 [ ][ ] 을/를 정함.

인쇄 회사에서 신문을 인쇄함.

신문을 인쇄하는 일을 인쇄 기술을 가진 회사에서 맡는 까닭은 무엇일까요?

어휘 다지기

01 **다음 낱말에 알맞은 뜻을 찾아 선으로 이으세요.**

(1) 기사 •　　　　• ㉠ 선거에서 뽑힘.

(2) 당선 •　　　　• ㉡ 신문이나 잡지 등에서, 어떠한 사실을 알리는 글.

(3) 편집 •　　　　• ㉢ 여러 가지 재료를 모아 신문, 잡지, 책 등을 만드는 일.

02 **아래 상황에 알맞은 낱말을 찾아 빈칸에 쓰세요.**

기사　　당선　　인터뷰

(1)

투표 결과
그 후보가
[　　　　] 되었다.

(2)

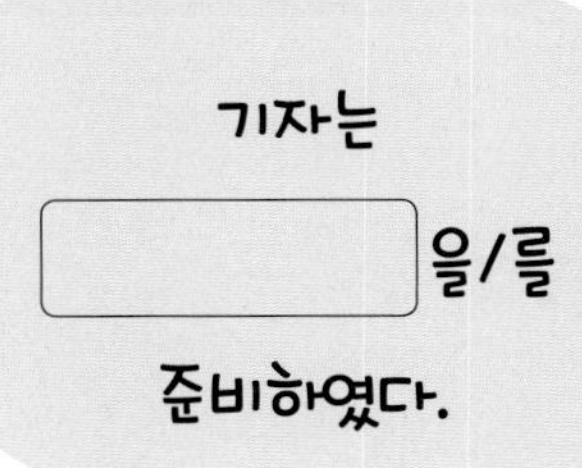

기자는
[　　　　] 을/를
준비하였다.

27회 ▶ 정답과 해설 27쪽

매일 학습 평가	맞은 문제에 표시해 주세요.						맞은 개수
1 주제 ☐	2 세부 내용 ☐	3 세부 내용 ☐	4 적용 ☐	5 추론 ☐	6 추론 ☐	7 글의 구조 ☐	개

옛날 사진

앨범을 뒤적이다
㉠ 배꼽이 빠질 뻔했다
기저귀 하나 달랑 찬
못생기고 *우락부락한 아기가
양손에 과자를 든 채
입을 커다랗게 벌리고
*우렁차게 울어 젖혔다
오빠의 *약점을 찾아낸 것 같아
신이 나서 ㉡ *낄낄거리는데
㉢ 어이쿠야, 그게 나라나

— 김개미

낱말 뜻 풀이

- **우락부락한:** 몸집이 크고 얼굴이 험상궂게 생긴 데가 있는.
- **우렁차게:** 소리의 울림이 매우 씩씩하고 힘차게.
- **약점:** 모자라서 남에게 뒤떨어지거나 떳떳하지 못한 점.
- **낄낄거리는데:** 웃음을 억지로 참으면서 입 속으로 웃는 소리를 자꾸 내는데.

1 이 시의 말하는 이가 보고 있는 것은 무엇인가요?

소재

옛날 [ ][ ] 을/를 본 경험

2

이 시의 내용으로 알맞지 않은 것은 무엇인가요?

① 앨범을 뒤적이다 배꼽이 빠질 정도로 웃었다.

② 앨범 속의 아기는 양손에 과자를 들고 있었다.

③ 앨범 속의 아기는 입을 벌리고 우렁차게 울고 있었다.

④ 말하는 이는 오빠의 약점을 찾아낸 줄 알고 신이 났다.

⑤ 말하는 이의 오빠는 앨범 속 아기의 모습을 보면서 부끄러워했다.

3

추론

㉠의 까닭은 무엇인지 빈칸에 쓰세요.

> 기저귀 하나 달랑 찬 못생기고 우락부락한 아기가 ☐☐(이)라고 생각하였기 때문이다.

28회
▶ 정답과 해설 28쪽

4

㉡에 어울리는 표정은 무엇인가요?

① 놀란 표정

② 우는 표정

③ 웃는 표정

④ 화난 표정

⑤ 찡그린 표정

5

㉢의 뜻으로 알맞은 것은 무엇인가요?

① 사진에서 내가 넘어졌다.

② 사진에서 오빠가 넘어졌다.

③ 사진에 있는 아기는 나였다.

④ 사진에 있는 아기는 오빠였다.

⑤ 사진에 있는 아기는 동생이었다.

6

감상

이 시에 대한 감상을 알맞지 않게 말한 사람은 누구인가요?

① 기영: 내 앨범을 봤던 기억이 났어.

② 나현: 처음에 사진을 볼 때는 말하는 이가 신난 것 같아.

③ 도윤: 시에 '오빠'라고 하였으니 말하는 이는 동생일 거야.

④ 명진: 시의 마지막에서 말하는 이의 속상한 마음이 느껴져.

⑤ 정우: 양손에 과자를 들고 있었다니 먹을 것을 좋아했구나.

7

표현

이 시와 보기 의 시와의 공통점으로 알맞은 것에 ○표를 하세요.

보기

으르렁 드르렁
드르르르 푸우-

아버지 콧속에서
사자 한 마리
울부짖고 있다.

생쥐처럼 살금살금
양말을 벗겨 드렸다.

– 김은영, 「잠자는 사자」

• 말하는 이의 (꿈 / 경험 / 주장)을 눈에 보이듯이 시로 표현하고 있다.

생각 글 쓰기

이 시의 '배꼽이 빠질 뻔했다'처럼 몸과 관련된 표현을 그 뜻과 함께 쓰세요.

01 다음 낱말에 알맞은 뜻을 찾아 선으로 이으세요.

(1) 우락부락하다 •　　　　• ㉠ 소리의 울림이 매우 씩씩하고 힘차다.

(2) 우렁차다 •　　　　• ㉡ 몸집이 크고 얼굴이 험상궂게 생긴 데가 있다.

02 아래 상황에 알맞은 낱말을 찾아 빈칸에 쓰세요.

낄낄거리는데	우락부락한	우렁차게

(1)

응원하는 소리가 [　　　　] 들렸다.

(2)

친구가 장난을 치고 [　　　　] 나는 화가 났다.

매일 학습 평가	맞은 문제에 표시해 주세요.						맞은 개수
1 소재 □	2 세부 내용 □	3 추론 □	4 추론 □	5 세부 내용 □	6 감상 □	7 표현 □	개

풀이래요

아빠는
날 보고
*강아지풀이래요.
아빠 뒤만
*졸래졸래
따라다닌다고
– 아이고,
  요 *귀연 강아지풀아!
그래요.

엄마는
날 보고
*도깨비바늘이래요.
엄마에게
*꼬옥 붙어
안 떨어진다고
– 아유,
  요 예쁜 도깨비바늘아!
그래요.

내가
풀이면
엄마 아빠 들판이지 뭐.
날 안아 주시는…….

– 손동연

낱말 뜻 풀이

- **강아지풀**: 강아지 꼬리 모양의 연한 녹색 또는 자주색 꽃이 줄기 끝에 피는 식물.
- **졸래졸래**: 무질서하게 졸졸 뒤따르는 모양.
- **귀연**: '귀여운'의 시적 표현임.
- **도깨비바늘**: 바늘 모양의 열매가 다른 물체에 잘 달라붙는 식물.
- **꼬옥**: '꼭'의 시적 표현임.

1 소재

이 시에서 아빠가 '나'를 부르는 말은 무엇인가요?

2 전개 방식

이 시에 대한 설명으로 알맞은 것은 무엇인가요?

① 들판에서 집으로 장소가 변하고 있다.

② 부모님의 말을 시에 직접 표현하고 있다.

③ '나'를 풀로, 부모님을 나무로 표현하고 있다.

④ 부모님이 '나'의 이름을 지은 까닭을 소개하고 있다.

⑤ 어제, 오늘, 내일의 순서로 시간의 흐름이 나타나 있다.

3 세부 내용

이 시를 읽고 떠오르는 모습으로 알맞은 것은 무엇인가요?

① 말하는 이가 동생과 싸우는 모습

② 말하는 이가 강아지를 쓰다듬는 모습

③ 말하는 이가 철봉에 매달려 있는 모습

④ 말하는 이가 아빠 뒤를 따라다니는 모습

⑤ 말하는 이가 친구와 들판을 달리는 모습

4 세부 내용

엄마가 '나'를 '도깨비바늘'이라고 부르는 까닭은 무엇인가요?

엄마에게 꼬옥 [ ][ ] 안 떨어지기 때문이다.

29회

▼ 정답과 해설 29쪽

5

감상

이 시에 대한 느낌으로 알맞지 않은 것의 기호를 쓰세요.

㉠ 아이를 사랑하는 부모님의 마음이 느껴진다.
㉡ 아빠와 엄마를 좋아하는 아이의 마음이 잘 느껴진다.
㉢ 도깨비바늘이 뾰족하고 따가울 것 같아서 무서운 느낌이 든다.
㉣ 엄마에게서 안 떨어지는 아이를 도깨비바늘로 표현한 것이 재미있다.

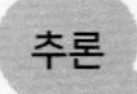

보기의 방법으로 이 시를 읽은 것은 무엇인가요?

시를 읽을 때 자신의 경험이나 기억을 떠올리면서 읽으면 시를 더욱 깊게 이해할 수 있습니다. 자신의 경험이나 기억을 떠올려 볼까요?

① 창빈: 이 시에서는 풀의 이름들이 나오고 있구나.
② 다정: 강아지풀과 도깨비바늘이 무엇인지 찾아봐야겠어.
③ 민우: '귀연', '꼬옥' 같은 새롭게 만들어진 표현이 재미있어.
④ 병준: '나'를 강아지풀, 도깨비바늘로 부르는 까닭이 나와 있어.
⑤ 희진: 할머니께서 나를 '강아지'라고 부르며 귀여워하신 것이 기억나.

이 시에서 '나'가 엄마 아빠를 '들판'이라고 한 까닭은 무엇일까요?

어휘 다지기

01 **다음 낱말에 알맞은 뜻을 찾아 선으로 이으세요.**

(1) 얼기설기 •　　　　• ㉠ 무질서하게 졸졸 뒤따르는 모양.

(2) 올망졸망 •　　　　• ㉡ 가는 것이 이리저리 뒤섞이어 얽힌 모양.

(3) 졸래졸래 •　　　　• ㉢ 작고 또렷한 것들이 고르지 않게 많이 벌여 있는 모양.

02 **아래 상황에 알맞은 낱말을 찾아 빈칸에 쓰세요.**

얼기설기	올망졸망	졸래졸래

(1)

귀여운 인형들이 [　　　] 놓여 있다.

(2)

휘어진 철망이 [　　　] 얽혀 있다.

29회 ▶ 정답과 해설 29쪽

매일 학습 평가	맞은 문제에 표시해 주세요.					맞은 개수	
1 소재 ☐	2 전개 방식 ☐	3 세부 내용 ☐	4 세부 내용 ☐	5 감상 ☐	6 추론 ☐	개	스티커를 붙여 주세요

[앞부분 줄거리] 치과 의사 드소토 선생님은 이를 고치는 솜씨가 아주 좋았습니다. 이가 아픈 여우가 찾아왔을 때 열심히 치료했지만 여우는 의사 선생님을 잡아먹으려고 생각했습니다.

"내일 여우를 못 들어오게 하면 어떨까요?" / 부인이 말했어요.

"난 일을 한번 시작했다 하면 끝을 내는 성격이오. 우리 아버지도 그렇게 하셨고."

선생님이 말했지요.

"하지만 우리 자신을 지키기 위해서는 ㉠무슨 수를 써야만 해요."

부인이 말했어요. 선생님 부부는 계획을 세울 때까지 이야기하고 또 이야기했어요.

"그게 좋겠군." / 하고 선생님은 말하더니, 곧 코를 골며 잠에 빠져들었어요.

다음 날 아침, 정확하게 열한 시에 여우가 아주 명랑한 얼굴로 나타났어요. 이는 하나도 아파 보이지 않았지요.

드소토 선생님이 여우의 입안으로 들어가자 여우가 갑자기 입을 탁 다물었어요. 조금 뒤, 여우는 다시 입을 벌리면서

"장난이에요, 헤헤!" / 하고 웃어 댔지요.

"장난치지 말아요. 우리는 지금 치료를 하고 있으니까."

선생님이 호되게 말했어요. 부인은 새 이를 힘겹게 들고 올라왔어요.

"아직 안 끝났습니다." / 선생님은 커다란 병을 들어 올리며 말했어요.

"최근에 아내와 내가 놀라운 약을 만들었는데, 이 약을 한 번만 바르면 죽을 때까지 이가 안 아플 거요. 어때요? 이 특별 치료를 처음으로 받아 보지 않겠습니까?"

"좋고말고요! 이거 행운인데요."

여우가 기분 좋게 말했어요. 여우는 머리든 이든 아픈 거라면 딱 질색이었거든요.

"다시는 우리를 만날 필요가 없을 거예요." / 드소토 선생님이 말했어요.

㉡'아무도 너희를 다시는 만나지 못할걸.'

여우가 속으로 중얼거렸지요. 여우는 방금 이 생쥐 부부를 잡아먹기로 마음먹었으니까요. 그것도 새 이로 말이지요.

일을 마친 드소토 선생님은 걸어 나와서 말했어요.

"자, 이제 입을 꽉 다무세요. 그리고 몇 분 동안 그대로 계세요."

여우는 선생님이 시키는 대로 했어요. 조금 뒤에 여우가 입을 벌리려고 했을 때 이가 단단히 들러붙어서 꼼짝도 하지 않았어요!

"이런, 미안하군요. 미리 말씀을 드렸어야 했는데……. 하루나 이틀 동안 입을 벌릴 수 없을 겁니다. 이 약은 이에 *고루 펴져야 하거든요. 하지만 걱정하지 마세요. 다시는 이가 아프지 않을 테니까요!"

여우는 *얼떨떨해서 드소토 부부를 멍하니 바라보았지요. 그러고는 계단을 비틀비틀 내려갔어요.

– 윌리엄 스타이그, 「치과 의사 드소토 선생님」

낱말 뜻 풀이

- **수**: 일을 처리하는 방법.
- **명랑**: 유쾌하고 활발함.
- **호되게**: 매우 심하게.
- **특별**: 보통과 구별되게 다름.
- **고루**: 차이가 없이 엇비슷하거나 같게.
- **얼떨떨해서**: 뜻밖의 일로 당황하거나 여러 가지 일이 복잡하여 정신이 매우 얼떨해서.

30회

▶ 정답과 해설 30쪽

1 여우가 치료를 받으면서 한 생각은 무엇인가요?

① 드소토 선생님과 운동하려는 생각
② 드소토 선생님을 잡아먹으려는 생각
③ 드소토 선생님에게 선물을 주려는 생각
④ 드소토 선생님과 친해지고 싶다는 생각
⑤ 드소토 선생님을 집에 데려가려는 생각

2 이 글의 내용으로 알맞지 않은 것은 무엇인가요?

① 여우는 결국 드소토 부부를 잡아먹지 못하였다.
② 다음 날 여우는 이가 몹시 아파서 어두운 얼굴이었다.
③ 드소토 부부는 자신들을 지키기 위한 방법을 생각해 내었다.
④ 드소토 부부는 여우가 찾아오는 것에 대해 많이 걱정하였다.
⑤ 여우는 드소토 선생님이 입안에 있을 때 입을 다물어 장난을 쳤다.

3 이 글에서 ㉠은 무엇인지 빈칸에 쓰세요.

드소토 부부를 [ ][ ] 이/가 잡아먹지 못하게 하는 방법

4

표현

ⓛ의 뜻으로 알맞은 것은 무엇인가요?

① 드소토 부부가 멀리 여행을 떠날 것이다.

② 드소토 부부가 남몰래 숨어서 지낼 것이다.

③ 드소토 부부가 병에 걸려 곧 입원할 것이다.

④ 드소토 부부가 여우에게 곧 잡아먹힐 것이다.

⑤ 드소토 부부가 다른 곳으로 이사를 갈 것이다.

5

보기의 방법으로 이 글을 읽은 것은 무엇인가요?

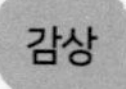

시나 소설을 읽을 때, '내가 주인공이었다면 어떻게 하였을까?', '내가 등장인물이었다면 ~같은 마음이 들 것 같아.'와 같은 생각을 하면 더욱 재미있게 글을 읽을 수 있습니다.

① 여우는 정말 비겁하고 못된 성격을 가진 것 같아.

② 드소토 선생님을 보니까 우리 할아버지가 떠올라.

③ 이 글을 읽으면서 모르는 낱말을 사전에서 찾아봐야겠어.

④ 여우가 비틀비틀하면서 내려가는 모습이 웃기고 재미있어.

⑤ 내가 드소토 선생님이었다면 여우를 못 들어오게 했을 거야.

생각 글 쓰기

드소토 부부가 여우에게서 자신들을 지키기 위하여 쓴 방법은 무엇인가요?

어휘 다지기

01 **다음 낱말에 알맞은 뜻을 찾아 선으로 이으세요.**

(1) 고루 •　　　　• ㉠ 유쾌하고 활발함.

(2) 명랑 •　　　　• ㉡ 보통과 구별되게 다름.

(3) 특별 •　　　　• ㉢ 차이가 없이 엇비슷하거나 같게.

02 **아래 상황에 알맞은 낱말을 찾아 빈칸에 쓰세요.**

고루　　명랑　　수

(1)

비빔밥을 [　　　] 잘 섞었다.

(2)

우리는 운동회가 즐거워서 [　　　] 하게 웃었다.

매일 학습 평가 맞은 문제에 표시해 주세요.					맞은 개수
1 세부 내용 ☐	2 세부 내용 ☐	3 추론 ☐	4 표현 ☐	5 감상 ☐	개

30회 ▶ 정답과 해설 30쪽

독해력을 완성하는 긴 독해

❀ 자신의 학습 능력과 상황에 따라 꾸준하게 공부하는 것이 가장 중요합니다.
❀ 학습 계획을 먼저 세우고, 스스로 지킬 수 있도록 노력해 보세요.

회	제목	갈래	분야	학습할 날짜
31회	우리나라 글자의 역사	설명문	인문	월 일
32회	새로운 다섯 자리 우편 번호	설명문	사회	월 일
33회	봄에 꽃샘추위가 자주 발생하는 까닭	논설문	과학	월 일
34회	에어프라이어	설명문	기술	월 일
35회	태풍은 왜 생길까?	설명문	과학	월 일
36회	악기의 종류	설명문	예술	월 일
37회	자동차의 역사	설명문	기술	월 일
38회	나만 보면	문학	동시	월 일
39회	7년 동안의 잠	문학	동화	월 일
40회	꽃보다 아름다운 마음	문학	동화	월 일

31회

설명문 | 인문

공부한 날 ( )월 ( )일

우리는 매일 말을 하고 글자를 읽습니다. 한글은 우리나라의 고유 문자이지요. 이렇게 우리가 사용하고 있는 한글이 만들어진 것은 약 600년 전입니다. 그렇다면 한글이 만들어지기 전에 우리 조상은 글을 어떻게 썼을까요?

한글이 없던 시절, 우리 조상은 생각이나 말을 글로 적을 글자를 가지고 있지 않았어요. 그래서 말이나 생각을 글로 쓸 때는 한자를 사용했어요. [㉠], ㉡'물을 마시다'를 글로 쓰려면 '물'이라는 뜻을 가진 한자와 '마시다'라는 뜻을 가진 한자를 함께 쓰는 것이지요. 그러나 '퐁당퐁당', '첨벙첨벙' 같은 흉내 내는 말을 한자로 나타내는 것은 어려웠어요. 그래서 흉내 내는 말의 뜻을 가진 한자가 없으면 비슷한 소리를 가진 한자를 빌려 와야 했어요. 예를 들어, 흉내 내는 말인 '첨벙첨벙'을 한자로 쓰려면 '첨'이라고 소리 나는 한자를 가져오고, '벙'이라고 소리 나는 한자는 없으므로 가장 가까운 소리인 '방'이라고 소리 나는 한자를 가져와서 쓰는 거예요.

이처럼 우리말을 한자로 나타내는 것은 너무나 불편하였기 때문에 세종 대왕은 오랫동안 고민하여 한글을 만들게 됐어요. 세종 대왕은 글자를 만들고 '훈민정음'이라는 이름을 붙였어요. 훈민정음은 '백성을 가르치는 바른 소리.'라는 뜻이에요. 그 뒤 조선 시대에는 '언문'이라고 불리다가, 일제 강점기 때에 '한글'이라는 이름이 붙게 되었어요. '한글'의 '한'은 '크다'는 뜻이므로 '한글'은 '큰 글'이라는 뜻이지요.

낱말 뜻 풀이

- **고유**: 본래부터 가지고 있는 특유한 것.
- **사용**: 일정한 목적이나 기능에 맞게 씀.
- **한자**: 고대 중국에서 만들어져 오늘날에도 쓰이고 있는 표의 문자.
- **흉내**: 남이 하는 말이나 행동을 그대로 옮기는 것.
- **불편**: 어떤 것을 사용하거나 이용하는 것이 거북하거나 괴로움.
- **고민**: 마음속으로 괴로워하고 애를 태움.
- **백성**: 나라의 근본을 이루는 일반 국민을 예스럽게 이르는 말.
- **일제 강점기**: 1910년의 국권 강탈 이후 1945년 해방되기까지 35년간의 시대.

1
제목

이 글에 알맞은 제목을 쓰세요.

우리나라 ☐☐ 의 역사

2
주제

이 글에 대한 설명으로 알맞은 것은 무엇인가요?

① 한자로 쓴 소설에 대하여 설명하고 있다.

② 한글의 아름다움에 대하여 설명하고 있다.

③ 한글이 미래에 어떻게 변할지에 대하여 설명하고 있다.

④ 우리 조상이 사용하였던 글씨체에 대하여 설명하고 있다.

⑤ 우리 조상이 글을 쓴 방법과 한글에 대하여 설명하고 있다.

3
세부 내용

이 글의 내용으로 알맞지 않은 것은 무엇인가요?

① 한글은 언문이라고 불리기도 하였다.

② 한글은 처음에 '훈민정음'이라고 불렸다.

③ 약 600년 전에 세종 대왕이 한글을 만들었다.

④ 한자는 흉내 내는 말을 아주 쉽게 나타낼 수 있다.

⑤ 한글이 만들어지기 전에 우리 조상은 한자를 사용하였다.

4
어휘

㉠에 들어갈 말로 알맞은 것은 무엇인가요?

① 혹시 ② 그러나 ③ 그런데

④ 하지만 ⑤ 예를 들어

5
적용

㉡과 같은 방법으로 '잠을 자다'를 글로 쓰려고 합니다. 빈칸에 알맞은 말을 쓰세요.

'잠을 자다'를 글로 쓰려면 '☐'(이)라는 뜻을 가진 '☐☐'와/과 '자다'라는 뜻을 가진 한자를 함께 쓴다.

31회

▶ 정답과 해설 31쪽

6 보기를 읽고 '껑충껑충'을 한자로 쓰는 방법에 알맞게 ○표를 하세요.

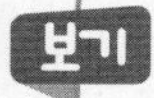

- 훈이: 옛날 우리 조상처럼 '껑충껑충'을 한자로 나타내고 싶은데 '껑충껑충'과 같은 뜻을 가진 한자가 없어. 어떻게 해야 할까?
- 영이: (1) '(껑 / 컹)'이라고 읽히는 한자는 없으니 가장 (2) (다르게 / 비슷하게) 소리 나는 '강'이라는 한자를 가져와서 써 봐. 그리고 '충'이라고 소리 나는 한자를 가져와서 쓰면 될 거야.

7 이 글의 내용을 생각하며, 빈칸에 알맞은 말을 쓰세요.

글의 구조

한글이 만들어지기 전 □□ 을/를 사용하여 글을 씀.

세종 대왕이 □□□□ (이)라는 글자를 만듦.

조선 시대에는 □□ (이)라고 불림.

일제 강점기 때에 '한글'이라는 이름이 붙게 됨.

생각 글 쓰기

'한글'의 뜻은 무엇일까요?

01 다음 낱말에 알맞은 뜻을 찾아 선으로 이으세요.

(1) 백성 •   • ㉠ 남이 하는 말이나 행동을 그대로 옮기는 것.

(2) 불편 •   • ㉡ 어떤 것을 사용하거나 이용하는 것이 거북하거나 괴로움.

(3) 흉내 •   • ㉢ 나라의 근본을 이루는 일반 국민을 예스럽게 이르는 말.

02 아래 상황에 알맞은 낱말을 찾아 빈칸에 쓰세요.

고유   불편   흉내

(1)

시끄러워서 공부하기가 [   ]하였다.

(2)

나는 왕이 된 [   ]을/를 내며 놀았다.

31회

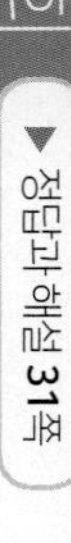

매일 학습 평가 맞은 문제에 표시해 주세요.

1 제목	2 주제	3 세부 내용	4 어휘	5 적용	6 적용	7 글의 구조	맞은 개수
☐	☐	☐	☐	☐	☐	☐	개

'04383'이라는 숫자의 *정체는 무엇일까요? 바로 서울에 있는 국립 중앙 박물관의 '*우편 번호'예요. 우편 번호는 우편이나 물건을 *배달받기 위한 *주소를 나타내는 번호이지요. *예전에는 우편 번호가 여섯 자리였는데, 2015년 8월 1일부터 다섯 자리로 새롭게 바뀌었어요. 이렇게 다섯 자리로 바뀌면서 예전보다 우편 번호를 기억하기 쉬워졌다고 해요.

그럼, 우편 번호 다섯 자리가 어떤 정보를 담고 있는지 살펴볼까요? 먼저 우편 번호 앞 세 자리는 *지역을 나타내요. 지역이 다르면 우편 번호 앞 세 자리도 달라지지요. 예를 들어 국립 중앙 박물관은 서울특별시 용산구에 있어요. 용산구에는 우편 번호의 앞 세 자리를 043으로 쓰는 곳이 있고, 044로 쓰는 곳이 있어요. 국립 중앙 박물관은 043으로 쓰는 곳에 위치하고 있기 때문에 우편 번호 앞 세 자리가 043이 돼요.

다음으로 우편 번호의 뒤 두 자리는 지역을 백 개로 나누고 00부터 99까지 번호를 붙인 거예요. 예를 들면, 서울특별시 용산구라는 지역을 백 개로 나누고 00부터 99까지 번호를 붙인 것이지요. 그리고 그 백 개의 번호 중에서 국립 중앙 박물관은 83으로 쓰는 곳에 위치하고 있어서 우편 번호의 뒤 두 자리를 83으로 써요. 즉, 국립 중앙 박물관은 [㉠]에 있는 거예요.

낱말 뜻 풀이

- **정체**: 참된 본디의 형체.
- **우편**: 정부의 관할 아래 서신이나 기타 물품을 국내나 전 세계에 보내는 업무.
- **배달**: 물건을 가져다가 몫몫으로 나누어 돌림.
- **주소**: 사람이 살고 있는 곳이나 기관, 회사 등이 자리 잡고 있는 곳을 행정 구역으로 나타낸 이름.
- **예전**: 꽤 오래된 지난날.
- **지역**: 일정하게 구획된 어느 범위의 토지.

1 **이 글에 알맞은 제목을 쓰세요.**

제목

새로운 다섯 자리 □□ □□

2 이 글에 대한 내용으로 알맞지 않은 것은 무엇인가요?

① 예전에는 우편 번호가 여섯 자리였다.

② 우편 번호의 숫자들은 정보를 담고 있다.

③ 지역이 다르면 우편 번호 앞 세 자리도 다르다.

④ 국립 중앙 박물관만 우편 번호가 다섯 자리이다.

⑤ 우편 번호 뒤 두 자리는 지역을 백 개로 나누고 번호를 붙인 것이다.

3 ㉠에 들어갈 알맞은 말을 빈칸에 쓰세요.

세부
내용

우편 번호의 앞 세 자리를 □□□(으)로 쓰고, 뒤 두 자리를 □□(으)로 쓰는 곳

4 보기의 뜻을 가진 낱말을 이 글에서 찾아 쓰세요.

물건을 가져다가 몫몫으로 나누어 돌림.

5 다음 중 이 글의 내용을 잘못 이해한 사람은 누구인지 이름을 쓰세요.

- 미정: 우편 번호를 보면 어디 지역인지 알 수 있구나.
- 윤아: 우편 번호는 처음 가는 곳을 찾을 때도 도움이 되겠구나.
- 준호: 우편 번호가 다섯 자리로 바뀌어서 불편한 사람들이 많아졌구나.
- 하영: 여섯 자리 우편 번호는 외우지 못했는데 다섯 자리는 기억하기 쉽겠구나.

32회
▶ 정답과 해설 32쪽

6 보기를 읽고 빈칸에 알맞은 숫자를 쓰세요.

적용

보기

㉮는 서울특별시 영등포구에 있습니다. 서울특별시 영등포구는 우편 번호 앞 세 자리를 072 또는 073으로 씁니다. ㉮는 우편 번호의 앞 세 자리를 072로 쓰는 곳에 위치하고 있고, 우편 번호의 뒤 두 자리는 23을 씁니다.

• ㉮의 우편 번호는 ☐☐☐☐☐ 이다.

7 이 글의 짜임을 생각하며, 빈칸에 알맞은 말을 쓰세요.

글의 구조

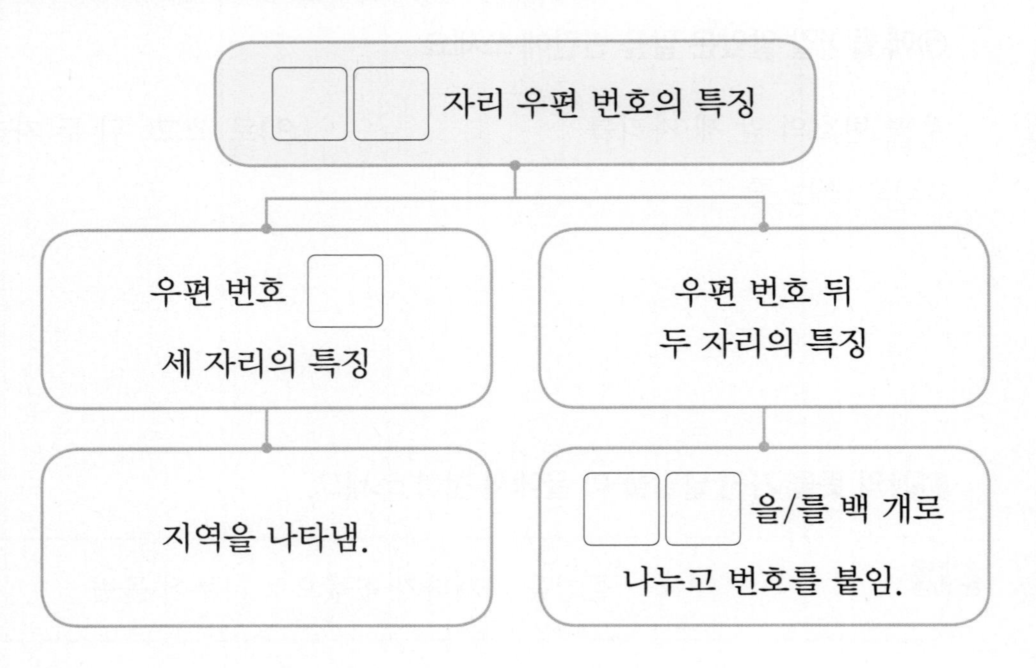

우편 번호가 다섯 자리로 바뀌면서 생긴 좋은 점은 또 무엇이 있을까요?

01 다음 낱말에 알맞은 뜻을 찾아 선으로 이으세요.

(1) 우편 •　　　　• ㉠ 일정하게 구획된 어느 범위의 토지.

(2) 주소 •　　　　• ㉡ 정부의 관할 아래 서신이나 기타 물품을 국내나 전 세계에 보내는 업무.

(3) 지역 •　　　　• ㉢ 사람이 살고 있는 곳이나 기관, 회사 등이 자리 잡고 있는 곳을 행정 구역으로 나타낸 이름.

02 아래 상황에 알맞은 낱말을 찾아 빈칸에 쓰세요.

배달　　우편　　지역

(1)

엄마는 꽃을 [　　　] 받고 기뻐하셨다.

(2)

32회
▶ 정답과 해설 32쪽

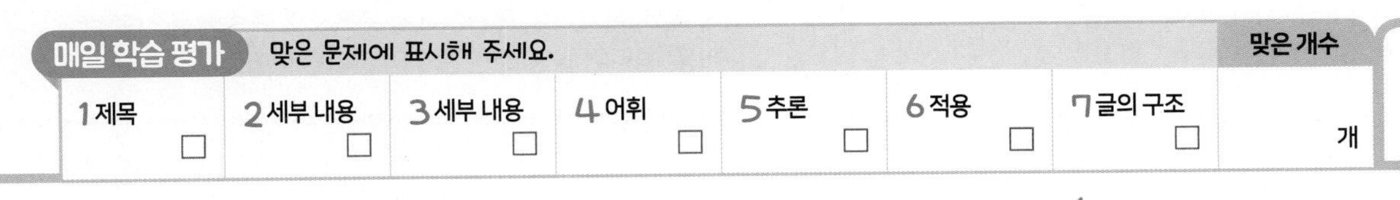

매일 학습 평가 맞은 문제에 표시해 주세요.

1 제목	2 세부 내용	3 세부 내용	4 어휘	5 추론	6 적용	7 글의 구조	맞은 개수
□	□	□	□	□	□	□	개

33회

논설문 | 과학

[봄 2] 2. 봄이 오면

공부한 날 월 일

3~4월은 추운 겨울이 지나고 봄이 오는 계절이지요. 하지만 봄이 왔다고 하여 안심할 수는 없어요. 왜냐하면 봄이라도 매일 따뜻하지는 않기 때문이지요. 봄은 따뜻하다가도 갑자기 며칠은 겨울만큼 추운 날도 있어요. 이렇게 봄에 찾아오는 추위를 '꽃샘추위'라고 부르는데, 꽃샘추위가 해마다 더욱 심해지고 있다고 해요. 꽃샘추위는 왜 찾아오고, 왜 더욱 심해지는 것일까요?

중국 북쪽에는 시베리아라는 매우 추운 곳이 있는데, 그곳의 공기는 매우 차가워요. 차가운 공기는 따뜻한 곳으로 움직이기 때문에, 시베리아보다 덜 추운 우리나라 쪽으로 차가운 공기가 움직이지요. 특히 꽃이 피기 시작하는 3~4월에 이 차가운 공기가 우리나라로 많이 내려와 추워지게 되는데 이 추위가 바로 꽃샘추위에요.

요즘 꽃샘추위가 더욱 심해지는 까닭은 무엇일까요? 그것은 환경이 파괴되었기 때문이에요. 우리가 자동차를 타거나 공장에서 물건을 만들 때 내뿜는 열이 지구를 뜨겁게 만드는데, 이것을 '지구 온난화'라고 해요. 그런데 이 지구 온난화가 점점 심해지고 있는 거예요.

우리나라 북쪽에는 '극 제트'라는 공기 흐름이 있어요. 극 제트는 북극과 시베리아의 차가운 공기가 내려오는 것을 막아 주는데, 지구 온난화 때문에 극 제트가 약해진다고 해요. 그래서 북극과 시베리아의 찬 공기가 잘 이동할 수 있고, 이 때문에 꽃샘추위가 더욱 심해지고 있어요.

이와 같이 지구 온난화가 계속되면 꽃샘추위도 더욱 심해질 것이고, 우리나라는 봄이 없어지게 될 수도 있다고 해요. 우리는 봄을 지키기 위하여 환경을 지켜야 해요.

낱말 뜻풀이

- **계절**: 규칙적으로 되풀이되는 자연 현상에 따라서 일 년을 구분한 것.
- **안심**: 모든 걱정을 떨쳐 버리고 마음을 편히 가짐.
- **시베리아**: 러시아의 우랄산맥에서 태평양 연안에 이르는 북아시아 지역.
- **파괴**: 때려 부수거나 깨뜨려 헐어 버림.
- **온난화**: 지구의 기온이 높아지는 현상.
- **극 제트**: 북극과 남극 근처에서 동쪽으로 계속 부는 강한 바람.
- **이동**: 움직여 옮김. 또는 움직여 자리를 바꿈.

1 핵심어

이 글은 무엇을 설명하는 글인가요?

2 세부 내용

이 글의 내용으로 알맞지 않은 것은 무엇인가요?

① 봄에 찾아오는 추위를 꽃샘추위라고 부른다.

② 지구가 뜨거워지는 것을 '지구 온난화'라고 한다.

③ 시베리아는 중국 남쪽에 있고 공기가 매우 차갑다.

④ 우리나라 북쪽에는 극 제트라는 공기 흐름이 있다.

⑤ 지구 온난화 때문에 극 제트가 점점 약해지고 있다.

3 세부 내용

이 글의 내용에 따라 알맞은 것에 ○표를 하세요.

> 중국 북쪽에 있는 시베리아의 공기는 매우 차갑습니다. 차가운 공기는 (1) (추운 / 따뜻한) 곳으로 이동하는 성질이 있는데, 시베리아보다는 (2) (더 추운 / 덜 추운) 우리나라 쪽으로 차가운 공기가 이동합니다. 이 때문에 발생하는 추위를 꽃샘추위라고 부릅니다.

33회
▶ 정답과 해설 33쪽

4

우리나라의 꽃샘추위가 더욱 심해지는 까닭은 무엇인가요?

① 사람이 나무보다 꽃을 더 많이 심어서

② 점점 날씨가 변하여 겨울이 사라지고 있어서

③ 사람이 환경을 파괴하여 지구의 온도가 올라가서

④ 시베리아 지역에 건물을 많이 짓기 위하여 공사를 해서

⑤ 환경을 보호하기 위하여 자동차와 공장의 매연을 줄여서

5

세부 내용

다음은 꽃샘추위가 심해지는 과정입니다. 알맞지 않은 것은 무엇인가요?

㉠ 열이 발생하여 지구가 점점 뜨거워지게 된다.

↓

㉡ 지구 온난화 때문에 극 제트가 점점 강해진다.

↓

㉢ 북극과 시베리아의 차가운 공기가 더 잘 이동하게 된다.

↓

㉣ 우리나라에 꽃샘추위가 더 심해진다.

6

글의 구조

이 글의 짜임을 생각하며, 빈칸에 알맞은 말을 쓰세요.

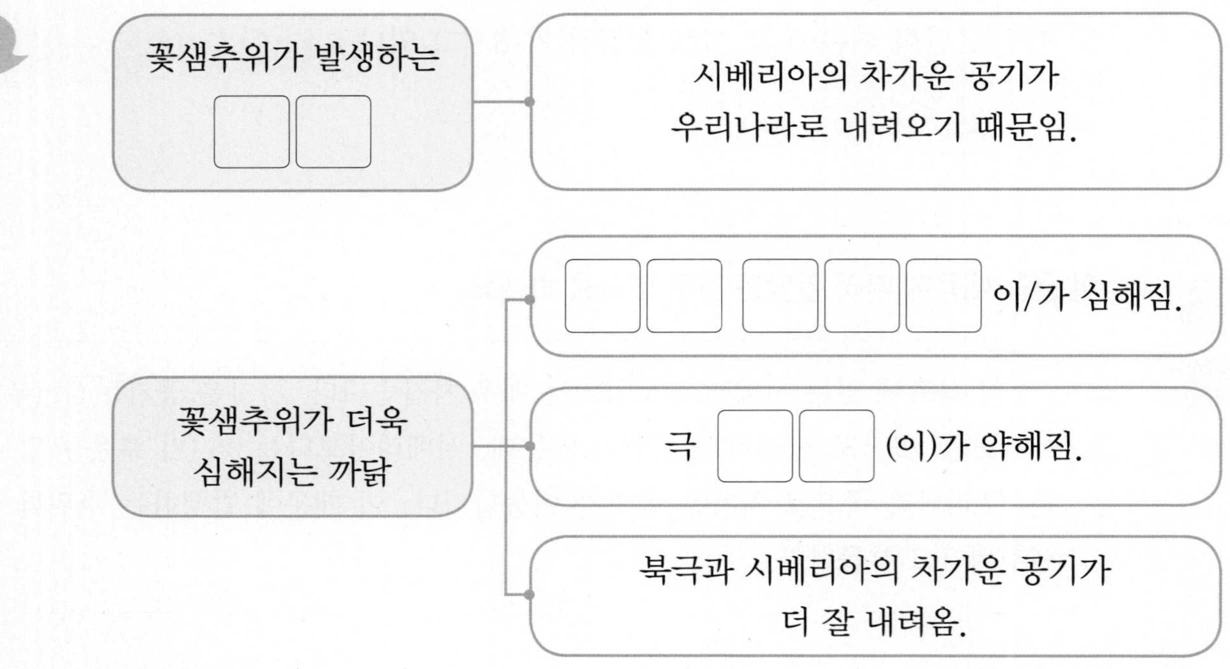

생각 글 쓰기

꽃샘추위가 더욱 심해지면 우리나라의 계절은 어떻게 변할까요?

어휘 다지기

01 다음 낱말에 알맞은 뜻을 찾아 선으로 이으세요.

(1) 계절 •　　　　• ㉠ 때려 부수거나 깨뜨려 헐어 버림.

(2) 이동 •　　　　• ㉡ 움직여 옮김. 또는 움직여 자리를 바꿈.

(3) 파괴 •　　　　• ㉢ 규칙적으로 되풀이되는 자연 현상에 따라서 일 년을 구분한 것.

02 아래 상황에 알맞은 낱말을 찾아 빈칸에 쓰세요.

계절	이동	파괴

(1)

감기 몸살

[　　　] 이/가 바뀔 때에는 감기에 쉽게 걸린다.

(2)

우리는 운동장으로 [　　　] 하였다.

매일 학습 평가	맞은 문제에 표시해 주세요.					맞은 개수
1 핵심어 ☐	2 세부 내용 ☐	3 세부 내용 ☐	4 추론 ☐	5 세부 내용 ☐	6 글의 구조 ☐	개

33회

▶ 정답과 해설 33쪽

설명문 | 기술

공부한 날 ( )월 ( )일

'에어프라이어'는 공기라는 뜻을 가진 영어 'Air'와 튀기는 도구라는 뜻을 가진 영어 'Fryer'를 합쳐서 만들어진 이름이에요. 에어프라이어는 무엇이고, 어떻게 작동하는지 알아볼까요?

음식을 튀기려면 음식에 튀김 가루를 뿌리고, 아주 뜨거운 기름에 넣어야 해요. 음식이 뜨거운 기름에 들어가면 수분이 날아가게 되는데, 음식의 수분이 날아가면 음식이 바삭해져요. 그래서 사람들은 음식의 바삭한 맛을 즐기기 위해 튀김을 먹어요.

그런데 에어프라이어는 기름을 쓰지 않고 음식을 튀기는 기계예요. 에어프라이어에는 뜨거운 공기가 나오는 곳이 있는데, 기름 대신 뜨거운 공기가 음식의 수분을 날아가게 하여 음식이 바삭해지는 거예요. 뜨거운 공기가 에어프라이어의 바닥과 벽에 부딪히면서 음식의 구석구석 골고루 닿게 되어 음식이 잘 튀겨지게 돼요.

에어프라이어로 튀긴 음식의 맛은 어떨까요? 신기하게도 기름으로 튀긴 음식과 거의 비슷한 맛을 내요. 하지만 더 튀김 같은 맛을 내려면 음식에 기름을 약간 발라서 에어프라이어에 넣으면 돼요. 에어프라이어는 기름으로 음식을 튀길 때보다 기름을 훨씬 적게 쓰거나 전혀 쓰지 않는다는 장점이 있어 점점 더 많은 가정에서 사용하고 있어요. 또한 기름에 튀긴 음식보다 에어프라이어로 튀긴 음식이 열량도 더 낮지요.

낱말 뜻 풀이

- **도구**: 일을 할 때 쓰는 것을 통틀어 이르는 말.
- **수분**: 축축한 물의 기운.
- **바삭해져요**: 바스라지기 쉬울 정도로 물기가 없이 보송보송해져요.
- **구석구석**: 이 구석 저 구석.
- **장점**: 좋거나 잘하거나 긍정적인 점.
- **가정**: 한 가족이 생활하는 집.
- **열량**: 열에너지의 양.

1 이 글의 중심이 되는 낱말을 쓰세요.

핵심어

2

주제

이 글에 대한 설명으로 알맞은 것은 무엇인가요?

① 튀기면 맛있는 음식에 대하여 설명하였다.
② 가정에서 사용하는 도구들에 대하여 설명하였다.
③ 에어프라이어 기계를 만드는 방법에 대하여 설명하였다.
④ 에어프라이어가 음식을 튀기는 방법에 대하여 설명하였다.
⑤ 에어프라이어를 사용하면 안 되는 까닭에 대하여 설명하였다.

3

세부 내용

이 글의 내용에 따라 다음 빈칸에 알맞은 말을 쓰세요.

> 에어프라이어는 ☐☐ 을/를 쓰지 않고 뜨거운 ☐☐ (으)로 음식을 튀기는 기계이다.

4

에어프라이어에 대한 설명으로 알맞지 않은 것은 무엇인가요?

① 에어프라이어에는 뜨거운 공기가 나오는 곳이 있다.
② 에어프라이어는 기름을 전혀 쓰지 않거나 적게 쓴다.
③ 에어프라이어는 점점 더 많은 가정에서 사용하고 있다.
④ 에어프라이어의 뜨거운 공기는 음식 구석구석에 닿는다.
⑤ 에어프라이어로 튀긴 음식은 기름에 튀긴 음식보다 더 바삭하다.

34회
▶ 정답과 해설 34쪽

5

에어프라이어가 음식을 바삭하게 하는 방법은 무엇인가요?

① 뜨거운 공기로 음식에 수분이 생기게 하는 것이다.
② 뜨거운 공기로 음식에 기름이 많아지게 하는 것이다.
③ 뜨거운 공기로 음식의 수분을 날아가게 하는 것이다.
④ 차가운 공기로 음식에 기름이 많아지게 하는 것이다.
⑤ 차가운 공기로 음식의 수분을 날아가게 하는 것이다.

6 보기에서 ㉠의 방법으로 알맞은 것은 무엇인가요?

적용

수현: 에어프라이어로 튀긴 음식이 기름에 넣고 튀긴 것보다 맛이 없어. ㉠ 에어프라이어로 더 맛있게 할 수 있는 방법은 없을까?

① 음식을 뜨겁게 한 후 에어프라이어에 넣는다.
② 에어프라이어의 차가운 공기가 음식에 닿게 한다.
③ 에어프라이어가 다 찰 정도로 기름을 많이 붓는다.
④ 음식에 기름을 약간 바르고 에어프라이어에 넣는다.
⑤ 에어프라이어의 공기가 벽에 부딪히지 않도록 막는다.

7 이 글의 짜임을 생각하며, 빈칸에 알맞은 말을 쓰세요.

글의 구조

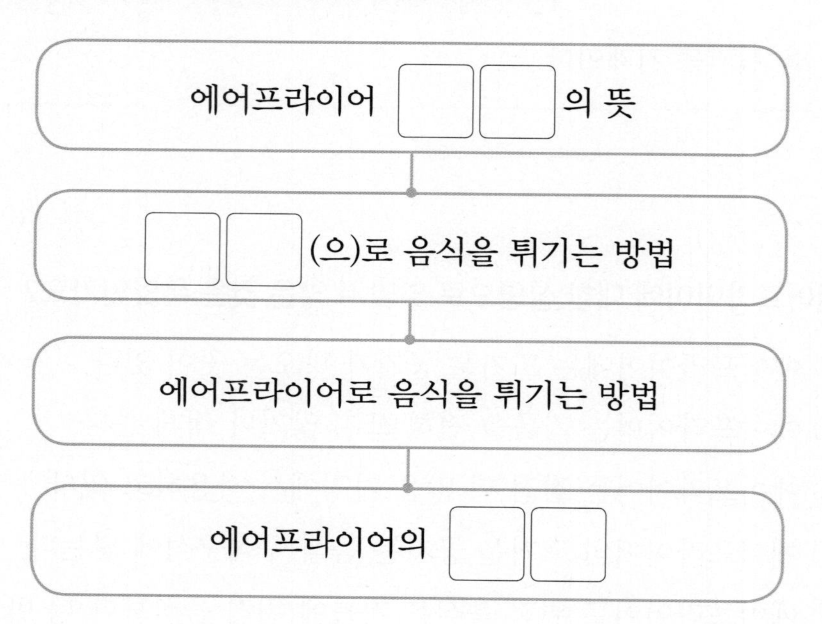

에어프라이어로 튀긴 음식의 장점은 무엇일까요?

어휘 다지기

01 **다음 낱말에 알맞은 뜻을 찾아 선으로 이으세요.**

(1) 가정 •　　　　• ㉠ 축축한 물의 기운.

(2) 수분 •　　　　• ㉡ 한 가족이 생활하는 집.

(3) 장점 •　　　　• ㉢ 좋거나 잘하거나 긍정적인 점.

02 **아래 상황에 알맞은 낱말을 찾아 빈칸에 쓰세요.**

도구　　수분　　장점

(1)

수혁이는 인사를 잘하는 [　　　] 이/가 있다.

(2)

수박은 [　　　] 이/가 많아서 목마를 때 먹으면 좋다.

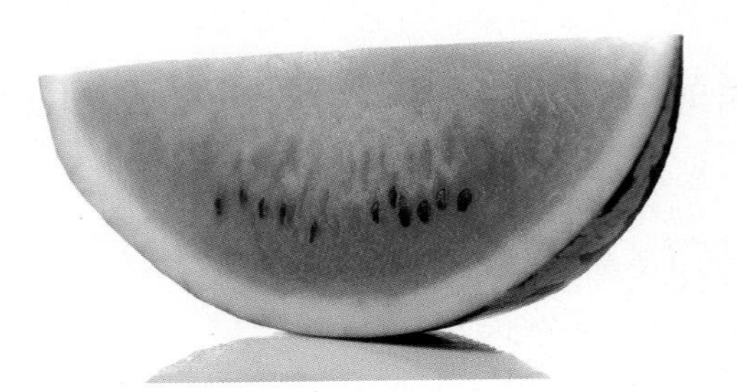

매일 학습 평가	맞은 문제에 표시해 주세요.						맞은 개수
1 핵심어 □	2 주제 □	3 세부 내용 □	4 세부 내용 □	5 세부 내용 □	6 적용 □	7 글의 구조 □	개

34회 ▶ 정답과 해설 34쪽

35회

설명문 | 과학

공부한 날 월 일

여름에 뉴스를 보면 우리나라로 태풍이 다가오고 있다는 내용을 자주 볼 수 있어요.

태풍은 무엇일까요? 바닷물은 햇빛을 받아서 뜨거워지면 수증기가 되고, 이때 바다 주변의 뜨거운 공기가 위로 올라가면서 수증기가 된 바닷물도 같이 올라가요. 그렇게 수증기들은 많이 모여서 큰 구름이 되어 비바람을 몰고 다니는 회오리가 되기도 하는데, 이런 회오리를 태풍이라고 부르지요. 그렇다면 태풍은 어떻게 생기는 것일까요?

태풍은 중국 남쪽의 바다에서 자주 생기는데, 여름에 우리나라까지 올라와 우리나라로 태풍이 자주 오게 되는 거예요. 여름에 태풍이 우리나라까지 올라오는 까닭은 무엇일까요? 그것은 지구가 자전하기 때문이에요. 자전은 지구가 매일 한 바퀴씩 도는 것을 말한답니다.

지구는 서쪽에서 동쪽으로 돌기 때문에 북쪽이나 남쪽으로 날아가는 물체는 원래 방향보다 약간 동쪽으로 휘어지게 돼요. 예를 들어 우리가 왼쪽에서 오른쪽으로 뱅글뱅글 돌면서 공을 앞쪽으로 던진다면 공은 앞쪽을 향해 정확히 날아가지 않는답니다. 그 까닭은 우리가 오른쪽으로 돌고 있기 때문에 공이 날아가는 방향이 오른쪽으로 살짝 휘게 되고, 실제로 공은 원래 던지려던 앞쪽보다 약간 오른쪽으로 날아가게 되는 거예요.

태풍도 마찬가지예요. 중국 남쪽 바다에서 태풍이 만들어졌다면 태풍은 북쪽인 중국 대륙 방향으로 이동하는데, 지구의 자전 때문에 태풍의 방향이 동쪽으로 살짝 휘어져서 북동쪽에 있는 우리나라까지 오게 되는 것이지요.

낱말 뜻 풀이

- **수증기:** 기체 상태로 되어 있는 물.
- **주변:** 어떤 대상의 둘레.
- **회오리:** 바람이 한곳에서 뱅뱅 돌아 물이나 검불 등이 몰려 깔때기 모양으로 하늘 높이 오르는 현상.
- **자전:** 천체(天體)가 스스로 고정된 축을 중심으로 회전함.
- **방향:** 어떤 방위(方位)를 향한 쪽.
- **실제:** 사실의 경우나 형편.

1

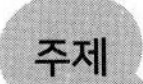

이 글의 주제로 알맞은 것은 무엇인가요?

① 태풍이 불 때 나타나는 여러 가지 모습

② 태풍이 만들어지는 과정을 연구한 과학자

③ 태풍의 피해를 막기 위한 여러 가지 방법들

④ 태풍이 우리나라까지 올라와서 좋은 점과 나쁜 점

⑤ 태풍이 생기는 과정과 우리나라까지 올라오는 까닭

2

다음 태풍이 만들어지는 과정에서 알맞지 않은 것은 무엇인가요?

㉠ 바닷물이 햇빛을 받아서 뜨거워진다. → ㉡ 바다 주변의 뜨거운 공기가 위로 올라간다. → ㉢ 뜨거운 공기는 올라가고 수증기는 내려간다.

㉣ 수증기들이 많이 모여서 큰 구름이 된다. → ㉤ 비바람을 몰고 다니는 회오리인 태풍이 된다.

3

세부 내용

이 글의 내용으로 알맞지 않은 것은 무엇인가요?

① 태풍은 지구의 자전 때문에 사라진다.

② 우리나라는 중국 대륙의 북동쪽에 있다.

③ 태풍은 중국 남쪽 바다에서 자주 생긴다.

④ 여름에 우리나라로 태풍이 자주 올라온다.

⑤ 지구의 자전은 지구가 매일 한 바퀴씩 도는 것이다.

4

이 글의 내용에 맞게 다음 문장의 알맞은 말에 ○표를 하세요.

지구가 매일 (동쪽에서 서쪽으로 / 서쪽에서 동쪽으로) 돌기 때문에 날아가는 물체의 방향은 (동쪽으로 / 서쪽으로) 휘어진다.

35회
▶정답과 해설 35쪽

5 다음 중 이 글을 읽고 알맞지 않게 말한 사람은 누구인가요?

추론

- 하은: 태풍이 어떻게 생기는지 알게 되었어.
- 서준: 태풍의 여러 가지 종류에 대하여 알게 되었어.
- 지은: 태풍이 우리나라로 올라오는 까닭을 알게 되었어.
- 현우: 지구의 자전 때문에 태풍 방향이 살짝 휘어진다는 것을 알게 되었어.

6 이 글의 짜임을 생각하며, 빈칸에 알맞은 말을 쓰세요.

글의 구조

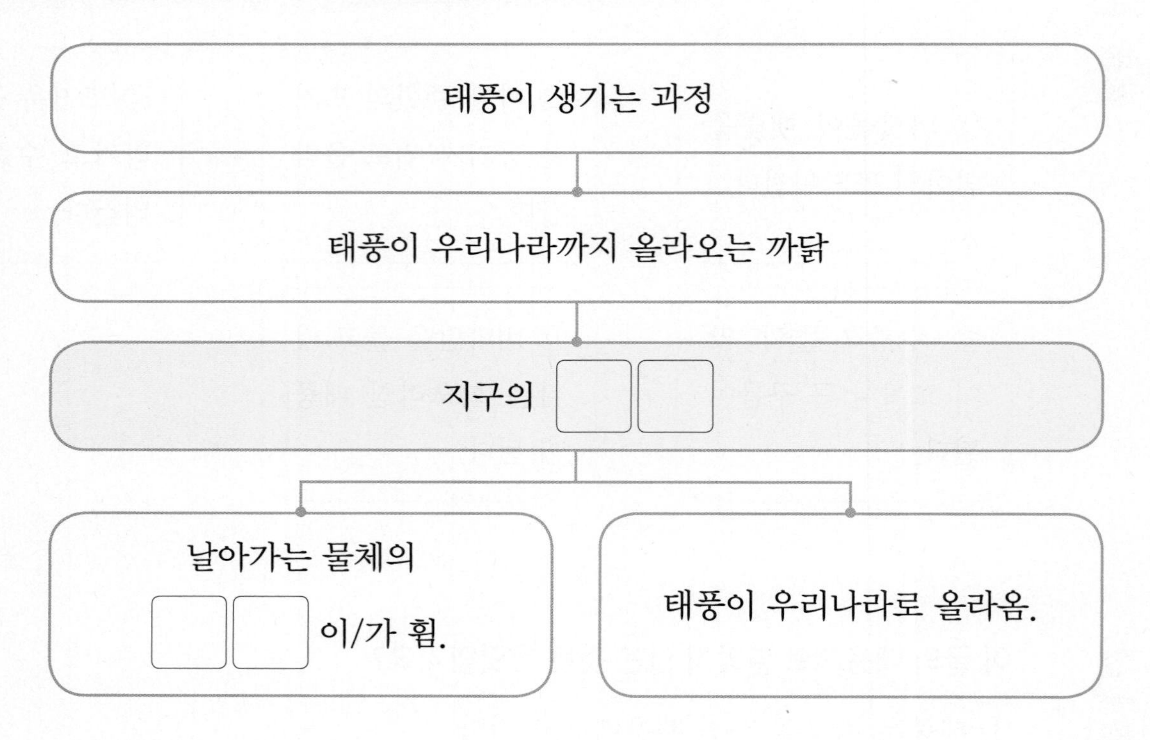

생각 글 쓰기

지구가 자전을 하지 않는다면 중국 남쪽 바다에서 생긴 태풍은 어디로 가게 될까요?

어휘 다지기

01 다음 낱말에 알맞은 뜻을 찾아 선으로 이으세요.

(1) 수증기 •   • ㉠ 어떤 대상의 둘레.

(2) 방향 •   • ㉡ 어떤 방위(方位)를 향한 쪽.

(3) 주변 •   • ㉢ 기체 상태로 되어 있는 물.

02 아래 상황에 알맞은 낱말을 찾아 빈칸에 쓰세요.

수증기   실제   주변

(1)

바위 틈에서 [　　　] 이/가 피어 올랐다.

(2)

[　　　] 을/를 둘러보니 온통 꽃밭이다.

매일 학습 평가	맞은 문제에 표시해 주세요.					맞은 개수
1 주제 □	2 세부 내용 □	3 세부 내용 □	4 요약 □	5 추론 □	6 글의 구조 □	개

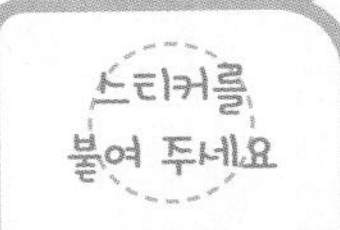

스티커를 붙여 주세요

35회 ▶ 정답과 해설 35쪽

악기를 연주하거나 들어 본 적이 있나요? 악기의 종류는 정말 많아요. 악기의 종류는 크게 현악기, 관악기, 타악기로 나눌 수 있지요.

먼저 현악기는 줄을 이용하여 소리를 내는 악기를 말해요. 악기에 있는 줄을 문지르거나 당겨서 소리를 낼 수 있어요. 현악기에는 기타, 바이올린, 가야금, 거문고 등이 있어요. 그리고 관악기는 관처럼 생긴 악기로, 우리가 숨을 내쉬면서 관을 진동시켜서 소리를 내는 악기를 말해요. 입으로 부는 피리, 리코더, 나팔, 플루트, 트럼펫 등이 있어요. 다음으로 타악기는 두드리거나 쳐서 소리를 내는 악기를 말해요. 타악기에는 북, 트라이앵글, 캐스터네츠 등이 있어요.

그런데 요즘에는 컴퓨터 기술이 발달하여 '전자 악기'라는 것이 등장했어요. 전자 악기는 컴퓨터를 이용하여 온갖 소리들을 합치거나 뺄 수 있어서 새로운 소리를 만들 수 있지요. 대표적인 전자 악기로는 신시사이저가 있어요.

또한 기술의 발달로 음악은 많이 다양해졌어요. ㉠ <u>현악기, 관악기, 타악기들과 함께 전자 악기를 사용하여 만든 곡들도 많이 나오고 있어요.</u> 현악기 연주에 전자 악기 음을 넣어 만든 음악이나 고전 음악을 전자 악기로 편집하여 새롭게 만든 음악 등 기술의 발달로 수많은 음악들이 만들어지고 있어요. 이렇게 다양한 악기로 만든 음악은 또 무엇이 있을지 찾아볼까요?

낱말 뜻 풀이

- **연주**: 악기를 다루어 곡을 표현하거나 들려주는 일.
- **관**: 몸 둘레가 둥글고 속이 비어 있는 물건을 통틀어 이르는 말.
- **진동**: 흔들려 움직임.
- **발달**: 학문, 기술, 문명, 사회 등의 현상이 보다 높은 수준에 이름.
- **온갖**: 이런저런 여러 가지의.
- **신시사이저**: 전자 악기의 하나로 여러 가지 음색을 만들어 내는 건반 모양의 악기.
- **편집**: 영화 필름이나 녹음테이프, 문서 등을 하나의 작품으로 완성하는 일.

1 주제

이 글에 알맞은 제목을 쓰세요.

☐☐의 종류

2 이 글의 내용으로 알맞지 않은 것은 무엇인가요?

① 악기의 종류는 많다.

② 관악기는 입으로 불어서 소리를 낸다.

③ 대표적인 전자 악기로 신시사이저가 있다.

④ 현악기는 줄을 이용하여 소리를 내는 악기이다.

⑤ 타악기는 컴퓨터 기술이 발달하여 등장한 악기이다.

3 보기를 읽고 윤서와 혜리가 사용할 악기로 알맞은 것을 고르세요.

적용

보기

- 윤서: 나는 두드리거나 쳐서 나는 소리로 음악을 만들고 싶어.
- 혜리: 나는 줄을 이용하여 소리가 나는 악기를 사용하면 좋을 것 같아.

① 윤서는 북, 혜리는 기타를 사용할 것이다.

② 윤서는 피리, 혜리는 가야금을 사용할 것이다.

③ 윤서와 혜리 둘 다 캐스터네츠를 사용할 것이다.

④ 윤서는 트럼펫, 혜리는 리코더를 사용할 것이다.

⑤ 윤서는 트라이앵글, 혜리는 플루트를 사용할 것이다.

4 이 글의 내용에 맞게 다음 빈칸에 알맞은 말을 쓰세요.

세부 내용

전자 악기는 [ ][ ][ ] 을/를 이용하여 온갖 소리들을 합치거나 빼서 새로운 소리를 만든다.

5 ㉠으로 알맞지 않은 것은 무엇인가요?

적용

① 타악기와 전자 악기로 만든 음악

② 현악기인 바이올린과 첼로 연주로 만든 음악

③ 관악기 연주에 전자 악기 음을 넣어 만든 음악

④ 현악기 연주에 전자 악기 음을 넣어 만든 음악

⑤ 현악기와 전자 악기로 고전 음악을 연주하여 편집한 음악

▶ 정답과 해설 36쪽

6

보기에서 설명하는 악기는 무엇인가요?

- 악기를 누르면 소리가 납니다.
- 악기의 건반은 흰색과 검은색으로 이루어져 있습니다.

① 기타 ② 나팔 ③ 피아노
④ 바이올린 ⑤ 트라이앵글

7

이 글의 짜임을 생각하며, 빈칸에 알맞은 말을 쓰세요.

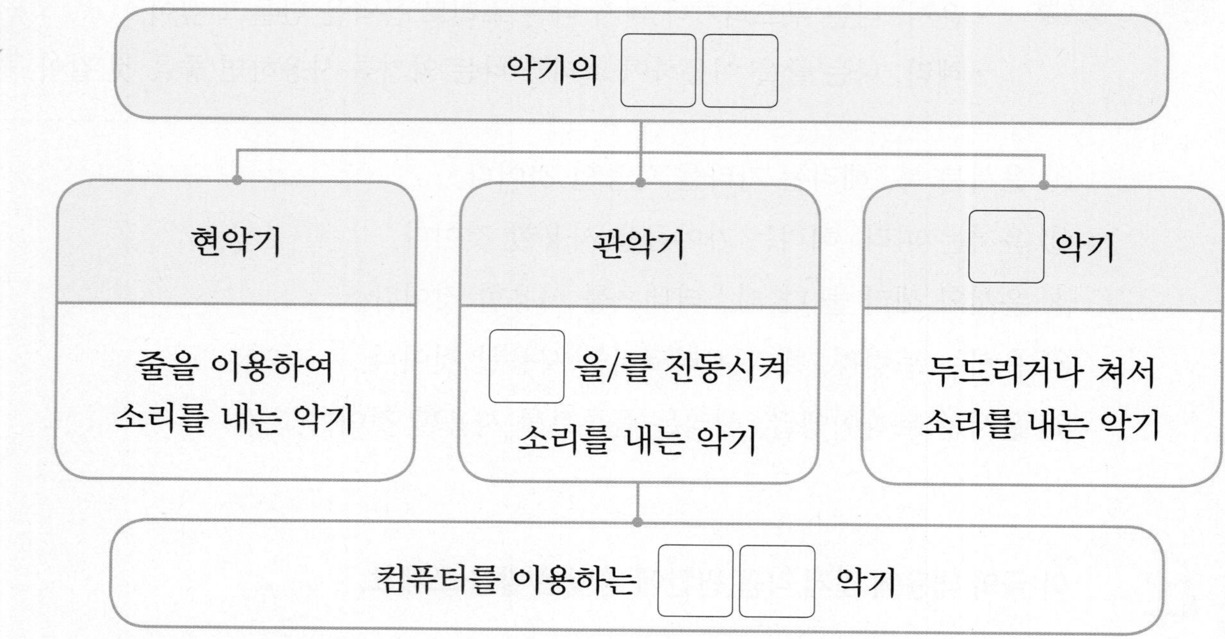

생각 글 쓰기

현악기, 관악기, 타악기 등과 함께 전자 악기를 사용하면 좋은 점은 무엇일까요?

01 **다음 낱말에 알맞은 뜻을 찾아 선으로 이으세요.**

(1) 발달 •   • ㉠ 흔들려 움직임.

(2) 연주 •   • ㉡ 악기를 다루어 곡을 표현하거나 들려주는 일.

(3) 진동 •   • ㉢ 학문, 기술, 문명, 사회 등의 현상이 보다 높은 수준에 이름.

02 **아래 상황에 알맞은 낱말을 찾아 빈칸에 쓰세요.**

발달 연주 진동

(1)

기차가 지나가자 큰 ☐ 이/가 느껴졌다.

(2)

우리는 기타 ☐ 을/를 감상하였다.

매일 학습 평가	맞은 문제에 표시해 주세요.						맞은 개수
1 주제 ☐	2 세부 내용 ☐	3 적용 ☐	4 세부 내용 ☐	5 적용 ☐	6 추론 ☐	7 글의 구조 ☐	개

36회 ▶ 정답과 해설 36쪽

우리는 길을 걸어갈 때 쉽게 자동차를 볼 수 있어요. 하지만 자동차가 있기 전에 사람들은 오랫동안 말이 끄는 마차나 *인력거를 탔답니다. 그렇다면 언제 처음 자동차를 만들었을까요?

자동차는 1760년대에 프랑스에서 가장 처음 만들었어요. 이 자동차는 *경유나 *휘발유 같은 기름으로 움직이는 것이 아니라 *증기로 움직이는 자동차였어요. 그래서 크기도 엄청 크고 속도도 걷는 것보다 느렸다고 해요.

지금처럼 기름을 사용하여 달리는 자동차는 1885년에 독일에서 만들었어요. 이 자동차는 의자에 큰 바퀴만 달아 놓은 모양이었고, 비나 바람을 막아 줄 지붕이나 창문은 없었지요. 오늘날처럼 지붕과 창문이 있는 자동차는 1910년에 미국에서 만들었어요.

그 후 1945년부터 많은 종류의 자동차들을 *생산하기 시작했어요. 1960년대에는 자동차에서 자신이 좋아하는 음악을 들을 수 있게 되었고, 1981년에는 일본에서 *최초로 길을 알려 주는 '*내비게이션'이 있는 자동차를 만들었어요. 그리고 최근에는 사람 대신 *인공 지능이 운전해 주는 자동차를 만들었고, 이제 곧 하늘을 나는 자동차도 만들 예정이라고 해요.

인공 지능이 운전하는 자동차를 타고 다닌다면 우리는 차 안에서도 여러 가지 일을 할 수 있을 거예요. 그리고 ㉠ <u>하늘을 나는 자동차가 많아진다면 땅에 있는 도로들은 점점 다른 *용도로 쓰이게 되겠지요?</u>

낱말 뜻 풀이

- **인력거**: 사람이 끄는, 바퀴가 두 개 달린 수레.
- **경유**: 콜타르를 증류할 때, 맨 처음 얻는 가장 가벼운 기름.
- **휘발유**: 석유의 휘발 성분을 이루는 무색의 투명한 액체.
- **증기**: 기체 상태로 되어 있는 물.
- **생산**: 인간이 생활하는 데 필요한 각종 물건을 만들어 냄.
- **최초**: 맨 처음.
- **내비게이션**: 지도를 보이거나 지름길을 찾아 주어 자동차 운전을 도와주는 장치나 프로그램.
- **인공 지능**: 인간의 지능이 가지는 학습, 추리 등의 기능을 갖춘 컴퓨터 시스템.
- **용도**: 쓰이는 길. 또는 쓰이는 곳.

1

이 글에 대한 설명으로 알맞은 것은 무엇인가요?

① 자동차의 역사에 대하여 설명한다.

② 여러 자동차의 속도에 대하여 설명한다.

③ 자동차 회사들의 역사에 대하여 설명한다.

④ 가장 처음 자동차를 탄 사람에 대하여 설명한다.

⑤ 가장 처음 자동차를 만든 사람에 대하여 설명한다.

2

가장 처음 만든 자동차에 대하여 알맞은 것은 무엇인가요?

① 소의 힘으로 움직였다.

② 기름으로 달리는 자동차였다.

③ 자동차는 걷는 속도보다 빨랐다.

④ 1760년대에 프랑스에서 만들었다.

⑤ 자동차를 움직일 때에는 전기가 필요하였다.

3

이 글에서 미래 자동차의 모습을 찾아 빈칸에 쓰세요.

☐☐ 을/를 나는 자동차

37회 ▸정답과 해설 37쪽

4

㉠의 모습으로 알맞지 않은 것은 무엇인가요?

① 사람들이 사는 집으로 바뀐 도로

② 학생들을 가르치는 학교로 바뀐 도로

③ 운동을 할 수 있는 공원으로 바뀐 도로

④ 자동차가 더 많이 달릴 수 있게 바뀐 도로

⑤ 사람들이 음악을 즐기는 공연장으로 바뀐 도로

5 이 글과 보기 를 읽고 다음 빈칸에 알맞은 말을 쓰세요.

적용

> **보기** 비행기 조종사는 비행기가 이륙하고 난 후에 쉴 수 있습니다. 그 까닭은 비행기를 자동으로 운전해 주는 컴퓨터 프로그램이 있기 때문입니다.

• 비행기와 같이 □□ □□ 자동차도 자동으로 운전해 주는 기능이 있다.

6 이 글의 내용을 생각하며, 빈칸에 알맞은 말을 쓰세요.

글의 구조

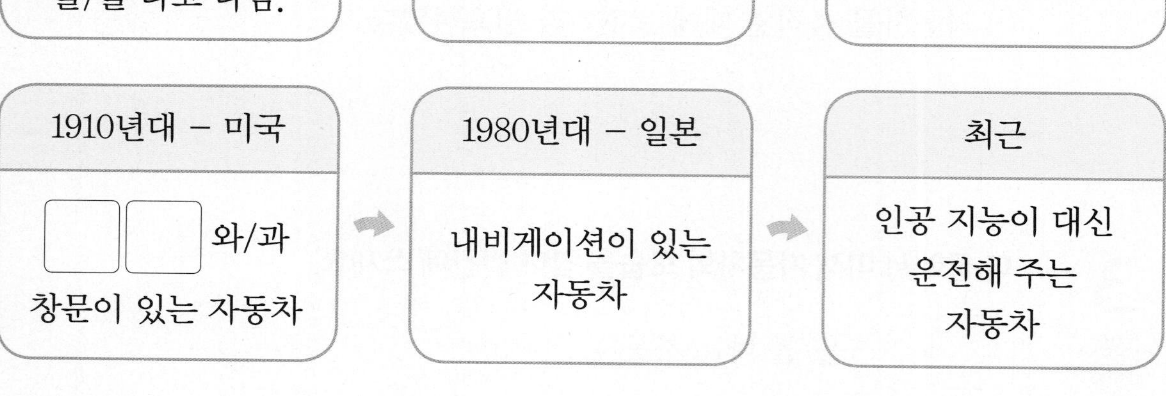

생각 글 쓰기

인공 지능이 운전하는 자동차를 타면 좋은 점은 무엇일까요?

어휘 다지기

01 다음 낱말에 알맞은 뜻을 찾아 선으로 이으세요.

(1) 생산 • • ㉠ 기체 상태로 되어 있는 물.

(2) 용도 • • ㉡ 쓰이는 길. 또는 쓰이는 곳.

(3) 증기 • • ㉢ 인간이 생활하는 데 필요한 각종 물건을 만들어 냄.

02 아래 상황에 알맞은 낱말을 찾아 빈칸에 쓰세요.

생산 용도 최초

(1)

컵을 [ ]에 따라 정리하였다.

(2)

자동차 [ ]이/가 늘어나고 있다.

37회 ▶ 정답과 해설 37쪽

매일 학습 평가	맞은 문제에 표시해 주세요.					맞은 개수
1 주제 □	2 세부 내용 □	3 세부 내용 □	4 추론 □	5 적용 □	6 글의 구조 □	개

나만 보면

아빠는 나만 보면
아빠도 열 살 같대요.
아들, 딱지치기 한 판 어때?
*폭신폭신 이불 위에서 *레슬링하자!
엄마 몰래 *국자에 *달고나 해 먹을까?
아빠는 나만 보면
자꾸만 열 살짜리가 되려고 해요.
*이러다가
㉠ 내가 아빠의 아빠 되겠어요.

– 이송현

낱말 뜻 풀이

- **폭신폭신**: 여럿이 다 또는 매우 포근하게 보드랍고 탄력이 있는 느낌.
- **레슬링**: 두 사람의 경기자가 매트 위에서 맨손으로 맞붙어 상대의 어깨를 1초 동안 바닥에 닿게 함으로써 승부를 겨루는 격투기.
- **국자**: 국이나 액체 등을 뜨는 데 쓰는 기구.
- **달고나**: 설탕을 녹인 뒤에 소다를 넣어서 만든 즉석 과자.
- **이러다가**: 이렇게 하다가.

1 소재

이 시는 말하는 이가 누구와 관련된 경험을 나타낸 것인가요?

① 동생 ② 아빠 ③ 엄마
④ 할머니 ⑤ 할아버지

2

이 시를 읽고 다음 빈칸에 알맞은 말을 쓰세요.

이 시에서 아빠는 '나'만 보면 아빠도 [ ] [ ] 같다고 한다.

3

세부 내용

아빠가 '나'와 함께하려고 하는 것들을 모두 고르세요.

① 딱지치기

② 만화책 읽기

③ 달고나 해 먹기

④ 이불 위에서 레슬링하기

⑤ 엄마 몰래 컴퓨터 게임하기

4

표현

㉠이 뜻하는 것으로 알맞은 것은 무엇인가요?

① '나'보다 아빠가 더 어리게 느껴진다.

② 아빠가 '나'와 노는 시간이 별로 없다.

③ 아빠가 예전보다 더 어른스러워졌다.

④ '나'보다 아빠가 더 아빠처럼 느껴진다.

⑤ 아빠가 '나'와 노는 것이 재미없어졌다.

38회
▼정답과 해설 38쪽

5

보기의 방법으로 시를 읽은 사람은 누구인지 쓰세요.

> 시를 읽을 때 자신의 경험이나 기억을 떠올리면서 읽으면 시를 더욱 깊이 있게 이해할 수 있습니다.

① 서윤: 이 시에서 아빠의 모습이 너무 재미있어.

② 지호: 이 시에서 달고나가 나와서 먹고 싶었어.

③ 우영: 이불이 폭신폭신하다는 표현이 실감 났어.

④ 소미: 딱지치기를 하고 싶은 아빠의 마음이 느껴졌어.

⑤ 하나: 시를 읽으면서 아빠랑 같이 놀았던 일이 기억났어.

6 이 시와 보기 의 시의 차이점으로 알맞은 것은 무엇인가요?

추론

보기

달콤하고 조금 매콤하고
콧잔등에 땀이 송골송골
그래도 호호거리며 먹고 싶어.

벌써 입속에 침이 고이는걸
'맛있다' 소리까지 함께 삼키면서
단짝끼리 오순도순 함께 먹고 싶어.

– 정두리, 「떡볶이」

① 이 시에는 달고나, 「떡볶이」에는 국물을 먹는 장면이 있다.
② 이 시에는 아빠가 등장하고, 「떡볶이」에는 엄마가 등장한다.
③ 이 시에는 아빠의 생김새, 「떡볶이」에는 단짝의 생김새가 나온다.
④ 이 시에는 색깔을 표현하는 말, 「떡볶이」에는 소리를 표현하는 말이 나온다.
⑤ 이 시에는 아빠가 '나'와 함께, 「떡볶이」에는 말하는 이가 단짝과 함께하고 싶은 마음이 나온다.

생각 글 쓰기

이 시에서 말하는 이는 아빠를 어떤 분이라고 생각할까요?

어휘 다지기

01 **다음 낱말에 알맞은 뜻을 찾아 선으로 이으세요.**

(1) 두런두런 •　　　　• ㉠ 적은 양의 액체가 잇따라 야단스럽게 끓는 소리.

(2) 보글보글 •　　　　• ㉡ 여럿이 나지막한 목소리로 서로 조용히 이야기 하는 소리.

(3) 폭신폭신 •　　　　• ㉢ 여럿이 다 또는 매우 포근하게 보드랍고 탄력이 있는 느낌.

02 **아래 상황에 알맞은 낱말을 찾아 빈칸에 쓰세요.**

두런두런　　보글보글　　폭신폭신

(1)

찌개가 [　　　] 소리를 내며 끓는다.

(2)

신발 바닥이 아주 [　　　] 하다.

38회

▶ 정답과 해설 38쪽

매일 학습 평가	맞은 문제에 표시해 주세요.					맞은 개수
1 소재 □	2 세부 내용 □	3 세부 내용 □	4 표현 □	5 감상 □	6 추론 □	개

[앞부분 줄거리] 개미 마을에 흉년이 계속되어 개미들이 먹을 것이 점점 없어졌습니다. 개미들이 걱정에 빠져 있을 때 어린 일개미 한 마리가 와서 아주 크고 싱싱한 먹이를 발견했다고 말했습니다. 늙은 개미와 다른 일개미들이 어린 일개미를 따라가 보니 정말 반짝거리는 두꺼운 갑옷을 입은 큰 먹이가 있었습니다. 젊은 일개미들이 먹이를 옮기기 위해 달라붙자 늙은 개미가 일개미들을 말리며 말했습니다.

"조용히들 들어라. 이건 틀림없는 매미란다. 매미는 한여름을 시원한 나무 그늘에서 노래 부르기 위해 몇 년이나 어두운 땅속에서 날개와 목청을 다듬는단다. 보아하니, 이 매미는 5년도 넘게 참고 기다렸겠는데? 내 짐작이 틀림없다면 7년은 족히 됐을라. 한여름의 노래를 위해서 7년을……."

개미들은 7년이 그저 기나긴 시간이라는 것밖에는 그것이 얼마만 한 동안인지를 짐작도 할 수 없습니다. 여태껏 그들이 살아온 동안의 몇 곱절이나 되기 때문입니다.

"우리가 땀 흘려 일하는 동안, 마치 '용용 죽겠지.' 하는 것처럼 팔자 좋게 노래나 부르는 매미는 우리들의 먹이가 돼도 싸요. 어서 우리 마을의 광 속으로 나르라고 명령을 내리세요."

늙은 개미는 젊은 개미들이 좀 더 생각할 수 있게 먹이 앞을 막아서며 말했습니다.

"매미는 그 한 철의 노래를 위해 7년이나 어둠과 외로움 속에서 자기의 재주를 갈고닦았는데도……."

젊은 개미가 투덜댔습니다.

"노력을 하려면 우리처럼 먹이를 위해서 해야지, 아무짝에도 쓸모없는 그까짓 노래를 위해 7년 아니라 10년을 했어도 대단할 게 뭐 있담."

그러자 또 다른 개미들이 여기저기서 한마디씩 하는 소리가 들렸습니다.

"나는 매미의 노랫소리가 참 듣기 좋았는데. 일하는 고달픔이 가실 만큼……."

"나도야. 매미의 노래를 들으며 나는 처음으로 땅 위의 여름이 얼마나 아름다운가를 알았어."

"나도 네 기분을 알 것 같아. 언젠가 친구들하고 뙤약볕 아래에서 송충이 한 마리를 끄느라 애를 쓰고 있었는데, 매미 소리가 들리잖아? 여름의 산과 들이 햇빛에 빛나

는 걸 정신없이 바라볼 수 있었던 건 순전히 매미의 노래 때문이었어."

"그렇담 이 매미를 살려 주란 소리가 되잖아. 가만있자, 이게 정말 매미일까? 이 두루뭉수리 갑옷 속에서 꿈틀대는 게."

"아닐 거야. 높은 나무로 날아오를 날개도, 아름다운 소리를 내는 악기도 보이지 않는걸. 무엇보다도 이게 매미라면 햇빛을 찾아 땅 위로 나갈 수가 있어야 할 텐데, 그걸 못하고 우리의 포로가 된 것만 봐도 이건 매미가 아닌 게 분명해."

개미들은 또다시 술렁거리기 시작했습니다.

– 박완서, 「7년 동안의 잠」

낱말 뜻 풀이

- **목청**: 목에서 울려 나오는 소리.
- **짐작**: 사정이나 형편 등을 어림잡아 헤아림.
- **광**: 세간이나 그 밖의 여러 가지 물건을 넣어 두는 곳.
- **고달픔**: 몸이나 처지가 몹시 고단한 느낌.
- **뙤약볕**: 여름날에 강하게 내리쬐는 몹시 뜨거운 볕.
- **송충이**: 솔나방의 애벌레.
- **순전히**: 순수하고 완전하게.
- **두루뭉수리**: 말이나 행동이 분명하지 아니한 상태.
- **포로**: 사로잡은 적.
- **술렁거리기**: 자꾸 어수선하게 소란이 일기.

---

1 소재

이 글에 등장하는 두 곤충의 이름을 쓰세요.

☐☐ 와/과 ☐☐

2

이 글의 내용으로 알맞은 것은 무엇인가요?

① 젊은 개미들은 7년도 넘게 살았다.

② 개미들은 매미를 살려 주기로 했다.

③ 매미는 개미들에게 살려 달라고 말했다.

④ 매미에게는 나무로 날아오를 날개가 아직 없었다.

⑤ 젊은 개미들은 매미 소리가 듣기 싫다고 생각했다.

39회 ▶ 정답과 해설 39쪽

3 세부 내용

매미가 왜 땅속에서 7년 동안이나 기다렸는지 쓰세요.

☐☐ 을/를 부르기 위해

4 추론

늙은 개미가 매미를 마을로 나르지 못하게 한 까닭은 무엇일까요?

① 젊은 개미들을 싫어했기 때문에
② 매미를 혼자 먹고 싶었기 때문에
③ 평소에 매미와 친하게 지냈기 때문에
④ 매미보다 더 맛있는 먹이를 발견했기 때문에
⑤ 매미가 무사히 노래를 부를 수 있게 돕고 싶었기 때문에

5 적용

이 글의 매미와 가장 비슷한 사람은 누구인가요?

① 실수로 친구를 다치게 한 영우
② 매일 책을 읽기로 다짐한 지영이
③ 수학 공부가 하기 싫어진 다은이
④ 다리를 다쳐 달리기 시합에 나갈 수 없게 된 민지
⑤ 그림을 잘 그리고 싶어서 매일 그리기 연습을 한 현수

생각 글 쓰기

늙은 개미가 젊은 개미들을 말렸을 때, 매미는 어떤 생각을 했을까요?

어휘 다지기

01 **다음 낱말에 알맞은 뜻을 찾아 선으로 이으세요.**

(1) 고달픔 • 　　　　• ㉠ 사로잡은 적.

(2) 짐작 • 　　　　• ㉡ 몸이나 처지가 몹시 고단한 느낌.

(3) 포로 • 　　　　• ㉢ 사정이나 형편 등을 어림잡아 헤아림.

02 **아래 상황에 알맞은 낱말을 찾아 빈칸에 쓰세요.**

고달픔	뙤약볕	송충이

(1)

[　　　　] 을/를
피해 그늘에
들어갔다.

(2)

청소를 하며
[　　　　] 을/를
느꼈다.

39회
▶ 정답과 해설 39쪽

매일 학습 평가 맞은 문제에 표시해 주세요.

1 소재	2 세부 내용	3 세부 내용	4 추론	5 적용	맞은 개수
☐	☐	☐	☐	☐	개

[앞부분 줄거리] 옛날 어느 왕국에 지혜로운 왕자가 살았습니다. 왕자는 신붓감을 구하기 위해 자신의 신부가 되고 싶어 하는 여인들을 모두 궁으로 초대했습니다. 여인들 중에는 값비싼 보석을 두른 귀족 여인들도 있었고, 산골짜기 외딴집에 사는 링링이라는 소녀도 있었습니다. 왕자는 여인들에게 꽃씨를 한 알씩 나누어 주었습니다. 그리고 가장 아름다운 꽃을 피운 사람을 신부로 맞이하겠다고 말했습니다. 그로부터 여섯 달이 지났습니다.

궁의 앞마당에는 이른 아침부터 수많은 처녀가 모여들었습니다. 처녀들은 하나같이 눈부시게 아름다운 꽃이 활짝 핀 화분을 들고 있었습니다. 그 모습을 보자 링링은 온몸에서 힘이 쏙 빠져나가는 기분이었습니다.

'아, 다들 꽃을 피웠구나. 도대체 어떻게 피웠을까?'

부잣집 처녀들 틈에서도 늘 당당했던 링링이지만 지금 이 순간만큼은 자신이 너무도 •초라하게 느껴졌습니다. 꽃을 피우지 못한 화분처럼 자신도 쓸모없게만 느껴졌습니다.

'그냥 돌아갈까? 아니, 마지막으로 왕자님의 얼굴을 한 번만 더 보고 갈까?'

바로 그때 왕자가 천천히 처녀들 앞으로 걸어 나왔습니다.

처녀들은 차례차례 왕자 앞으로 다가가 자랑스럽게 화분을 내보였습니다. 왕자는 곱고 향기로운 꽃들을 하나하나 둘러보았습니다. 그런데 아름다운 꽃들과 달리 왕자의 표정은 갈수록 어둡게 굳어져 갔습니다.

빈 화분을 든 채 맨 뒤에 서 있던 링링은 쓸쓸히 발길을 돌렸습니다. •차마 왕자 앞에 빈 화분을 내보일 용기가 나지 않았던 것입니다. 링링은 아무도 모르게 궁을 빠져나가려고 했습니다. 바로 그때 왕자의 시선이 그녀에게로 향했습니다.

"잠깐! 어째서 화분을 보이지도 않고 그냥 돌아가시오?"

왕자가 물었습니다.

"왕자님, 저는 꽃을 피우지 못했습니다. 아무리 •정성을 기울여도 싹이 트지 않았습니다. 꽃을 피우지 못한 빈 화분을 차마 보여드릴 수 없었습니다."

링링의 말이 끝나자 왕자의 얼굴에 환한 미소가 피어났습니다. 왕자는 그 자리에서 무릎을 꿇고 링링에게 말했습니다.

"당신이 피운 꽃이 가장 아름답군요."

링링은 깜짝 놀랐습니다. 곧이어 •사방

에서 웅성거리는 소리가 터져 나왔습니다. 처녀들은 말도 안 된다며 고개를 세차게 저었습니다. 그때 왕자가 다시 입을 열었습니다.

"내가 나눠 준 꽃씨는 사실 볶은 꽃씨였습니다. 꽃을 피울 수 없는 죽은 씨앗이었죠. 그런데도 여러분이 어떻게 꽃을 피웠는지 그저 신기할 따름입니다. 하지만 여기 이 화분을 보십시오. 비록 꽃은 피지 않았지만 이 화분에는 그 무엇과도 바꿀 수 없는 아름다운 꽃이 피어 있습니다. 바로 정직이라는 이름의 꽃입니다."

그제야 처녀들은 붉게 달아오른 얼굴을 숨기려는 듯 고개를 푹 숙였습니다.

– 김진락, 「꽃보다 아름다운 마음」

낱말 뜻 풀이

- **초라하게**: 보잘것없고 변변하지 못하게.
- **차마**: 부끄럽거나 안타까워서 감히.
- **정성**: 온갖 힘을 다하려는 참되고 성실한 마음.
- **사방**: 모든 곳 또는 여러 곳을 비유적으로 이르는 말.
- **세차게**: 기세나 형세 등이 힘 있고 억세게.
- **정직**: 마음에 거짓이나 꾸밈이 없이 바르고 곧음.

1 인물

이 글의 링링에 대한 설명으로 알맞지 않은 것은 무엇인가요?

① 산골짜기 외딴집에 살고 있었다.
② 아무도 모르게 궁을 빠져나가려고 했다.
③ 꽃을 피우지 못해서 빈 화분을 가져갔다.
④ 평소에 부잣집 처녀들 틈에서도 늘 당당했다.
⑤ 꽃이 활짝 핀 화분을 든 처녀들을 보고 화가 났다.

40회 ▸ 정답과 해설 40쪽

2 주제

링링에게서 배울 수 있는 마음가짐은 무엇인가요?

① 겸손한 마음
② 정직한 마음
③ 꽃을 사랑하는 마음
④ 다른 사람에게 양보하는 마음
⑤ 다른 사람을 귀하게 여기는 마음

3

세부 내용

왕자가 궁에 모인 여인들에게 어떤 꽃씨를 나누어 주었는지 쓰세요.

[ ][ ] 꽃씨

4

추론

링링이 꽃을 피우지 못한 까닭은 무엇일까요?

① 날씨가 너무 추웠기 때문에

② 링링이 꽃씨를 심지 않았기 때문에

③ 다른 여인들이 링링을 방해했기 때문에

④ 링링이 씨앗을 잘 가꾸지 못했기 때문에

⑤ 왕자가 준 씨앗이 죽은 씨앗이었기 때문에

5

감상

이 글을 읽고 한 말로 알맞지 않은 것은 무엇인가요?

㉠ 왕자는 링링이 꽃을 피우지 못해 실망했을 거야.
㉡ 왕자의 말을 듣고 여인들은 부끄러운 마음이 들었을 거야.
㉢ 링링을 뺀 나머지 여인들은 다른 꽃씨를 화분에 심었을 거야.

생각 글 쓰기

여인들의 꽃을 보고 왕자의 표정이 어두워진 까닭은 무엇일까요?

어휘 다지기

01 다음 낱말에 알맞은 뜻을 찾아 선으로 이으세요.

(1) 세차게 •　　　　• ㉠ 부끄럽거나 안타까워서 감히.

(2) 정성 •　　　　• ㉡ 기세나 형세 등이 힘 있고 억세게.

(3) 차마 •　　　　• ㉢ 온갖 힘을 다하려는 참되고 성실한 마음.

02 아래 상황에 알맞은 낱말을 찾아 빈칸에 쓰세요.

세차게	정성	초라하게

(1)

비가 [　　　　] 내렸다.

(2)

[　　　　] 을/를 다해 만두를 빚었다.

40회 ▶ 정답과 해설 40쪽

매일 학습 평가 맞은 문제에 표시해 주세요.

1 인물	2 주제	3 세부 내용	4 추론	5 감상	맞은 개수
□	□	□	□	□	개

memo

2022 수능 개편 → 비문학 독서 강화 → 독해력 훈련 필수

초등 국어

2

[정답과 해설]

조선 시대 왕들이 좋아한 음식

▶ 본문 10~13쪽

1 ③ 2 (1)-㉢ (2)-㉠ (3)-㉡ 3 ② 4 ㉯, ㉱ 5 냉면, 설렁탕
6 ④ 7 음식, 세종, 채소
어휘 다지기 01 (1)-㉢ (2)-㉡ (3)-㉠ 02 (1) 위대한 (2) 서양

조선 시대의 왕들은 어떤 음식을 먹었을까요? 조선 시대의 왕들도 오늘날 우리가 먹는 것처럼 밥과 반찬, 국을 골고루 먹었지만, 왕마다 특별히 좋아하는 음식이 있었다고 해요. (1번의 근거) ▶왕마다 특별히 좋아하는 음식이 있었음.

먼저, 한글을 창제하여 조선 시대의 가장 위대한 왕으로 칭송받는 세종 대왕은 고기반찬이 없으면 식사를 거의 못 했을 정도로 고기를 좋아했어요. (2번의 근거) 어릴 때부터 고기를 즐겨 먹었지만 운동을 좋아하지 않았던 세종 대왕은 ㉠병을 자주 앓았다고 해요. (3번의 근거) ▶세종 대왕이 좋아했던 음식

그리고 조선 시대의 왕들 중 가장 오래 살았던 영조 임금은 ㉡채소를 넣은 음식을 좋아했어요. (2번, 4번의 근거) 영조 임금은 청포묵에 미나리, 숙주 같은 채소를 섞어 만든 음식에 '탕평채'라는 이름을 붙이기도 했지요. ▶영조 임금이 좋아했던 음식

또한, 조선의 마지막 왕인 고종 임금은 여름에는 냉면을 즐겨 먹고, 겨울에는 설렁탕과 온면을 즐겨 먹었어요. (5번의 근거) 그리고 서양 사람들이 우리나라에 들여온 커피를 마시는 것을 ㉢무척 좋아했다고 해요. (2번의 근거) ▶고종 임금이 좋아했던 음식

이렇게 지도해 주세요! 이 글은 조선 시대의 왕들이 좋아했던 음식을 설명한 글입니다. 조선 시대의 왕들이 각각 어떤 음식을 좋아했는지 파악할 수 있도록 지도해 주세요.
• **주제** 조선 시대 왕들이 좋아했던 음식

1 이 글은 조선 시대 왕들이 좋아했던 음식에 대하여 쓴 글입니다.

2 세종 대왕은 고기반찬이 없으면 식사를 거의 못 했을 정도로 고기를 좋아했고, 영조 임금은 채소를 넣은 음식, 고종 임금은 커피를 좋아했다고 하였습니다.

3 세종대왕은 어릴 때부터 고기를 좋아했지만, 운동을 좋아하지 않았기 때문에 병을 자주 앓았을 것입니다.

4 채소를 넣은 음식은 ㉯ '비빔국수'와 ㉱ '비빔밥'입니다.

오답 **풀이**
㉮ 치킨
㉰ 와플

5 고종 임금은 여름에는 '냉면', 겨울에는 '설렁탕'과 온면을 즐겨 먹었다고 하였습니다.

6 ㉢은 '다른 것과 견줄 수 없이.'라는 뜻으로, 세기나 정도가 심할 때 씁니다. '매우', '몹시', '아주', '정말'도 보통보다 세기나 정도가 심하다는 뜻을 나타내지만 '약간'은 '얼마 안 되게. 또는 얼마쯤.'이라는 뜻으로 '무척'과 바꾸어 쓸 수 있는 말이 아닙니다.

7 이 글은 조선 시대 왕들이 좋아했던 '음식'에 대하여 쓴 글입니다. '세종'은 고기반찬을 좋아했고, 영조는 '채소'를 넣은 음식을 좋아했습니다. 고종은 계절별로 즐기는 음식이 달랐고 커피를 좋아했다고 하였습니다.

생각 글 쓰기

◆예시 **답안** 채소를 넣은 음식을 잘 먹고 운동을 해야 한다.

이렇게 지도해 주세요! 세종 대왕은 고기를 즐겨 먹었지만 운동을 좋아하지 않았고 병을 자주 앓았으며, 영조 임금은 조선 시대의 왕들 중 가장 오래 살았는데 채소를 넣은 음식을 좋아했다고 하였습니다. 채소를 넣은 음식을 잘 먹고 운동을 하면 건강하게 살 수 있다는 것을 알 수 있도록 지도해 주세요.

02회 거짓말을 하면 안 돼요

▶ 본문 14~17쪽

1 거짓말 2 ⑤ 3 ② 4 ㉯, ㉰, ㉮, ㉱ 5 민지 6 ⑤ 7 만화책, 약속

어휘 다지기 01 (1)-㉢ (2)-㉠ (3)-㉡ 02 (1) 소중 (2) 솔직

우리는 살면서 가끔씩 거짓말을 하기도 합니다. 그러나 거짓말은 해서는 안 되는 행동입니다.(3번의 근거) 왜냐하면, 한 번 거짓말을 하면 거짓말을 또 하게 되고,(1번, 2번의 근거) 그것이 되풀이되면 사람과 사람 사이의 믿음이 무너질 수 있기 때문입니다.(3번의 근거)

▶거짓말을 해서는 안 됨.

어느 날, 갑돌이라는 어린이는 친한 친구인 을순이의 만화책이 보고 싶었습니다. 갑돌이는 을순이에게 "나한테 만화책을 빌려주면 내가 가지고 있는 만화 카드 100장을 내일 줄게."라고 말했습니다.(4번의 근거) 물론 갑돌이는 만화 카드를 그렇게 많이 가지고 있지 않았습니다. 하지만 을순이의 만화책을 보고 싶어서 거짓말을 하였습니다.

▶갑돌이가 을순이에게 거짓말을 함.

다음 날, 갑돌이가 만화 카드 100장을 주지 않자(4번의 근거) 을순이는 갑돌이에게 화를 냈고(4번의 근거) 두 사람은 다투었습니다. 결국 갑돌이는 만화 카드를 가지고 있지 않다고 을순이에게 사실대로 말했습니다.(4번의 근거)

▶을순이가 갑돌이에게 화를 냄.

갑돌이가 소중한 친구와 다툰 까닭은 무엇일까요? 그것은 거짓말을 했기 때문입니다.(3번의 근거) 우리는 무슨 일이 있어도 솔직하게 말해야 합니다.(2번, 3번의 근거) 그리고 만약 거짓말을 했다면 반드시 자신의 잘못을 ㉠반성하고 다시는 거짓말을 하지 않도록 해야 합니다. 또한 거짓말 중에는 다른 사람의 마음을 아프지 않게 하기 위한 선의의 거짓말이라는 것도 있습니다.(3번의 근거) 하지만 이러한 거짓말도 매우 조심스럽게 해야 할 것입니다.

▶어떤 일이 있어도 솔직하게 말해야 함.

이렇게 지도해 주세요! 이 글은 거짓말을 하면 안 된다고 주장하는 글입니다. 글쓴이는 이 주장을 뒷받침하기 위하여 갑돌이와 을순이의 이야기를 예로 들었습니다. 왜 거짓말을 하면 안 되는지 알 수 있도록 지도해 주세요.

- **주제** 거짓말을 하면 안 된다.

1 이 글은 '거짓말'을 하면 안 된다고 주장하는 글입니다.

2 이 글은 거짓말을 하면 안 된다는 글쓴이의 주장과 그에 대한 근거가 담긴 글입니다.

3 이 글에서 선의의 거짓말은 다른 사람의 마음을 아프지 않게 하기 위한 것으로 이러한 거짓말도 매우 조심스럽게 해야 할 것이라고 하였습니다.

4 갑돌이는 을순이의 만화책을 빌렸지만 다음 날 만화 카드 100장을 주지 않았습니다. 그래서 을순이는 화가 났고, 결국 갑돌이는 처음부터 만화 카드를 가지고 있지 않았다고 사실대로 말하였습니다.

5 한 번 거짓말을 하면 거짓말을 또 하게 된다고 하였습니다. 따라서 거짓말을 들키지만 않으면 또 해도 되겠다는 민지의 말은 알맞지 않습니다.

6 ㉠은 '자신의 말과 행동에 대하여 잘못이나 부족함이 없는지 돌이켜 봄.'이라는 뜻입니다.

오답 풀이
① '주장'의 뜻입니다.
② '찬성'의 뜻입니다.
③ '기대'의 뜻입니다.
④ '반대'의 뜻입니다.

7 이 글은 거짓말을 하면 안 된다고 주장하는 글입니다. 주장을 뒷받침하기 위하여 갑돌이가 을순이의 '만화책'을 보려고 거짓말한 일을 예시로 들었습니다. 갑돌이가 '약속'을 지키지 않자 을순이가 화를 냈고 결국 갑돌이는 만화 카드를 가지고 있지 않다고 말하였습니다. 글쓴이는 이 이야기를 통하여 무슨 일이 있어도 솔직하게 말해야 한다는 자신의 주장을 강조하였습니다.

생각 글 쓰기

◆ **예시 답안** 다른 사람의 마음을 아프지 않게 하기 위한 거짓말이다.

이렇게 지도해 주세요! 거짓말 중에는 다른 사람의 마음을 아프지 않게 하기 위한 선의의 거짓말이 있다고 하였습니다. 예를 들어 몸이 많이 아픈 환자가 충격을 받을까 봐 다른 가족들이 환자의 몸 상태를 숨기는 경우가 있습니다. 이처럼 다른 사람을 위하는 거짓말도 꼭 필요할 때만 매우 조심스럽게 해야 한다는 것을 설명해 주세요.

03회 우리 몸의 감각

▶ 본문 18~21쪽

1 ⑤ 2 귀, 소리 3 ① 4 미각 5 ② 6 ② 7 눈, 청각, 촉각, 코

어휘 다지기 01 (1)-㉢ (2)-㉡ (3)-㉠ 02 (1) 감각 (2) 대화

우리 몸에는 여러 가지 감각들이 있어요. '감각'은 우리가 보고, 듣고, 맛을 보고, 닿아서 느끼고, 냄새를 맡게 해 주는 우리 몸 안의 자치예요. 감각의 종류는 모두 다섯 가지이지요. 이 다섯 가지 감각에 대하여 자세히 알아볼까요? (1번의 근거)

▶우리 몸 안의 자치인 감각들

먼저 우리가 눈으로 무엇인가를 보게 해 주는 감각을 '시각'이라고 불러요. (3번의 근거) 책을 읽고 색깔을 알아볼 수 있는 것은 모두 이 시각 덕분이에요. (5번의 근거) 또한 귀로 소리를 듣게 해 주는 감각은 '청각'이라고 해요. (2번의 근거) 친구들이 대화하는 소리, 강아지가 멍멍 짖는 소리 등을 들을 수 있는 것은 모두 청각 덕분이지요. 그리고 미각은 우리가 초콜릿을 먹을 때 혀로 단맛을 느낄 수 있게 해 주어요. 미각은 음식을 먹을 때 맛을 느끼게 해 주는 감각이지요. (4번의 근거) 우리에게 바깥이 추운지 더운지 알려 주는 감각은 무엇일까요? 바로 '촉각'이에요. 촉각은 우리 몸에 닿는 것들을 느끼게 해 주는 감각이에요. (5번의 근거) 마지막으로 '후각'은 코로 냄새를 맡게 해 주는 감각인데 우리는 후각으로 맛있는 음식 냄새, 향긋한 꽃향기 등을 맡을 수 있어요. (6번의 근거)

▶감각의 다섯 가지 종류

우리 몸에 감각이 없다면 우리는 이러한 다양한 느낌을 느껴 볼 수 없을 거예요. 이렇게 ㉠우리 몸의 감각은 정말 소중하답니다.

▶감각이 중요한 까닭

이렇게 지도해 주세요! 이 글은 우리 몸의 여러 가지 감각에 대하여 설명하는 글입니다. 여러 가지 감각들의 특징을 파악하면서 글을 읽을 수 있도록 지도해 주세요.

• **주제** 우리 몸의 여러 가지 감각들

1 이 글은 우리가 보고, 듣고, 맛을 보고, 닿아서 느끼고, 냄새를 맡게 해 주는 '감각'이라는 것에 대하여 설명하고 있습니다.

2 청각은 우리가 '귀'로 '소리'를 듣게 해 주는 감각입니다.

3 눈은 우리가 책을 읽고 색깔을 알아보는 등 무엇인가를 볼 수 있게 해 줍니다.

4 철수는 케이크의 맛이 달콤하다고 느꼈고, 과자가 짜다고 느꼈습니다. 철수가 맛을 느낀 것이므로 미각을 사용한 것입니다.

5 촉각은 우리 몸에 닿는 것들을 느끼게 해 주는 감각이라고 하였습니다. 레몬이 노란색이라는 것은 눈으로 보는 것이므로 시각이 알맞습니다.

6 후각은 코로 냄새를 맡게 해 주는 감각으로, 후각이 없어진다면 냄새를 맡을 수 없을 것입니다.

오답 **풀이**
① 무지개를 볼 수 있는 것은 시각이 해 주는 것입니다.
③ 더운 것을 느낄 수 있는 것은 촉각이 해 주는 것입니다.
④ 추운 것을 느낄 수 있는 것은 촉각이 해 주는 것입니다.
⑤ 음악 소리를 들을 수 있는 것은 청각이 해 주는 것입니다.

7 이 글은 우리 몸의 여러 가지 감각에 대하여 설명한 글입니다. 시각은 '눈'으로 보게 해 주는 감각이고, '청각'은 귀로 듣게 해 주는 감각입니다. 미각은 혀로 맛을 느끼게 해 주는 감각이고 '촉각'은 몸에 닿는 것들을 느끼게 해 주며, 후각은 '코'로 냄새를 맡게 해 주는 감각입니다.

생각 글 쓰기

◆예시 **답안** 여러 가지 감각으로 다양한 느낌을 느껴 볼 수 있게 해 주기 때문이다.

이렇게 지도해 주세요! 우리 몸의 감각들인 시각, 청각, 미각, 촉각, 후각이 느끼게 해 주는 다양한 느낌은 무엇인지 직접 느껴서 알 수 있도록 지도해 주세요.

04회 미래의 로봇들

▶ 본문 22~25쪽

1 로봇 2 ④ 3 ⑤ 4 나연 5 ② 6 더욱 7 동물, 편리함

어휘 다지기 01 (1)-ⓔ (2)-㉠ (3)-ⓛ 02 (1) 배달 (2) 필요

만화나 영화에서 로봇을 본 적이 있을 것입니다. 여러분은 '로봇'을 생각하면 무엇이 떠오르나요? 악당들로부터 지구를 지키는 정의의 로봇이 생각날 수도 있고, 타고 다니던 자동차가 갑자기 로봇으로 변신해서 날아다니는 모습이 떠오를 수도 있어요. 그렇다면 앞으로 다가올 미래에는 정말 이러한 로봇들이 만들어질까요? (1번의 근거)

▶ 미래에 만들어질 로봇 상상하기

로봇이란 사람과 유사한 모습이나 기능을 가진 기계 또는 스스로 일하는 능력을 가진 기계를 말해요. 전 세계의 과학자들은 우리의 생활을 편리하게 해 주는 로봇들을 만들고 있다고 해요. (2번, 6번의 근거) 최근에 과학자들은 사람과 동물의 움직임을 연구하여 마치 사람이나 ㉠동물처럼 움직이는 로봇을 만드는 데 힘쓰고 있어요. (3번의 근거) 미국에서는 살아 있는 개의 움직임을 연구해서 (ⓛ)처럼 낯선 사람을 보면 짖는 개 로봇을 만들었답니다. (5번의 근거)

▶ 로봇의 개념 및 최근에 개발 중인 로봇

이 밖에도 미래에는 사람들에게 편리함을 주는 다양한 로봇들이 더 만들어질 거예요. 깊은 바닷속에 들어가서 사람들이 살 집을 짓는 로봇, 사람 대신 글씨를 써 주거나 글을 읽어 주는 로봇, 하늘과 우주를 돌아다니며 우리에게 필요한 물건을 배달해 주는 로봇 등이 생길 거예요. 이러한 로봇들이 만들어지면 사람들은 지금보다 더욱 편하게 살 수 있을 것입니다. (6번의 근거)

▶ 사람들에게 편리함을 주기 위하여 앞으로 만들어질 로봇

이렇게 지도해 주세요! 이 글은 미래에 만들어질 로봇에 대하여 쓴 글입니다. 로봇의 개념이 무엇인지 알고 미래에는 어떤 로봇들이 개발될지 상상할 수 있도록 지도해 주세요.

- **주제** 사람에게 편리함을 주기 위하여 미래에 만들어질 로봇들

1 이 글은 최근에 개발 중인 '로봇'과 앞으로 만들어질 '로봇'에 대하여 설명한 글입니다.

2 이 글은 앞으로 어떤 로봇들이 만들어질지 설명하기 위하여 쓴 글입니다.

3 ㉠은 동물의 움직임을 연구하여 만든 로봇이라고 하였습니다. 도로를 달리다가 변신하여 하늘을 나는 로봇은 동물처럼 움직이는 로봇은 아닙니다.

오답 **풀이**

쥐, 새, 원숭이, 고양이처럼 움직이는 로봇은 동물의 움직임을 연구하여 동물처럼 움직이게 만든 로봇입니다.

4 미래에 만들어질 로봇에 대하여 무슨 일이든 로봇보다는 사람이 더 잘 할 것이라는 '나연'의 말은 알맞지 않습니다. 이 글에서는 바닷속에 들어가서 사람들이 살 집을 짓는 로봇이 만들어질 것이라고 하였는데 이 일은 사람이 하기 어려운 일입니다.

5 ⓛ 뒤에 나오는 '낯선 사람'은 '전에 본 기억이 없어 익숙하지 아니한 사람.'을 뜻합니다. 따라서 ⓛ에 들어갈 말로 알맞은 것은 '도둑'입니다.

6 앞으로도 사람들에게 편리함을 주는 로봇들이 개발될 것이라고 하였습니다. 따라서 미래에 우리의 생활은 다양한 로봇들 덕분에 더욱 편리해질 것이라고 생각할 수 있습니다.

7 이 글은 앞으로 만들어질 로봇에 대하여 설명한 글입니다. 먼저 사람이나 '동물'처럼 움직이는 로봇을 예로 들어 최근에 개발 중인 로봇들을 소개하였습니다. 이어서 이 밖에도 사람들에게 '편리함'을 주는 로봇들이 만들어질 것이라고 설명하였습니다.

생각 글 쓰기

◆ 예시 **답안** 사람이나 동물의 움직임을 흉내 내는 로봇이 사람들에게 편리함을 주기 때문이다.

이렇게 지도해 주세요! 전 세계의 과학자들은 우리의 생활을 편리하게 해 주는 로봇들을 만들고 있다고 하였습니다. 최근에 개발 중인 사람이나 동물처럼 움직이는 로봇도 사람에게 편리함을 주기 위하여 만들어지는 것이라고 설명해 주세요.

옛날 사람들의 미술

▶ 본문 26~29쪽

1⑤ 2③ 3③ 4 돌멩이 5㉮, ㉰ 6① 7동굴, 돌

어휘 다지기 01 (1)-㉡ (2)-㉠ (3)-㉢ 02 (1) 도구 (2) 비교

아주 오래전에 살았던 사람들은 오늘날의 우리들처럼 아름다운 것들을 만들고 싶은 마음이 있었어요. 그래서 여러 가지 방법과 도구를 사용하여 그림을 그렸지요.(1번, 3번의 근거) 또한 돌을 깎아서 여러 가지 모양을 만들기도 했답니다.(1번의 근거)

▶아름다운 것들을 만들고 싶었던 옛날 사람들

그렇다면 옛날에는 종이와 물감이 없었는데 어떻게 그림을 그렸을까요? 아주 먼 옛날에는 사람들이 동굴에 주로 살았는데,(3번의 근거) 동굴 벽에 돌멩이를 긁어 그림을 그렸다고 해요.(2번, 5번의 근거) 붉은색, 검은색, 갈색 돌멩이들을 벽에 긁으면 돌멩이의 색깔이 벽에 그대로 남았기 때문에(4번, 6번의 근거) ㉠여러 가지 색깔들로 그림을 그릴 수 있었어요. 이렇게 벽에 그린 그림을(5번의 근거) '벽화'라고 불러요. 프랑스에 있는 「라스코 동굴 벽화」(3번의 근거)가 아주 유명하지요.

▶옛날 사람들의 동굴 벽화

옛날 사람들은 돌을 깎아서 자신들이 아름답다고 생각하는 여러 가지 모양들을 만들기도 했어요. 그리스에서는 돌을 깎아서 조각을 만들었어요.(3번의 근거) ㉡「원반 던지는 사람」(3번의 근거)은 약 2500년 전에 만들어졌지만 오늘날의 작품들과 비교해도 전혀 뒤떨어지지 않는 멋진 작품이에요.

▶옛날 사람들이 돌로 만든 조각

이렇게 지도해 주세요! 이 글은 옛날 사람들이 만든 미술 작품에 대하여 설명하고 있습니다. 옛날 사람들이 동굴 벽화나 조각을 만든 방법을 잘 이해할 수 있도록 지도해 주세요.

• **주제** 옛날 사람들이 만든 미술 작품

1 이 글은 옛날 사람들의 미술에 대하여 설명하는 글입니다. 옛날 사람들의 음악, 수학, 운동, 축제에 대한 내용은 나타나 있지 않습니다.

2 옛날에는 종이와 물감이 없어서 동굴 벽에 돌멩이를 긁어서 그림을 그렸다고 하였습니다.

3 그리스에서는 돌을 깎아서 조각을 만들었다고 하였습니다.

4 색깔이 있는 '돌멩이'들을 동굴 벽에 긁으면 돌멩이의 색깔이 벽에 그대로 남았기 때문에 옛날 사람들이 여러 가지 색깔들로 그림을 그릴 수 있었다고 하였습니다.

5 이 글에서 설명한 '벽화'는 동굴 벽에 돌멩이로 그린 그림을 말합니다. ㉮와 ㉰가 벽화입니다.

오답 풀이

㉯와 ㉱는 재료를 깎아 내어 만든 조각입니다.

6 ㉡은 「원반 던지는 사람」으로 돌을 깎아서 만들었다고 하였습니다.

오답 풀이

② 뜨거운 불에 구웠다는 설명은 나타나 있지 않습니다.
③ 동굴 벽에 돌멩이를 긁어서 만든 것은 벽화입니다.
④ 동물 그림이지만 동물의 뼈를 붙인 것은 아닙니다.
⑤ 나뭇가지를 잘라서 만들었다는 내용은 나타나 있지 않습니다.

7 이 글은 옛날 사람들이 만든 미술 작품에 대하여 설명한 글입니다. 옛날 사람들은 '동굴' 벽에 돌멩이를 긁어서 벽화를 그리거나, '돌'을 깎아 여러 가지 모양의 조각을 만들었다고 하였습니다.

생각 글 쓰기

✦예시 **답안** 우리들처럼 옛날 사람들도 아름다운 것들을 만들고 싶은 마음이 있었기 때문이다.

이렇게 지도해 주세요! 옛날 사람들에게는 종이와 물감이 없었지만 아름다움을 표현하고 싶은 마음이 있었기 때문에 돌멩이로 동굴 벽에 그림을 그리고 돌을 조각하였다고 설명해 주세요.

06회 세계의 기념일

▶ 본문 30~33쪽

1 기념일 2 (1) ①, ④, ⑤ (2) ②, ③, ⑥ 3 ④ 4 전쟁 5 (1) ㉰ (2) ㉮ (3) ㉯ 6 ④ 7 기념일, 투표

어휘 다지기 01 (1)-㉠ (2)-㉢ (3)-㉡ 02 (1) 폭력 (2) 평화

달력을 살펴보면 '학생의 날', '어린이날'과 같이 여러 가지 날들이 많아요. 우리는 매년 무엇인가를 축하하거나 기릴 만한 일이 있는 날을 ㉠기념하게 되는데요. 이러한 날들을 기념일이라고 불러요. 예를 들면 '학생의 날'은 학생을 위한 기념일이고, '어린이날'은 어린이를 위한 기념일이에요. 기념일은 '한글날'처럼 우리나라에만 있는 기념일도 있지만, 전 세계적으로 똑같은 날로 정해진 기념일도 있어요.

2번의 근거 / 1번, 2번의 근거

▶여러 기념일들

매년 3월 8일은 '세계 여성의 날'이에요. '세계 여성의 날'은 여성들을 위한 세계적인 기념일이지요. 1908년에 미국에서는 수많은 여성들이 모여 여성들도 투표할 수 있게 하자는 목소리를 냈어요. 그 이후, 전 세계 나라들은 1975년을 '세계 여성의 해'로 정하고 매년 3월 8일을 여성의 날로 정하였지요. 그리고 이날에는 여성의 자유와 평등을 위한 여러 가지 행사를 실시해요.

3번의 근거

▶여성들을 위한 세계 여성의 날

그리고 매년 9월 21일은 '세계 평화의 날'이에요. 전 세계 사람들은 단 하루만이라도 전쟁과 폭력을 멈추자는 목소리를 냈어요. 그리고 1981년에 9월 21일을 세계의 평화를 위한 기념일로 정하였어요.

4번의 근거

▶세계 평화를 위한 세계 평화의 날

이날들뿐만 아니라 세계에는 더 많은 기념일들이 있어요. 달력이나 인터넷으로 다른 기념일들은 무엇이 있는지 더 살펴보고 그 의미도 생각해 보는 것은 어떨까요?

▶세계의 많은 기념일들 살펴보기

이렇게 지도해 주세요! 이 글은 세계의 기념일에 대하여 설명하는 글입니다. 세계의 기념일이 언제인지, 왜 만들어졌는지 이해할 수 있도록 지도해 주세요. 그리고 세계의 기념일은 또 무엇이 있는지 살펴볼 수 있도록 지도해 주세요.

• **주제** 세계의 기념일

1 이 글은 세계의 '기념일'에 대하여 썼습니다.

2 세계의 기념일은 '세계 여성의 날, 세계 평화의 날, 세계 물의 날'입니다. 우리나라만의 기념일은 '한글날, 개천절, 광복절'입니다.

3 세계 여성의 날은 '1975년'부터 3월 8일로 정했다고 하였습니다.

4 세계 평화의 날은 단 하루만이라도 '전쟁'과 폭력을 멈추기 위하여 9월 21일로 정했다고 하였습니다.

5 세계 춤의 날은 '춤'을 기념하는 날로 다양한 춤 공연을 하고, 세계 환경의 날은 환경을 지키기 위하여 환경 보전 캠페인과 토론회 등을 합니다. 그리고 세계 아동 노동 반대의 날은 전 세계 아동 수백만 명이 노동을 하고 있는 문제를 해결하기 위하여 만든 날입니다.

6 ㉠은 '오래도록 잊지 아니하고 마음에 간직함.'이라는 뜻입니다.

오답 풀이

① '선정'의 뜻입니다.
② '후회'의 뜻입니다.
③ '기부'의 뜻입니다.
⑤ '거절'의 뜻입니다.

7 이 글은 세계의 '기념일'에는 무엇이 있는지에 대하여 설명하고 있습니다. 여성들도 '투표'를 할 수 있게 하자는 목소리를 낸 후 3월 8일 세계 여성의 날이 만들어졌고, 단 하루만이라도 전쟁과 폭력을 멈추자는 목소리를 내어 9월 21일 세계 평화의 날이 만들어졌다고 하였습니다.

생각 글 쓰기

◆예시 **답안** 매년 8월 12일에 기념하는 세계 청소년의 날이 있다.

이렇게 지도해 주세요! 세계의 기념일에는 무엇이 있는지 더 살펴볼 수 있도록 지도해 주세요. 그리고 기념일들의 뜻과 기념일로 정해진 까닭을 알 수 있도록 설명해 주세요.

겨울잠, 잠만 자도 괜찮을까?

▶ 본문 34~37쪽

1③ 2③ 3② 4㉣ 5③ 6④ 7 먹이, 작동, 풍부

어휘 다지기 01 (1)-㉡ (2)-㉢ (3)-㉠ 02 (1) 야생 (2) 풍부

겨울은 매우 추운 계절이에요. 추운 겨울에는 먹을 것이 없는데 동물들은 어떻게 살아남을 수 있는 것일까요? 그 이유는 동물들은 추운 겨울이 오면 오랫동안 잠을 자기 때문이에요.(1번의 근거) 이 잠을 겨울잠이라고 해요. 곰, 다람쥐, 개구리 같은 동물들은 겨울 내내 잠을 자요. 그런데 겨울잠을 자는 동물들은 어떻게 먹이를 먹지 않고도 잠을 잘 수 있을까요? 오랫동안 먹이를 먹지 않으면 동물들이 잠을 자다가 죽지는 않을까요? ▶겨울잠 자는 동물들

동물들은 겨울잠에 들어가기 전인 가을에 먹이를 많이 먹어요.(2번의 근거) 겨울에는 먹이를 제대로 구할 수 없기 때문에 미리 많이 먹어 두는 거예요. 그리고 동물들은 겨울잠을 잘 때에는 숨을 쉬는 것만 남기고 몸의 ㉠작동을 멈추어요. 그렇게 동물들은 최대한 에너지를 아끼기 위하여(4번의 근거) 몸의 작동을 멈추는 것이에요. 심지어 겨울잠을 자는 동안 화장실도 거의 안 간다고 해요. ▶겨울잠 자기 전에 동물들이 하는 일

그런데 만약 겨울에도 먹이가 풍부하고 날씨가 따뜻하다면 동물들은 겨울잠을 자지 않기도 할 거예요.(5번의 근거) 예를 들어, 야생의 곰은 겨울잠을 자지만 ㉡동물원에 있는 곰은 겨울잠을 자지 않아요. 그리고 요즘에는 예전보다 겨울이 따뜻해지고 짧아져서(6번의 근거) 겨울잠을 자지 않는 동물들이 생기고 있다고 해요. ▶겨울잠 자지 않는 동물들이 생기고 있음.

이렇게 지도해 주세요! 이 글은 동물들의 겨울잠에 대하여 설명하는 글입니다. 동물들이 겨울잠을 잘 때의 특징을 알고, 겨울잠을 자는 까닭도 함께 파악할 수 있도록 지도해 주세요.

• **주제** 동물들이 겨울잠을 잘 때의 특징과 겨울잠을 자는 까닭

1 이 글은 동물들의 '겨울잠'에 대하여 설명한 글입니다.

2 동물들이 겨울잠에 들어가기 전에 먹이를 많이 먹어 두는 계절은 '가을'이라고 하였습니다.

3 동물들은 겨울잠을 잘 때에는 숨을 쉬는 것만 남기고 몸의 작동을 멈춘다고 하였습니다. '성장'은 '사람이나 동식물 등이 자라서 점점 커짐.'이라는 뜻으로 ㉠과 바꾸어 쓸 수 있는 낱말이 아닙니다.

4 동물들이 겨울잠을 잘 때 몸의 작동을 멈추는 까닭은 최대한 에너지를 아끼기 위한 것이라고 하였습니다.

5 겨울에도 먹이가 풍부하고 날씨가 따뜻하다면 동물들은 겨울잠을 자지 않을 것이라고 하였습니다. 즉 동물원에 있는 곰이 겨울잠을 자지 않는 까닭은 동물원은 먹이가 풍부하고 따뜻하기 때문입니다.

오답 풀이

① 동물원은 곰이 있던 야생보다 따뜻하기 때문에 동물원이 너무 춥다는 것은 알맞지 않습니다.

② 동물원의 먹이가 맛이 없다는 것은 겨울잠을 자지 않는다는 것과 관련이 없는 내용입니다.

④ 동물원에 오는 사람들이 시끄럽게 하기 때문에 동물원에 있는 곰이 겨울잠을 자지 않는다는 내용은 이 글에 나타나 있지 않습니다.

⑤ 동물원의 동물 친구들과 계속 놀고 싶어서 겨울잠을 자지 않는다는 내용은 이 글에 나타나 있지 않습니다.

6 이 글에서 요즘에는 예전보다 겨울이 따뜻해지고 짧아져서 겨울잠을 자지 않는 야생 동물들이 많아지고 있다고 하였습니다. 따라서 빈칸에 들어갈 말은 겨울이 따뜻해지고 짧아졌다는 말입니다.

7 이 글은 동물들의 겨울잠에 대하여 설명하고 있는 글입니다. 동물들은 겨울잠을 자기 전인 가을에 '먹이'를 많이 먹어 둡니다. 그리고 겨울잠을 자는 동안 에너지를 아끼기 위하여 몸의 '작동'을 멈춥니다. 또한, 동물들은 먹이가 '풍부'하고 날씨가 따뜻하면 겨울잠을 자지 않기도 한다고 하였습니다.

생각 글 쓰기

◆**예시 답안** 추운 겨울에 겨울잠을 자지 않으면, 야생의 동물들은 먹이를 구하지 못하여 배고프고 무척 추울 것이다.

이렇게 지도해 주세요! 야생의 동물들은 겨울에 먹이를 구하기가 어렵고 추운 날씨를 견디기 힘들기 때문에 에너지를 최대한 아끼기 위하여 움직이지 않고 겨울잠을 자는 것입니다. 겨울잠을 자는 까닭과 관련하여 어떤 나쁜 점이 생길지 설명해 주세요.

08회 팝콘_한영우

▶ 본문 38~41쪽

1③ 2① 3㉢ 4⑤ 5아삭아삭 사라라 6겪은

어휘 다지기 **01** (1)-㉢ (2)-㉠ (3)-㉡ **02** (1) 펑펑 (2) 아삭아삭

쪼그만 옥수수 알갱이가
1번의 근거
냄비 안에서

㉠탁 타타탁
옥수수 알갱이가 튀어 오르는 소리 ①
㉡펑펑 펑펑
옥수수 알갱이가 튀어 오르는 소리 ②
유리 뚜껑을 열고
4번의 근거
나갈라 한다.
옥수수 알갱이의 힘이 셈.
힘도 세지 ▶1~7행: 옥수수 알갱이로 팝콘을 만듦.

입안에 들어가니

㉢아삭아삭 사라라
팝콘을 먹을 때의 느낌을 표현한 부분
부드러운데. ▶8~10행: 부드러운 팝콘
5번의 근거

이렇게 지도해 주세요! 이 시를 읽을 때 학생들의 경험이나 상상을 활용할 수 있도록 지도해 주세요. 옥수수 알갱이가 튀어 오르는 모습과 팝콘을 먹을 때의 느낌을 어떻게 표현하고 있는지 집중하여 시를 읽도록 지도해 주세요.

• **주제** 팝콘을 직접 만들어 먹은 일

1 이 시는 말하는 이가 직접 팝콘을 만들어 먹은 일을 표현한 시입니다.

오답 **풀이**

① 이 시는 말하는 이가 팝콘을 사 먹은 것이 아니라 직접 만들어 먹은 일을 표현하였습니다.

② 이 시에서 말하는 이는 팝콘을 만들기 위하여 옥수수 알갱이를 냄비 안에 넣은 것이지, 옥수수를 구워 먹은 일을 표현하지 않았습니다.

④ 이 시에서 '펑펑'은 유리 뚜껑을 열고 나가려는 옥수수 알갱이를 표현한 것으로, 눈이 오는 모습을 본 일은 나타나 있지 않습니다.

⑤ 이 시에서는 팝콘을 먹을 때의 느낌을 '아삭아삭 사라라 부드러운데.'라고 표현하였습니다. 입에 들어간 팝콘의 부드러움을 나타낸 것으로 아이스크림을 먹은 일을 표현한 것은 아닙니다.

2 이 시의 첫 부분에서 옥수수 알갱이를 표현한 '쪼그만'은 '조금 작거나 적은.'이라는 뜻을 가지고 있습니다. '작은'은 '길이, 넓이, 부피 등이 비교 대상이나 보통보다 덜한.'이라는 뜻으로 '쪼그만'과 바꾸어 쓰기에 알맞습니다.

오답 **풀이**

② '거대한'은 '엄청나게 큰.'이라는 뜻을 가지고 있습니다.

③ '동그란'은 '또렷하게 동근.'이라는 뜻입니다.

④ '거칠거칠한'은 '여러 군데가 몹시 윤기가 없고 거친.'이라는 뜻을 가지고 있습니다.

⑤ '울퉁불퉁한'은 '물체의 거죽이나 면이 고르지 않게 여기저기 몹시 나오고 들어간 데가 있는.'이라는 뜻을 가진 말입니다.

3 ㉠은 '갑자기 세게 치거나 부딪거나 차거나 넘어지는 소리. 또는 그 모양.'이라는 뜻을 가지고 있는 것으로 옥수수 알갱이가 튀어 오를 때의 소리를 표현한 것입니다. 그리고 ㉡은 '물건이 갑자기 잇따라 크게 터지는 소리. 또는 그 모양.'이라는 뜻으로, 이 또한 옥수수 알갱이가 튀어 오를 때의 소리를 나타냅니다.

오답 **풀이**

㉢은 '연하고 싱싱한 과일이나 채소 등을 보드랍게 베어 물 때 자꾸 나는 소리.'라는 뜻으로, 이 시에서는 팝콘을 먹을 때의 느낌을 표현한 것입니다.

4 '힘도 세지.'라는 말은 '힘이 많다.'라는 뜻입니다. 이 시에서 옥수수 알갱이가 유리 뚜껑을 열고 나가려고 할 정도로 팝콘이 세게 튀어 오르는 모습을 '힘도 세지'라고 표현하였습니다.

5 이 시에서 팝콘을 먹을 때의 느낌을 '아삭아삭 사라라'라고 표현하였습니다.

6 「팝콘」은 팝콘을 직접 만들어 먹은 일을 표현한 시이고, **보기**의 시 「나도 끼워 줘」는 친구들과 같이 노는 것을 표현한 시입니다. 따라서 두 시의 공통점은 자신이 겪은 일에 대하여 표현한 것입니다.

생각 글 쓰기

◆예시 **답안** 시에서 소리를 흉내 내는 말을 사용하면 실제 소리를 듣는 것 같은 느낌이 들고 실감이 난다.

이렇게 지도해 주세요! 시에서 소리를 흉내 내는 말을 사용하면 느낌이 더 확실하게 느껴져서 표현하려는 장면을 쉽게 상상할 수 있습니다. 이 시에서 사용한 흉내 내는 말을 중심으로, 다른 흉내 내는 말에는 어떤 것들이 있는지 알 수 있도록 지도해 주세요.

봄_윤동주

▶ 본문 42~45쪽

1 4, 8 2 ① 3 ④ 4 (1)-㉢ (2)-㉡ (3)-㉠ 5 ④ 6 ⑤ 7 ④

어휘 다지기 01 (1)-㉠ (2)-㉢ (3)-㉡ 02 (1) 쌩쌩 (2) 쨍쨍

○-□: 글감 – 글감의 몸짓

우리 아기는 (3번의 근거)
아래 발치에서 코올코올 (4번의 근거) ▶1연: 말하는 이의 발치에서 잠자는 아기

고양이는 (3번의 근거)
부뚜막에서 가릉가릉 (4번의 근거) ▶2연: 부뚜막에서 조는 고양이

아기 바람이 (3번의 근거)
나뭇가지에서 소올소올 ▶3연: 나뭇가지에 솔솔 부는 바람

아저씨 해님이 (3번의 근거)
하늘 ㉠한가운데서 째앵째앵. (4번의 근거) ▶4연: 하늘에서 쨍쨍 내리쬐는 태양

이렇게 지도해 주세요! 이 시는 봄날의 따뜻하고 평화로운 풍경을 쉽고 고운 우리말로 표현한 작품으로, 햇볕이 내리쬐고 바람이 솔솔 부는 모습, 아기가 잠자고 고양이가 조는 모습이 담겨 있습니다. 시가 표현하는 장면을 머릿속으로 상상해 볼 수 있도록 지도해 주세요.

• **주제** 봄날의 따뜻하고 평화로운 풍경

1 이 시는 '4'연 '8'행으로 이루어져 있습니다.

2 따뜻한 햇볕이 내리쬐고 바람이 솔솔 부는 날 아기와 고양이가 잠에 빠진 모습을 통해 이 시에 나타난 계절이 봄임을 알 수 있습니다.

3 바람은 3연, 아기는 1연, 해님은 4연, 고양이는 2연에 등장하였습니다. 이 시에 강아지는 등장하지 않았습니다.

4 (1) 1연에서 우리 아기는 아래 발치에서 '코올코올' 잔다고 하였습니다.
(2) 4연에서 아저씨 해님이 하늘 한가운데서 '째앵째앵' 내리쬔다고 하였습니다.
(3) 2연에서 고양이는 부뚜막에서 '가릉가릉' 존다고 하였습니다.

5 아기 바람이 나뭇가지에서 소올소올 분다는 3연의 표현을 통해 나뭇가지가 바람에 흔들리는 장면을 떠올릴 수 있습니다.

6 따뜻한 봄볕이 내리쬐고 바람이 솔솔 부는 날 아기와 고양이가 잠에 빠진 장면에서 평화로운 분위기를 느낄 수 있습니다.

7 '한가운데'는 '공간이나 시간, 상황 등의 바로 가운데.'를 가리키는 낱말입니다. 이 낱말과 뜻이 비슷한 낱말은 '일정한 공간이나 사물의 한가운데.'를 뜻하는 '한복판'입니다.

오답 **풀이**

② '변두리'는 '어떤 지역이나 물건의 가장자리.'를 뜻하는 말로, '한가운데'와 반대되는 뜻을 가진 낱말입니다.

⑤ '가장자리'는 '둘레나 끝에 해당되는 부분.'을 뜻하는 말로, '한가운데'와 반대되는 뜻을 가진 낱말입니다.

생각 글 쓰기

◆예시 **답안** 길게 말하면 더 편안하고 한가로운 느낌을 주기 때문이다.

이렇게 지도해 주세요! '코올코올, 소올소올, 째앵째앵'은 본래 낱말인 '콜콜, 솔솔, 쨍쨍'을 변형해 만든 낱말입니다. 이러한 낱말은 평화롭고 한가한 봄날의 풍경을 잘 표현해 줍니다. 이처럼 시인은 시를 읽는 재미를 더하고 시의 분위기를 잘 전달하기 위해 일부러 맞춤법이나 띄어쓰기에 어긋난 표현을 쓸 때가 있다고 설명해 주세요.

개미집에 간 콩이_천효정

▶ 본문 46~49쪽

1④ 2쌀알 3④ 4따뜻하다, 상냥하다 5우렁우렁 6⑤
7(1) 애벌레 (2) 여왕개미 (3) 신기한

어휘 다지기 01 (1)-㉡ (2)-㉢ (3)-㉠ 02 (1) 아늑 (2) 우렁우렁

생쥐 콩이는 새로 이사를 온 집에 놀러 갔어요.

"어서 오세요!"

문을 열고 나온 것은 작은 일개미였어요. 개미는 콩이를 굴 안으로 안내했어요. 땅속으로 뚫린 굴은 아늑한 방으로 연결되었지요. (1번의 근거) ▶콩이가 개미집에 놀러 감.

아침에는 애벌레 방을 구경했어요. 방에는 쌀알처럼 생긴 개미알이 쌓여 있었어요. 알 사이사이로 뽀얗고 포동포동한 애벌레가 기지개를 켰어요. (7번의 근거, 2번의 근거)

"정말 귀여운 아기야."

콩이는 애벌레를 살짝 쓰다듬어 주었어요. ▶아침에는 애벌레 방을 구경함.

점심때는 여왕개미 방에 갔어요. 여왕개미는 막 알을 낳고 잠깐 쉬는 중이었지요. 여왕개미가 활짝 웃으며 콩이를 맞이했어요. (7번의 근거, 3번의 근거, 4번의 근거)

"반가워요. 앞으로 자주 놀러 와요." (여왕개미가 한 말)

콩이는 상냥한 여왕개미가 마음에 들었어요. (4번의 근거) ▶점심에는 여왕개미 방에 감.

저녁때가 되었어요. 콩이는 굴을 나가려다가 신기한 방을 보았어요. (7번의 근거)

"여기는 무슨 방일까?"

콩이는 고개를 갸웃하다가 방 안으로 살금살금 들어갔어요. 방 안에는 무지갯빛 안개가 몽실몽실 피어나고 있었지요. (신기한 방)

"콩이라더니 정말 콩알만 하군."

문득 어디선가 우렁우렁한 목소리가 들렸어요. (5번의 근거)

머리에는 무지갯빛 모자를 쓰고 발까지 닿는 망토를 걸친 이상한 개미였어요. 개미는 싱글벙글 웃으며 다가왔어요. (6번의 근거)

"어서 와! 아까부터 기다리고 있었단다."

콩이는 얼떨떨해서 물었어요. (자신의 이름을 알고 있었기 때문임.)

"제 이름을 어떻게 아세요?"

그러자 개미가 호탕하게 웃으며 대답했어요.

"하하하. 난 마법사 개미거든!" (5번, 6번의 근거) ▶저녁에는 신기한 방에서 마법사 개미를 만남.

이렇게 지도해 주세요! 이 글을 읽을 때 시간에 따라 생쥐 콩이가 들어간 방이 달라진다는 것을 알 수 있게 지도해 주세요. 그리고 방마다 어떤 일이 있었는지 파악할 수 있도록 지도해 주세요.

- **주제** 생쥐 콩이가 개미집에 놀러 가서 겪은 일

1 생쥐 콩이가 새로 이사를 온 개미집에 놀러 갔다고 하였습니다.

2 애벌레 방에 쌓여 있는 개미알은 '쌀알'처럼 생겼다고 하였습니다.

3 콩이가 여왕개미 방에 갔을 때 여왕개미는 막 알을 낳고 잠깐 쉬는 중이었다고 하였습니다.

4 여왕개미는 막 알을 낳고 잠깐 쉬고 있다가 콩이가 오니 활짝 웃으며 맞이했다고 한 것으로 보아 상냥한 성격이라는 것을 알 수 있습니다. 그리고 콩이에게 따뜻하게 대해 주는 것도 나타나 있습니다.

5 어디선가 '우렁우렁'한 목소리가 들렸다고 하였는데 마법사 개미의 목소리였습니다. '우렁우렁'은 '소리가 매우 크게 울리는 모양.'이라는 뜻입니다.

6 마법사 개미는 머리에는 '무지갯빛' 모자를 쓰고 발까지 닿는 망토를 걸쳤다고 하였습니다.

7 콩이는 아침에는 '애벌레' 방, 점심에는 '여왕개미' 방, 저녁에는 굴을 나가려다 '신기한' 방으로 들어갔습니다.

생각 글 쓰기

◆예시 **답안** 마법사 개미가 호탕하게 웃었다고 하였으므로 시원시원하고 씩씩한 성격일 것이다.

이렇게 지도해 주세요! 마법사 개미의 성격은 '우렁우렁한 목소리', '호탕하게 웃으며' 등에서 알 수 있습니다. 인물의 성격을 알 수 있는 방법을 지도해 주시고, 성격을 표현하는 말들에는 무엇이 있는지 알려 주세요.

11회 책을 읽어야 하는 까닭

▶ 본문 52~55쪽

1 ① 2 지혜 3 ③ 4 ⑤ 5 책 6 ④ 7 책, 빨리

어휘 다지기 01 (1)-㉡ (2)-㉢ (3)-㉠ 02 (1) 황제 (2) 명심

책을 읽는 것이 중요하다고 하지만, 세상의 모든 사람들이 책 읽는 것을 좋아하지는 않아요. 그렇지만 훌륭한 사람들은 모두 책을 좋아하고 책을 많이 읽었다고 해요. 우리가 책을 읽으면 어떤 점이 좋을까요?

1번의 근거 ▶훌륭한 사람들은 모두 책을 좋아하고 많이 읽었음.

책에는 책을 쓴 많은 사람들의 지식과 지혜가 담겨 있어요. 우리는 알고 싶은 것들이 생기면 책을 읽어서 그것들을 배울 수 있지요. 만약 여러분이 친구와 사이좋게 지내는 방법을 알고 싶다면, 친구와 사이좋게 지내는 방법에 대하여 쓴 책을 읽어 보세요. 그러면 그런 책을 몇 권만 읽어도 여러분은 정말 많은 방법들을 배울 수 있을 거예요.

2번의 근거 / 3번의 근거 ▶지식과 지혜가 담겨 있는 책

또한, ㉠읽은 책의 양이 점점 늘어날수록 책을 읽는 속도가 점점 빨라져요. 그래서 책을 더 빨리, 더 많이 읽을 수 있어요. 왜 그럴까요? 그 까닭은 내가 전에 읽었던 책의 내용이 머릿속에 남아서 나중에 다른 책을 읽을 때 이해에 도움이 되기 때문이에요.

4번의 근거 ▶읽은 책의 양이 늘어날수록 읽는 속도가 빨라짐.

미국의 대통령이었던 버락 오바마는 "책 읽기가 나에게 가장 힘이 되었다."라고 말했어요. 그리고 프랑스의 군인이자 황제였던 나폴레옹은 책을 가득 담은 수레를 전쟁터까지 가져가서 시간만 나면 책을 읽었답니다. 우리도 훌륭한 사람이 되려면 책을 많이 읽어야 한다는 것을 명심하세요.

5번의 근거 / 6번의 근거 ▶훌륭한 사람이 되려면 책을 많이 읽어야 함.

이렇게 지도해 주세요! 이 글은 책을 읽으면 좋은 점을 말하며 책을 많이 읽어야 한다는 것을 주장하는 글입니다. 글쓴이의 주장과 근거를 이해하고 구분할 수 있도록 설명해 주세요.

- **주제** 책을 읽으면 좋은 점과 책을 많이 읽어야 하는 까닭

1 이 글은 책을 읽는 것은 좋고 많은 도움이 되며, 책을 많이 읽어야 한다고 주장하는 글입니다.

2 책에는 많은 사람들의 지식과 '지혜'가 담겨 있다고 하였습니다.

3 준수는 1인 방송을 하기 위하여 사람들 앞에서 말을 잘하는 방법을 알고 싶어 합니다. 따라서 준수는 말을 잘하는 방법에 대하여 쓴 책을 읽는 것이 좋습니다.

4 전에 읽었던 책이 나중에 다른 책을 읽을 때 이해에 도움이 되기 때문에 책을 더 빨리, 더 많이 읽을 수 있다고 하였습니다.

5 나폴레옹은 '책'을 가득 담은 수레를 전쟁터까지 가져가서 시간만 나면 책을 읽었다고 하였습니다. 따라서 나폴레옹이 가지고 다닌 '이것'은 바로 '책'입니다.

6 이 글에서는 책을 읽으면 알고 싶은 것들을 배울 수 있고 다른 책을 읽을 때 도움이 된다고 하였습니다. 따라서 '책을 읽으면 나에게 전혀 도움이 되지 않겠어.'는 이 글을 읽고 느낀 점으로 알맞지 않습니다.

7 이 글은 '책'을 읽으면 좋은 점에 대하여 말하고 있습니다. 또한, 우리도 책을 읽어야 한다고 하였습니다. 그리고 책에는 많은 사람들의 지식과 지혜가 담겨 있고, 책을 읽을수록 나중에 다른 책을 읽을 때 '빨리' 읽을 수 있다고 하였습니다.

생각 글 쓰기

◆예시 **답안** 책을 많이 읽으면 새로운 생각을 더 많이 할 수 있다.

이렇게 지도해 주세요! 책을 많이 읽으면 상상력이 풍부해져서 새로운 생각을 많이 할 수 있습니다. 책을 읽을 때의 좋은 점을 스스로 생각해 볼 수 있게 하고, 책을 실제로 읽으면 어떤 점이 좋은지 직접 느낄 수 있도록 지도해 주세요.

12회 잘 듣고 잘 말하는 방법

▶ 본문 56~59쪽

1 말하는 2 ② 3 ① 4 ④ 5 ⑤ 6 ⑤ 7 눈, 차분, 미소
어휘 다지기 01 (1)-㉡ (2)-㉢ (3)-㉠ 02 (1) 동의 (2) 서운

우리는 가끔 다른 사람의 말을 잘 듣지 않을 때가 있어요. 그래서 다른 사람을 서운하게 하기도 해요. 또, 어느 때는 다른 사람에게 하고 싶은 말을 제대로 하지 못할 때도 있어요. 과연 잘 듣고, 잘 말할 수 있는 방법은 무엇일까요? (1번, 6번의 근거)
▶말을 잘 듣지 않거나 제대로 못할 때가 있음.

우리가 다른 사람의 말을 잘 듣기 위해서는 먼저 말하는 사람에게 집중해야 해요. 먼저 말하는 사람에게 몸을 향하고, 편안한 표정을 지으면서 눈을 맞추면 (2번, 4번의 근거) 그 사람은 '내 말을 잘 들어 주고 있구나.'라고 생각할 거예요. 그리고 말을 들으면서 동의한다는 뜻으로 가끔씩 고개를 끄덕이고, 자신이 들은 말을 정리해서 다시 말해 주는 것 (2번의 근거) 도 좋은 방법이지요.
▶말을 잘 듣기 위한 방법

그리고 다른 사람에게 잘 말하기 위해서는 듣는 사람의 기분을 생각하며 말해야 해요. (3번의 근거) 자신이 하고 싶은 말만 하는 게 아니라, 듣는 사람이 자신의 말을 어떻게 받아들일지 생각하며 ㉠신중하게 말해야 하지요. (3번의 근거) 그리고 듣는 사람에게 자신이 하고 싶은 말을 차분하게 하고, 긍정적이고 좋은 말을 사용하여 말해 보세요. (3번의 근거) 또, 살짝 미소를 지으면서 말하는 것도 좋은 방법이에요. (3번의 근거)
▶잘 말하기 위한 방법

이렇게 다른 사람의 말을 잘 듣고, 잘 말하는 것은 어려운 일이 아니에요. 우리가 먼저 웃으면서 말을 잘 들어 주고, 듣는 사람의 기분을 생각하며 좋은 말을 하면 다른 사람들도 우리의 말을 잘 들어 줄 거예요.
▶먼저 말을 잘 들어 주어야 함.

이렇게 지도해 주세요! 이 글은 다른 사람의 말을 잘 듣는 방법과 잘 말하는 방법에 대하여 쓴 글입니다. 둘은 분리되어 있는 것이 아니라 각각 대화를 할 때 영향을 미치며 작용한다는 점을 알 수 있도록 지도해 주세요.
- **주제** 말을 잘 듣고 잘 말하는 방법

1 이 글은 다른 사람의 말을 잘 듣고 자신의 생각을 잘 말하는 방법에 대하여 쓴 글입니다.

2 말하는 중간에 끼어드는 것은 말을 잘 듣는 방법이 아닙니다.

3 자신이 하고 싶은 말만 하는 게 아니라, 듣는 사람이 자신의 말을 어떻게 받아들일지 생각하며 신중하게 말해야 한다고 하였습니다.

4 상원이의 친구는 상원이가 심각한 표정을 지으면서 자신의 말을 잘 듣지 않는다고 화를 내며 말했다고 하였습니다. 이를 해결하기 위한 방법은 편안한 표정으로 친구의 눈을 보며 말을 잘 들어 주는 것입니다.

5 이 글에서 ㉠은 '매우 조심스럽게.'라는 뜻으로 쓰였으므로 '조심스럽게'와 바꾸어 쓸 수 있습니다.

오답 **풀이**
① '대강'은 '자세하지 않게 기본적인 부분만 들어 보이는 정도로.'라는 뜻입니다.
② '차갑게'는 '인정이 없이 매정하거나 쌀쌀하게.'라는 뜻입니다.
③ '함부로'는 '조심하거나 깊이 생각하지 아니하고 마음 내키는 대로 마구.'라는 뜻입니다.
④ '자랑스럽게'는 '남에게 드러내어 뽐낼 만한 데가 있게.'라는 뜻입니다.

6 이 글은 말을 잘 듣고 잘 말하는 방법에 대하여 쓴 글입니다. 따라서 이러한 방법을 알고 싶은 사람이 읽는 것이 알맞습니다.

7 이 글에서는 잘 듣는 방법과 잘 말하는 방법을 알려 주고 있습니다. 잘 듣는 방법에는 편안한 표정을 짓고 '눈'을 맞추기, 말하는 사람에게 몸을 향하기, 가끔씩 고개를 끄덕이기, 들은 말을 정리해서 다시 말해 주기 등이 있습니다. 그리고 잘 말하는 방법에는 듣는 사람의 기분을 생각해서 말하기, 하고 싶은 말을 '차분'하게 말하기, 긍정적이고 좋은 말로 말하기, 살짝 '미소'를 지으면서 말하기 등이 있습니다.

생각 글 쓰기

◆ 예시 **답안** 내가 말을 잘 들었는지, 들은 말을 잘 이해하고 있는지를 확인할 수 있다.

이렇게 지도해 주세요! 말을 잘 듣기 위하여 상대방이 한 말을 잘 듣고 있는지, 자신이 들은 내용을 정리하여 확인하면서 대화하면 좋다는 점을 알려 주세요.

13회 곤충을 연구한 과학자들

▶ 본문 60~63쪽

1 곤충 2 ② 3 먼, 벌집 4 기생충 5 ⑤ 6 ③ 7 벌, 말라리아
어휘 다지기 01 (1)-㉡ (2)-㉠ (3)-㉢ 02 (1) 연구 (2) 유행

여러분은 '곤충'하면 어떤 느낌이 드나요? 곤충을 징그럽다고 느끼는 사람도 있고, 귀엽다고 느끼는 사람도 있을 거예요. 혹시 여러분은 곤충을 연구하는 과학자들이 있다는 사실을 알고 있나요? 과학자들 중에는 곤충을 너무나 좋아해서 곤충만 연구하는 과학자들도 있어요. (1번의 근거)
▶곤충만 연구하는 과학자들도 있음.

파브르라는 프랑스의 곤충 과학자는 정말 많은 곤충에 대하여 연구했어요. 파브르는 곤충과 같이 놀아 주는 것을 좋아하였고 곤충이 다치지 않게 조심하며 자세히 관찰했지요. 또한 밖을 걸어 다닐 때에는 곤충을 밟을까 봐 조심조심 다녔다고 해요.
▶곤충을 좋아한 파브르

이러한 파브르는 재미있는 연구도 했어요. 어느 날, 벌집에서 벌을 잡아 아주 멀리 떨어진 곳으로 갔어요. (2번의 근거) 그리고 벌을 풀어 주고 벌이 자신이 살고 있는 벌집으로 잘 찾아가는지 관찰했어요. (3번의 근거) 신기하게도, 벌은 아무리 멀리 떨어져 있어도 벌집에 잘 찾아갔답니다.
▶벌을 연구한 파브르

그리고 패트릭 맨슨이라는 영국의 곤충 과학자는 모기에 대하여 연구했어요. (2번의 근거) 맨슨이 살던 때에는 '말라리아'라는 무서운 질병이 유행했는데, 그때만 해도 왜 말라리아에 걸리는지 알지 못했어요. 그런데 때마침 맨슨의 조수는 모기가 많은 습지에 살았는데, 모기장을 치고 자니 놀랍게도 ㉠말라리아에 걸리지 않았어요. (5번의 근거) 그래서 맨슨은 모기가 말라리아를 옮긴다는 사실을 알게 되었고, 모기의 몸속에서 말라리아의 원인인 기생충을 발견했어요. (4번의 근거) 그 후, 맨슨은 모기가 말라리아를 옮기는 과정을 ㉡밝혀낸 과학자로 알려졌어요. 이렇게 곤충을 연구한 과학자들의 노력으로 우리는 많은 것들을 알게 되었답니다.
▶모기를 연구한 패트릭 맨슨

이렇게 지도해 주세요! 이 글은 곤충을 연구한 대표적인 과학자들에 대하여 설명하는 글입니다. 각 인물들이 연구한 곤충은 무엇이고, 연구의 내용은 무엇인지 이해할 수 있도록 지도해 주세요.
• **주제** 곤충을 연구한 과학자들

1 이 글은 '곤충'을 연구한 과학자들에 대하여 설명하는 글입니다.

2 이 글에 등장한 곤충은 파브르가 연구한 '벌', 맨슨이 연구한 '모기'입니다.

3 파브르는 벌이 아주 '먼' 곳에서도 '벌집'에 잘 찾아가는지 관찰하였습니다.

4 말라리아의 원인은 모기 안에 살고 있는 '기생충' 때문이라는 것을 맨슨이 밝혀냈습니다.

5 모기장을 치면 모기가 그 안으로 못 들어옵니다. 따라서 모기장 안에 있던 조수는 모기에 물리지 않았고 모기가 옮기는 말라리아에 걸리지 않은 것입니다.

6 ㉡은 '진리, 가치, 옳고 그름 등을 판단하여 드러낸'이라는 뜻입니다.

오답 **풀이**
① '감춘'의 뜻입니다.
② '꾸민'의 뜻입니다.
④ '느낀'의 뜻입니다.
⑤ '관련된'의 뜻입니다.

7 이 글은 곤충을 연구한 과학자들에 대하여 설명한 글입니다. 대표적으로 프랑스의 곤충 과학자 파브르와 영국의 곤충 과학자 패트릭 맨슨이 있습니다. 파브르는 '벌'이 아무리 멀리 떨어져 있어도 거리에 상관없이 자신의 벌집으로 잘 찾아가는지를 연구하였고, 맨슨은 모기가 '말라리아'를 옮긴다는 것을 밝혀냈습니다.

생각 글 쓰기

◆ **예시 답안** 파브르는 곤충이 다치지 않게 조심하며 자세히 관찰했고, 밖을 걸어 다닐 때에는 곤충을 밟을까 봐 조심조심 다녔다고 한 것에서 알 수 있다.

이렇게 지도해 주세요! 파브르는 곤충 과학자로 전 생애를 바쳐 곤충을 아끼고 연구한 것으로 알려져 있습니다. 곤충이나 식물 등 자연을 관찰할 때에는 파브르처럼 자연을 사랑하는 마음으로 소중히 아끼는 태도를 가져야 한다는 점을 설명해 주세요.

14회 플라스틱의 쓰임새

▶ 본문 64~67쪽

1 플라스틱 2 ① 3 가볍다 4 재료, 열 5 ③ 6 (개) ○ (내) ○ (대) × 7 신발, 비행선

어휘 다지기 01 (1)-㉢ (2)-㉡ (3)-㉠ 02 (1) 다양 (2) 금속

우리는 플라스틱으로 만든 물건들을 많이 쓰고 있어요. 여러분은 플라스틱이 무엇인지 잘 알고 있나요? 음료수 페트병, 컴퓨터 키보드, 빨대와 같은 일상 용품들을 만드는 데 쓰이는 재료가 바로 플라스틱이에요. (2번의 근거) 플라스틱은 많은 곳에서 정말 다양하게 쓰여요. (1번의 근거) 플라스틱이 어디에 쓰이는지 더 알아볼까요?

▶일상 용품들을 만드는 데 쓰이는 플라스틱

한 유명한 신발 회사에서는 플라스틱 페트병을 녹여서 옷과 신발의 재료를 만드는 기술을 개발했어요. (6번의 근거) 원래 옷이나 신발을 만들 때는 일반적으로 자연에서 얻어 낸 실을 사용하지만, 플라스틱을 녹여서 새롭게 실을 만들게 된 거예요. 더욱 신기한 것은, 플라스틱을 녹인 실로 만든 신발과 옷이 자연에서 얻어 낸 실로 만든 것보다 더 가볍고 좋다고 해요. (3번의 근거)

▶플라스틱을 녹인 실로 만든 옷과 신발

또한, 우주 비행선에도 플라스틱이 쓰여요. (6번의 근거) 원래 우주 비행선에는 금속 같은 무거운 재료를 사용했는데, 요즘에는 플라스틱을 재료로 사용한다고 해요. 그 까닭은 플라스틱을 사용하면 우주 비행선을 더욱 가볍게 만들 수 있고, 뜨거운 열도 잘 견딜 수 있기 때문이에요. (4번의 근거)

▶우주 비행선에 쓰이는 플라스틱

하지만 플라스틱은 오랜 시간이 지나도 잘 썩지 않아요. 그래서 플라스틱을 사용하고 버리면 그 쓰레기가 썩지 않고 계속 남아 있어 환경 오염 문제를 일으키기도 하지요. (6번의 근거) 그러나 썩는 플라스틱이 개발되고 있으니, 곧 환경 오염 문제도 많이 해결될 거예요. (5번의 근거)

▶썩는 플라스틱이 개발되고 있음.

이렇게 지도해 주세요! 이 글은 플라스틱으로 만든 다양한 물건들에 대하여 소개하고 있습니다. 플라스틱으로 만든 물건들의 특징과 플라스틱으로 물건을 만들면 좋은 점을 이해할 수 있도록 지도해 주세요.

• **주제** 플라스틱으로 만든 다양한 물건들

1 이 글의 중심이 되는 낱말은 '플라스틱'입니다.

2 플라스틱을 재료로 만들 수 있는 물건으로 '책'은 알맞지 않습니다. 책은 종이를 재료로 사용하여 만듭니다.

3 플라스틱을 녹여서 만든 신발과 옷은 자연에서 얻어 낸 실로 만든 것보다 더 '가볍다'고 하였습니다.

4 플라스틱을 '재료'로 사용하면 더욱 가볍고 뜨거운 '열'도 잘 견딜 수 있는 우주 비행선을 만들 수 있습니다.

5 이 글의 마지막 부분에서 썩는 플라스틱이 개발되면 환경 오염도 많이 해결될 것이라고 하였습니다.

오답 **풀이**

① 썩는 플라스틱이 튼튼하지 않다는 것은 나타나 있지 않습니다.
② 플라스틱 쓰레기가 분해되어 사라진다고 해서 함부로 버려도 되는 것은 아닙니다.
④ 플라스틱 쓰레기가 분해되어 사라진다고 해서 좀 더 많이 사용해도 되는 것은 아닙니다.
⑤ 썩는 플라스틱이 개발되면 플라스틱 쓰레기가 분해되기 때문에 플라스틱 쓰레기가 지금보다 사라질 것입니다.

6 (개) 플라스틱을 사용하고 버리면 그 쓰레기가 썩지 않고 계속 남아 있어 환경 오염 문제를 일으키기도 한다고 하였습니다.
(내) 우주 비행선에도 플라스틱이 쓰인다고 하였습니다.
(대) 플라스틱을 녹여서 옷과 신발의 재료를 만들었다고 하였습니다.

7 이 글은 플라스틱의 다양한 쓰임새에 대하여 설명하는 글입니다. 플라스틱을 녹인 실로 만든 옷과 '신발', 우주 '비행선'에 쓰이는 플라스틱에 대하여 설명하였습니다. 그리고 플라스틱은 오랜 시간이 지나도 잘 썩지 않지만 썩는 플라스틱이 개발되고 있다고 하였습니다.

생각 글 쓰기

◆예시 **답안** 플라스틱은 오랜 시간이 지나도 잘 썩지 않기 때문이다.

이렇게 지도해 주세요! 플라스틱은 썩지 않기 때문에 환경을 오염시키지만, 오래 쓸 수 있는 장점이 있다는 것을 설명해 주세요. 플라스틱은 싼 가격으로 다양한 모양을 만들 수 있어 여러 가지 생활용품의 재료로도 사용하고 있습니다.

15회 여러 시대의 도자기

▶ 본문 68~71쪽

1 도자기 2 ② 3 ⑤ 4 (1)-㉢ (2)-㉡ (3)-㉠ 5 순수 6 지은
7 고려, 하얀
어휘 다지기 01 (1)-㉢ (2)-㉠ (3)-㉡ 02 (1) 기술 (2) 민족

도자기는 흙을 잘 빚고 구워서 만든 그릇이나 병, 항아리를 말해요. 세계 여러 민족은 오랜 옛날부터 도자기를 만들어 사용해 왔어요. 아주 먼 옛날부터 지금까지 우리 나라에는 어떤 도자기들이 있었을까요?
(6번의 근거 / 1번의 근거)
▶오랜 옛날부터 사용해 온 도자기

아주 먼 옛날, 사람들은 흙을 불에 구우면 꽤 단단해진다는 사실을 알게 되었어요. 이 사실을 알고 난 후 사람들은 그릇, 병, 항아리 같은 모양으로 흙을 빚고 불에 구워서 도자기를 만들었답니다. 이런 도자기를 토기라고 불러요.
(4번, 6번의 근거)
▶흙을 빚고 불에 구워 만든 토기

시간이 많이 흘러서 고려 시대에는 흙을 빚어서 가마에 넣고 구웠어요. 가마 안은 온도가 매우 높아서 도자기를 더욱 단단하게 만들 수 있었어요. 그리고 도자기를 푸른색으로 만드는 기술도 알게 되어, 고려 시대의 도자기는 '고려청자'라는 이름까지 생겼지요. 고려청자에는 구름, 학, 꽃잎 등의 무늬가 선명하고 아름다운 특징이 있어요.
(2번의 근거 / 6번의 근거 / 3번의 근거 / 4번, 6번의 근거)
▶가마에 넣고 구운 푸른색 도자기인 고려청자

하지만 조선 시대에는 도자기를 푸른색으로 만들지 않았어요. 조선 시대에는 순수하고 소박한 느낌을 주는 하얀색 도자기인 '백자'가 인기 있었다고 해요. 그리고 무늬를 넣지 않은 것도 많았는데, 그 까닭은 우리 조상들이 순수한 멋을 좋아하였기 때문이에요. 고려 시대의 청자와 조선 시대의 백자는 온 세계에 널리 알려져 있고 지금도 유명하답니다.
(4번의 근거 / 5번의 근거)
▶순수하고 소박한 느낌을 주는 하얀색 도자기인 백자

이렇게 지도해 주세요! 이 글은 여러 시대의 도자기에 대하여 쓴 글입니다. 각 시대별 도자기들이 어떤 변화를 거쳤고, 어떤 특징이 있는지 알 수 있도록 지도해 주세요.
• **주제** 여러 시대의 도자기

1 이 글은 여러 시대의 '도자기'와 그 특징을 소개하는 글입니다.

2 고려 시대에는 흙을 '가마'에 넣고 구워서 도자기를 만들었다고 하였습니다.

3 고려 시대에는 도자기를 푸른색으로 만드는 기술도 알게 되었다고 하였습니다. 그래서 고려 시대의 도자기는 푸른색으로 만들어져서 '고려청자'라는 이름이 생겼습니다.

4 도자기를 하얀색으로 만든 것은 '백자'이고 도자기에 구름, 학 등의 무늬가 있는 것은 '고려청자'입니다. 그리고 아주 먼 옛날에 흙을 빚고 불에 구워 만든 것은 '토기'입니다.

5 조선 시대에 무늬를 넣지 않은 도자기가 많았던 까닭은 우리 조상들이 '순수'한 멋을 좋아하였기 때문이라고 하였습니다.

6 이 글을 읽고 모든 도자기는 흙으로 만든다는 것을 알 수 있습니다.

오답 **풀이**
나영: 무늬가 선명하고 아름다운 특징이 있는 것은 고려청자라고 하였습니다.
민희: 토기는 아주 먼 옛날 사람들이 흙을 빚고 불에 구워서 만든 도자기입니다.
주호: 도자기를 온도가 매우 높은 가마 안에 넣고 구우면 더욱 단단하게 만들 수 있다고 하였습니다.

7 이 글은 여러 시대의 도자기에 대하여 설명한 글입니다. 아주 먼 옛날에는 흙을 빚고 불에 구워서 토기를 만들었습니다. '고려' 시대에는 푸른색 도자기로 구름, 학, 꽃잎 등의 무늬가 특징인 청자를 만들었습니다. 조선 시대에는 '하얀'색 도자기로 순수하고 소박한 느낌을 주는 백자를 만들었습니다.

생각 글 쓰기

◆예시 **답안** 가마 안은 온도가 매우 높아서 도자기를 더욱 단단하게 만들 수 있기 때문이다.

이렇게 지도해 주세요! 아주 먼 옛날 사람들은 흙을 불에 구우면 단단해진다는 것을 발견하고 토기를 만들었다고 하였습니다. 고려 시대에는 흙을 빚어서 가마에 넣고 구우면 더욱 단단해진다는 것을 알았기 때문에 가마에 넣고 구운 것입니다.

16회 세계 여러 지역의 집

▶ 본문 72~75쪽

1 집 2 ④ 3 물, 벌레 4 ③ 5 ㉰ 6 ④ 7 기둥, 눈, 천막
어휘 다지기 01 (1)-㉠ (2)-㉢ (3)-㉡ 02 (1) 사막 (2) 천막

세계 여러 지역은 집의 모양과 특징이 모두 달라요.(1번의 근거) 왜냐하면 사람들이 살아가는 지역이나 환경 등이 다르기 때문이에요.(2번의 근거)

▶모양과 특징이 다른 세계 여러 지역의 집

정글처럼 비가 많이 오고 더운 지역에서는 나무로 만든 기둥을 물가에 세우고 그 위에 집을 지어요. 그 까닭은 비가 많이 올 때 집에 물이 들어오지 않게 하기 위해서예요.(3번의 근거) 그리고 그렇게 하면 벌레들이 집으로 쉽게 들어오지 못한답니다.(3번의 근거)

▶나무 기둥 위에 집을 짓는 지역

그리고 사막처럼 비가 거의 오지 않고 더운 지역에서는 흙으로 만든 벽돌로 집을 지어요. 사막은 낮에 아주 덥고 햇빛이 강하지만, 밤에는 무척 추워요. 그래서 흙으로 벽돌을 만들어 집을 지으면 낮에는 햇빛을 피할 수 있고, 밤에는 추위를 막을 수 있지요.(4번, 6번의 근거)

▶흙으로 만든 벽돌로 집을 짓는 지역

눈이 많이 오고 추운 지역에서는 통나무로 집을 지어요.(6번의 근거) 나무로 집을 만들면 단열이 잘 되기 때문에 따뜻하여 추위를 잘 견딜 수 있어요. 또한, 가끔씩 멀리 사냥을 하러 가면 ㉠눈을 벽돌 모양으로 잘라서 쌓은 둥근 모양의 집을 만들기도 해요.(5번의 근거) 이러한 집은 추위를 잠시 피하기 위하여 만드는 집이에요.(5번의 근거)

▶통나무와 눈으로 집을 짓는 지역

몽골처럼 풀과 들판이 많은 지역에서는 천막으로 집을 만들어요.(6번의 근거) 왜냐하면 천막은 집을 만드는 다른 재료들에 비해 가볍고, 비와 바람을 잘 막아 주기 때문이에요. 또한, 양을 많이 키우기 때문에 풀을 찾아 이곳저곳 이사를 쉽게 다닐 수 있도록 하기 위해서예요.(6번의 근거)

▶천막으로 집을 짓는 지역

이렇게 지도해 주세요! 이 글은 세계 여러 지역의 집 모양과 특징에 대하여 쓴 글입니다. 글을 읽으면서 각 지역의 집 모양과 각각의 특징 그리고 그렇게 집을 지은 까닭을 알 수 있도록 지도해 주세요.
• **주제** 세계 여러 지역의 집 모양과 특징

1 이 글은 세계 여러 지역의 '집' 모양과 특징에 대하여 쓴 글입니다.

2 사람들이 살아가는 지역이나 환경 등이 다르기 때문에 세계 여러 지역은 집 모양과 특징이 모두 다르다고 하였습니다.

3 비가 많이 오고 더운 지역에서는 비가 많이 올 때 집에 '물'이 들어오지 않게 하고, '벌레'들이 집으로 쉽게 들어오지 못 하게 하기 위하여 기둥 위에 집을 짓습니다.

4 사막에서는 햇빛을 피하고 추위를 막기 위하여 흙으로 벽돌을 만들어 집을 짓는다고 하였습니다.

5 눈을 벽돌 모양으로 잘라서 쌓은 둥근 모양의 집은 ㉰입니다. ㉮는 눈이 많이 오고 추운 지역에서 짓는 통나무 집, ㉯는 사막처럼 비가 거의 오지 않고 더운 지역에서 흙으로 벽돌을 만들어 지은 집입니다.

6 풀이 많으면서 양을 키우는 곳에서는 이사를 쉽게 다닐 수 있도록 천막으로 집을 짓는다고 하였습니다.

오답 풀이
① 물가에 기둥을 세우고 그 위에 집을 짓는 것은 비가 많이 오고 더운 지역입니다.
② 추위를 견디기 위하여 통나무로 집을 짓는 것은 눈이 많이 오고 추운 지역입니다.
③ 잠시 추위를 피하기 위하여 눈을 벽돌 모양으로 잘라 집을 짓는 것은 추운 지역입니다.
⑤ 햇빛을 피하기 위하여 흙으로 만든 벽돌로 집을 짓는 것은 사막 지역입니다.

7 이 글은 세계 여러 지역의 서로 다른 집 모양과 특징에 대하여 설명하는 글입니다. 비가 많이 오고 더운 지역에서는 나무 '기둥' 위에 집을 짓고, 비가 거의 오지 않고 더운 지역에서는 흙으로 만든 벽돌로 집을 짓습니다. 그리고 눈이 많이 오고 추운 지역에서는 통나무나 '눈'으로 집을 짓고, 풀이 많은 지역에서는 '천막'으로 집을 짓는다고 하였습니다.

생각 글 쓰기

◆ **예시 답안** 사람들이 살아가는 지역이나 환경에 알맞게 집을 짓기 때문에 생활하기에 더 좋을 것이다.

이렇게 지도해 주세요! 사막은 낮에 아주 덥고 햇빛도 강하지만, 밤에는 무척 춥다고 하였습니다. 이런 날씨의 큰 변화를 견디며 살기 위하여 더위와 추위를 막아 주는 흙으로 만든 벽돌로 집을 짓는 것이라는 점을 알려 주세요.

17회 물가 친구들을 돕고 싶어요

▶ 본문 76~79쪽

1 강 2 ③ 3 ④ 4 비, 농약 5 먹이 6 ⑤ 7 공장, 쓰레기
어휘 다지기 01 (1)-㉡ (2)-㉠ (3)-㉢ 02 (1) 사용 (2) 착각

여러분은 강에 놀러 가 본 적이 있나요? 강에는 많은 물고기들이 살고, 여러 동물들이 물을 마시고 식물들도 함께 사는 곳이에요. 그런데 요즘 강이 많이 더러워지고 있어요.(1번, 3번의 근거) ▶많이 더러워지고 있는 강

강 주변에는 공장들이 있어요. 공장에서는 사용한 물을 깨끗이 정화해서 강으로 내보내야 하지요. 그런데 몇몇 공장들이 ㉠오염된 물을 몰래 내보내서 강이 오염되고 있어요.(4번, 6번의 근거) 그렇게 오염된 물 때문에 강에 살고 있는 물고기들이 죽기도 해요.(3번의 근거) 그리고 그 물을 마신 동물들은 병이 들어요.(3번의 근거) ▶공장에서 오염된 물을 내보냄.

또 강 주변에서 농사를 짓는 것도 어떤 경우에는 강을 오염시킬 수 있어요. 농사를 지을 때 벌레를 내쫓기 위하여 농약을 사용하는데,(4번의 근거) 비가 내리면 농약이 강으로 흘러들어 갈 수 있어요.(4번의 근거) 농약이 흘러들어 가면 강을 많이 오염시켜요.(4번의 근거) 그래서 많은 물고기들과 물가에 사는 동물들이 아파하게 돼요.(6번의 근거) ▶농사를 지을 때 쓴 농약이 강으로 흘러듦.

그리고 사람들이 강으로 놀러 가서 버린 쓰레기들도 강을 많이 오염시켜요. 사람들이 버린 쓰레기들이 강에 둥둥 떠다니다가, 햇빛을 받으면 썩게 돼요.(3번의 근거) 썩은 쓰레기들은 물을 많이 오염시키고 심지어 물고기들은 쓰레기를 먹이로 착각하고 먹어서 죽기도 해요.(5번의 근거)

우리는 반드시 강을 깨끗하게 지켜야 해요.(6번의 근거) 그렇게 하기 위해서 강에 놀러 가면 쓰레기는 정해진 곳에만 버리는 등 우리들이 할 수 있는 작은 일부터 해 나가는 마음가짐이 가장 중요해요. ▶강에 떠다니는 쓰레기가 썩음.

이렇게 지도해 주세요! 이 글은 강이 오염되는 여러 가지 원인을 말하고 강을 깨끗하게 지켜야 한다고 주장하는 글입니다. 강이 오염되는 원인과 결과의 순서를 알 수 있게 지도해 주세요. 그리고 글쓴이의 주장을 잘 이해할 수 있도록 지도해 주세요.

• **주제** 강을 깨끗하게 지키자.

1 글쓴이는 '강'이 오염되지 않게 깨끗하게 지켜야 한다고 하였습니다.

2 ㉠은 '더럽게 물든.'이라는 뜻입니다. 따라서 '더러운'과 바꾸어 쓸 수 있습니다.

3 쓰레기들은 햇빛을 받으면 썩게 되고 물고기들은 쓰레기를 먹이로 착각하고 먹어서 죽기도 한다고 하였습니다.

4 강 주변에서 농사를 지을 때 농약을 사용하고, 나중에 '비'가 내리면 '농약'이 강으로 흘러들어 가서 강이 오염된다고 하였습니다.

5 강에 둥둥 떠다니는 쓰레기를 물고기들이 먹는 까닭은 물고기들이 쓰레기를 '먹이'로 착각하기 때문입니다.

6 이 글은 강을 깨끗하게 지켜야 한다고 주장하고 있습니다. 이 글을 읽고 말한 것은 강을 깨끗하게 지켜야 하는 것과 관련이 있어야 합니다.

오답 **풀이**
① 강 주변의 공장에서 오염된 물을 몰래 버려서 강을 오염시킨다고 하였으므로, 깨끗하게 하고 있다는 것은 알맞지 않습니다.
② 물고기에게 먹이를 주는 것은 강을 깨끗하게 지키는 것과 관련이 없습니다.
③ 강 주변에서 농사를 지어 농약이 물에 흘러들어 가면 물고기가 잘 살 수 없다고 하였습니다.
④ 강을 지킬 수 있는 일을 해야 하지만, 강에 놀러 가지 않는 것은 알맞지 않습니다.

7 이 글은 강이 오염되는 여러 가지 원인을 말하고 있습니다. 강 주변의 '공장'에서 오염된 물을 내보내는 것, 강 주변에서 농사를 지을 때 농약을 사용하는 것, 강에 떠다니는 '쓰레기'가 썩는 것 등이 강을 오염시키는 원인입니다. 강을 깨끗하게 지키기 위해서 우리들이 할 수 있는 작은 일부터 해 나가는 마음가짐이 가장 중요하다고 하였습니다.

생각 글 쓰기

◆예시 **답안** 강에 놀러 가서 주변에 쓰레기가 있으면 주워서 쓰레기통에 버린다.

이렇게 지도해 주세요! 강을 깨끗하게 지킬 수 있는 여러 가지 방법들을 다양하게 생각하도록 지도해 주세요. 현재 나라에서는 강을 깨끗하게 지키기 위하여 어떤 노력을 하고 있는지 더 알아보는 것도 좋아요.

18회 민달팽이_김혁진

▶ 본문 80~83쪽

1⑤ 2③ 3② 4(1)-㉡(2)-㉠ 5③ 6③ 7서희
어휘 다지기 01 (1)-㉢ (2)-㉡ (3)-㉠ 02 (1) 우당탕우당탕 (2) 요리조리

학교에 갈 때

㉠비가 많이 온다.
2번의 근거
민달팽이가
1번의 근거
벽에 천천히
6번의 근거
느릿느릿 기어간다. ▶1~5행: 민달팽이를 발견함.

우리는 학교로 가고
우리가 가는 곳
빨리빨리 가고
4번의 근거
달팽이는 자기 갈 길을

㉡꿋꿋이 간다.
4번의 근거 ▶6~9행: 학교 가면서 본 민달팽이에 대하여 자신의 느낌을 표현함.

이렇게 지도해 주세요! 이 시는 비 오는 날 학교에 가면서 민달팽이를 본 느낌을 표현한 시입니다. 시를 읽을 때 시의 상황은 어떠한지, 대상에 대하여 시의 주인공이 어떤 정서를 느끼는지 확인할 수 있도록 지도해 주세요.

• **주제** 학교 가는 길에 본 민달팽이

1 이 시는 학교 가는 길에 '민달팽이'를 본 경험에 대하여 쓴 시입니다.

2 이 시의 2행에서 말하는 이는 '비가 많이 온다.'라고 하였습니다.

3 ㉠을 표현할 수 있는 말은 '굵은 물줄기나 빗물 등이 빠르게 자꾸 흐르거나 내리는 소리. 또는 그 모양.'을 뜻하는 '주룩주룩'입니다.

오답 풀이
① '아삭아삭'은 '연하고 싱싱한 과일이나 채소 등을 보드랍게 베어 물 때 자꾸 나는 소리.'를 뜻합니다.
③ '철썩철썩'은 '아주 많은 양의 액체가 자꾸 단단한 물체에 마구 부딪치는 소리.'를 나타내는 말입니다.
④ '퍼덕퍼덕'은 '큰 새가 가볍고 크게 잇따라 날개를 치는 소리. 또는 그 모양.'을 나타냅니다.
⑤ '퐁당퐁당'은 작고 단단한 물건이 잇따라 물에 떨어지거나 빠질 때 가볍게 나는 소리.'를 뜻하는 말입니다.

4 '민달팽이'는 '자기 갈 길을 꿋꿋이 간다.'라고 하였고, '우리'는 '학교로 빨리빨리 간다.'라고 하였습니다.

5 ㉡은 '기개, 의지, 태도나 마음가짐 등이 매우 굳센 태도로.'라는 뜻입니다. 따라서 '어떤 일에 온 정성을 다하여 골똘하게.'라는 뜻의 '열심히'로 바꾸어 쓸 수 있습니다.

오답 풀이
① '힘의 정도가 작게.'라는 뜻입니다.
② '하기가 까다로워 힘에 겹게.'라는 뜻입니다.
④ '기운이나 의욕 등이 없이.'라는 뜻입니다.
⑤ '무엇에 놀라거나 경황이 없어 앞뒤를 생각하거나 사리를 분별할 여유가 없이.'라는 뜻입니다.

6 이 시에서 '민달팽이가 벽에서 기어가는 장면'을 떠올릴 수 있습니다.

오답 풀이
① 이 시에 말하는 이가 밥을 먹는 내용은 나타나 있지 않습니다.
② 말하는 이는 이 시에서 비가 내리고 있다고 하였습니다.
④ 민달팽이는 꿋꿋이 자기 갈 길을 간다고 하였습니다.
⑤ 말하는 이가 학교에 지각하여 혼나는 내용은 이 시에 나타나 있지 않습니다.

7 말하는 이가 민달팽이를 불쌍하게 생각하고 있다는 것은 이 시에 나타나 있지 않습니다.

생각 글 쓰기

✦예시 **답안** 반복되는 말을 사용하면 낱말의 느낌을 더 확실히 느낄 수 있다.

이렇게 지도해 주세요! 말을 반복하는 까닭은 뜻이나 느낌을 강조하고자 하는 의도가 있다는 것을 알려 주세요. 또한 리듬이 느껴지게 하기 위하여 반복을 사용하기도 합니다.

19회 이름 짓기 가족회의_허윤

▶ 본문 84~87쪽

1 이름 2 ㉰ 3 ③ 4 ③ 5 한영이, 두영이, 세영이 6 가족회의, 영, 만장일치

어휘 다지기 01 (1)-㉡ (2)-㉢ (3)-㉠ 02 (1) 시내 (2) 긴장

저녁밥을 먹은 우리 가족은 '방울토마토 삼 형제 이름 짓기' 가족회의를 열었어요. (1번, 3번의 근거)

엄마는 나를 바라보며 씽긋 웃었어요.

"아영아, 하루 종일 쥐어짰는데 겨우 하나 건졌어. ㉠방글, 방실, 방긋 어때? 얘들 모습을 보니까 우리 아영이 어렸을 때 웃던 얼굴이 생각나서 말이야." (2번의 근거)

"여보, 정말 아영처럼 귀여운 이름인데? 우리 아영이 어릴 때 정말 귀여웠잖아. 시내에 데리고 나가면 다들 난리가 났었지."

아빠는 껄껄껄 웃으며 맞장구를 쳤어요. (3번의 근거)

▶엄마는 방울토마토 이름을 방글, 방실, 방긋이라고 지음.

"그럼 이제 아영이 차례네. 두구두구두구!"

신이 난 아빠는 배를 두 손으로 마구 두드렸어요. 내 생각을 말할 차례가 되니까 조금 긴장도 되고 부끄러웠어요. 숨이 가쁜 것 같기도 하고요. (3번의 근거)

"한영이, 두영이, 세영이……." (5번의 근거)

다른 친구들을 보니까 동생이나 언니, 오빠랑 이름 한 글자씩 똑같더라고요. 은비랑 은채, 재현이랑 재성이 오빠, 현아랑 영아 언니……. 그래서 내 이름에 있는 '영' 자에다 하나, 둘, 셋을 붙인 거예요.

▶아영이는 한영이, 두영이, 세영이로 지음.

"우리 아영이의 '영' 자를 돌림자로 썼구나." (3번의 근거)

"와, 제법 기발한데? 아영이랑 방울토마토가 진짜 가족이 된 것 같네. 하하하."

이렇게 해서 ㉡만장일치로 방울토마토 삼 형제의 이름이 한영이, 두영이, 세영이로 확정되었어요. 내 생각이 뽑히니까 기분이 좋아요. (3번의 근거)

▶만장일치로 한영이, 두영이, 세영이로 확정됨.

이렇게 지도해 주세요! 이 글은 방울토마토의 이름을 짓기 위하여 가족들이 즐겁게 가족회의를 하는 모습을 담은 동화입니다. 인물들의 행동과 주인공의 생각에 집중하면서 읽도록 지도해 주세요.

• **주제** 방울토마토 이름 짓기 가족회의

1 아영이네 가족은 방울토마토 삼 형제의 '이름'을 짓기 위하여 가족회의를 열었습니다.

2 엄마는 방울토마토의 모습을 보니까 아영이 어렸을 때 웃던 얼굴이 생각났다고 하였습니다.

오답 풀이

㉮ 아영이가 잘 웃지 않는다는 말은 나타나 있지 않습니다.

㉯ 가족이 항상 웃기를 바란다는 마음을 담았다는 내용은 나타나 있지 않습니다.

㉱ 아영이 이름을 지을 때 후보로 생각했던 이름이었다는 것은 나타나 있지 않습니다.

3 아영이는 자신의 생각을 말할 때 조금 긴장도 되고 부끄러웠다고 하였지만 울지는 않았습니다.

4 ㉡은 '모든 사람의 의견이 같음.'이라는 뜻입니다.

오답 풀이

① '불찬성'을 뜻합니다.

② '이의'의 뜻입니다.

④ '반대'를 뜻합니다.

⑤ '다수결'의 뜻입니다.

5 아영이는 방울토마토의 이름을 '한영이, 두영이, 세영이'로 지었습니다.

6 이 글은 방울토마토 이름 짓기 '가족회의'에 대한 내용이 담긴 동화입니다. 엄마는 방울토마토 이름을 방글, 방실, 방긋이라고 지었고, 아영이는 자신의 이름인 '영' 자에 하나, 둘, 셋을 붙여 지었습니다. 그리고 '만장일치'로 아영이가 지은 이름이 확정되었습니다.

생각 글 쓰기

◆ 예시 **답안** 아영이는 자신의 생각을 말하기 전에 조금 긴장되고 부끄러웠다가 자신의 생각이 뽑혀서 기분이 좋아졌다.

이렇게 지도해 주세요! 인물의 마음이 어떻게 달라졌는지는 인물이 하는 말로 알 수 있습니다. '조금 긴장도 되고 부끄러웠어요.', '내 생각이 뽑히니까 기분이 좋아요.'에서 아영이의 마음 변화를 알 수 있다는 것을 설명해 주세요.

20회 나물 노래_전래 동요

▶ 본문 88~91쪽

1④ 2 꽃다지 3⑤ 4 (1)-㉢ (2)-㉠ (3)-㉡ 5④ 6①

어휘 다지기 01 (1)-㉠ (2)-㉡ (3)-㉢ 02 (1) 꼬불꼬불 (2) 따끔따끔

꼬불꼬불 고사리 이 산 저 산 넘나물
고사리의 특징 – 6번의 근거 '넘다'와 '넘나물'의 첫 글자가 같음.
가자 가자 갓나무 오자 오자 옻나무
○: 글자가 같거나 비슷한 말로 말놀이를 함. – 5번의 근거
말랑말랑 말냉이 잡아 뜯어 꽃다지
말냉이의 특징 – 4번의 근거 꽃다지를 얻는 모양 – 2번의 근거
배가 아파 배나무 따끔따끔 가시나무
가시나무의 특징 – 4번의 근거
바귀바귀 씀바귀 매끈매끈 기름나물
기름나물의 특징 – 4번의 근거
▶ 나물을 캐면서 나물 이름으로 노래를 부름.

이렇게 지도해 주세요! 이 노래는 오래전부터 입에서 입으로 전해 내려온 노래로, 산과 들에서 나물을 캐면서 흥겹게 불렀던 민요입니다. 아이들이 노래의 묘미를 알고 스스로 노래 가사를 만들어 볼 수 있도록 지도해 주세요.
- **주제** 나물의 특징과 이름을 활용한 말놀이

1 이 노래는 다양한 '나물'의 특징과 이름을 활용해서 만든 노래입니다.

2 「나물 노래」를 통해 나물의 특징을 알 수 있는데, 잡아 뜯어 '꽃다지'라고 하였습니다.

3 이 노래에는 다양한 나물이 등장합니다. 따라서 산과 들에서 나물을 캐면서 노래를 부르는 장면을 떠올릴 수 있습니다.

4 (1) '말랑말랑 말냉이'에서 말냉이의 특징을 알 수 있습니다.
(2) '따끔따끔 가시나무'에서 가시나무의 특징을 알 수 있습니다.
(3) '매끈매끈 기름나물'에서 기름나물의 특징을 알 수 있습니다.

5 「나물 노래」는 '가자 가자 갓나무', '오자 오자 옻나무', '배가 아파 배나무'처럼 나물의 이름과 첫 글자가 같거나 비슷한 낱말로 말놀이를 하였습니다. 보기 의 노래 역시 사람의 성과 첫 글자가 같거나 비슷한 낱말로 말놀이를 하였습니다.

오답 **풀이**
① 「나물 노래」는 '꼬불꼬불', '말랑말랑', '따끔따끔'처럼 흉내 내는 말을 사용했지만 보기 의 노래는 흉내 내는 말을 사용하지 않았습니다.
② 「나물 노래」와 보기 의 노래 모두 노랫말로 나물의 맛을 설명하지 않았습니다.
③ 「나물 노래」는 노랫말로 나물의 생김새를 설명했지만, 보기 의 노래는 나물의 생김새를 설명하지 않았습니다.
⑤ 보기 의 노래는 '일하러 가세', '김매러 가세', '조하러 가세', '배 사러 가세'처럼 듣는 이에게 어딘가에 함께 가자고 말했지만, 「나물 노래」는 듣는 이에게 어딘가에 함께 가자고 말하지 않았습니다.

6 보기 에서 나물을 설명하면서 봄이 되면 꼭대기가 꼬불꼬불하게 말린 싹이 돋는다고 하였습니다. 「나물 노래」에서 고사리는 꼬불꼬불하다고 하였으므로 이 노래와 보기 에서 설명한 나물은 고사리입니다.

생각 글 쓰기

◆예시 **답안** 노래를 부를 때 재미있고, 나물의 생김새를 더 실감 나게 말할 수 있기 때문이다.

이렇게 지도해 주세요! 같은 말을 반복하면 리듬이 생겨 노래를 부를 때 재미있고, 나물이 눈앞에 보이는 것처럼 실감 나게 나물의 생김새를 표현할 수 있다고 설명해 주세요.

21회 까치밥

▶ 본문 94~97쪽

1 따뜻 2⑤ 3④ 4⑤ 5④ 6 까치밥, 콩, 벌레

어휘 다지기 01 (1)-㉡ (2)-㉢ (3)-㉠ 02 (1) 생명 (2) 소식

우리 조상들은 까치를 좋은 소식을 전해 주는 동물로 생각했습니다. 그래서 곡식과 열매를 수확하는 가을에 까치를 위해 곡식과 열매를 전부 수확하지 않았습니다. 이는 겨울에 먹이를 구하는 것이 힘들 까치를 위하여 먹을 것을 남겨 주었던 것으로 이것을 '까치밥'이라 부릅니다.(2번의 근거) 물론 이름이 까치밥이라고 해서 까치만 먹었던 것은 아닙니다. 우리 조상들은 까치뿐만 아니라 다른 동물들도 겨울에 굶주리지 않도록 곡식과 열매를 남겨 주었던 것입니다.(3번의 근거)

▶겨울에 새들이 먹을 수 있도록 남겨 놓은 까치밥

우리 조상들은 주로 감나무의 열매를 까치밥으로 남겼습니다. 감나무가 높게 자라서 감을 다 따기 어렵기도 하였지만, 겨울에 까치밥을 먹으러 온 새들이 감나무에서 편히 쉴 수 있도록 해 주었던 것입니다.

▶감나무의 열매를 까치밥으로 남겨 둠.

또, 우리 조상들의 넉넉한 마음과 따뜻함을 느낄 수 있는 이야기도 있습니다. 우리 조상들은 밭에 콩을 심을 때 콩을 한 개씩만 심는 것이 아니라 세 알씩 심었습니다.(2번의 근거) 그 까닭은 첫 번째 콩은 사람들이 먹기 위하여, 두 번째 콩은 동물들이 먹게 하기 위하여, 그리고 마지막 콩은 밭에 있는 벌레들이 먹을 수 있도록 하였던 것입니다.

▶콩 세 알 이야기

이렇게 까치밥과 콩 세 알 이야기를 통하여 우리 조상들의 넉넉한 마음과 ㉠주변의 생명들까지 돌보던 따뜻한 마음을 느낄 수 있지 않나요?(3번의 근거) 우리도 조상들처럼 넉넉하고 따뜻한 마음을 가지고 살아가면 좋겠습니다.(1번의 근거)

▶넉넉하고 따뜻한 마음을 가지고 살아가자.

이렇게 지도해 주세요! 이 글은 까치밥, 콩 세 알 이야기를 예로 들어 우리 조상들의 넉넉하고 따뜻한 마음을 본받자고 주장하는 글입니다. 글쓴이가 말하는 조상들의 넉넉하고 따뜻한 마음을 알 수 있는 부분은 어디인지 찾아보고 글쓴이의 주장에 대한 자신의 생각을 말할 수 있도록 지도해 주세요.

• **주제** 우리 조상들처럼 넉넉하고 따뜻한 마음을 가지자.

1 이 글은 까치밥에 대하여 설명하며 우리 조상들처럼 넉넉하고 '따뜻'한 마음을 가지고 살아가자고 주장하는 글입니다.

2 글쓴이는 까치밥과 콩 세 알 이야기를 통하여 자신의 주장을 펼치고 있습니다.

3 '까치밥'과 콩 '세 알'은 동물들이 먹을 수 있도록 우리 조상들이 남겨 주었던 것들입니다.

4 영서는 도시에서 까치밥이 사라진 까닭은 우리가 사는 방식이 바뀌었기 때문이라고 생각합니다. 옛날에는 많은 사람들이 농사를 지어 그것들 중 조금이라도 까치밥으로 남겼지만, 요즘에는 농사를 많이 짓지 않으므로 까치밥도 사라진 것이라고 생각하는 것입니다.

5 새들이 오지 못하도록 논에 허수아비를 세우는 일은 주변의 생명들까지 돌보던 따뜻한 마음과 관련이 없습니다.

6 이 글에는 동물들이 겨울에 먹을 수 있도록 남겨 주었던 까치밥과 콩 세 알 이야기가 제시되어 있습니다. '까치밥'은 곡식과 열매를 동물들을 위해 남겨 주었던 것이고, '콩' 세 알은 하나는 사람들, 하나는 동물들, 하나는 밭에 있는 '벌레'들이 먹을 수 있도록 심었던 것입니다. 이러한 예를 통하여 우리도 조상들처럼 넉넉하고 따뜻한 마음을 가지고 살아가자는 주장을 하고 있습니다.

생각 글 쓰기

◆예시 **답안** 겨울에 까치밥을 먹으러 온 새들이 감나무에서 편히 쉴 수 있도록 남겨 주었던 것이다.

이렇게 지도해 주세요! 우리 조상들은 까치뿐만 아니라 다른 동물들도 겨울에 굶주리지 않도록 곡식과 열매를 남겨 주었다고 하였습니다. 조상들의 넉넉하고 따뜻한 마음을 느낄 수 있는 것에는 또 무엇이 있는지 이야기하고 생각해 볼 수 있도록 지도해 주세요.

22회 개미와 개미집의 특징

▶ 본문 98~101쪽

1 개미집 2 ③ 3 (1) ㉡ (2) ㉠ 4 ① 5 더듬이 6 털, 물기

어휘 다지기 01 (1)-㉡ (2)-㉢ (3)-㉠ 02 (1) 시력 (2) 식량

꽃밭에 가면 많은 개미들을 볼 수 있어요. 개미를 가까이에서 본 적이 있나요?(1번의 근거) 개미의 몸은 머리 · 가슴 · 배로 나누어져 있고 턱은 잘 발달되어 아주 튼튼해요. 개미는 몸집이 작지만 강한 턱으로 자신보다 커다란 물건을 번쩍 들어 올릴 수 있어요. ▶개미 턱의 특징

개미는 작은 눈이 수없이 달려 있는 겹눈을 가지고 있어요. 하지만 ㉠개미의 시력은 좋지 않아요. 그래서 개미는 앞에 가까이 있는 것도 아주 흐리게 보여요.(2번의 근거) 대신 대상의 움직임은 재빨리 알아차릴 수 있지요. ▶개미 눈의 특징

(3번의 근거) ㉡개미의 더듬이는 앞에 있는 것이 어떤 특징을 가지고 있는지 알게 해 주어요. 만약 사탕이 개미 앞에 있으면 개미는 더듬이로 그 사탕을 먹어도 안전한지, 냄새는 어떠한지 등을 알아보아요. 또한 개미는 더듬이로 다른 개미들과 대화를 나눌 수도 있어요.(5번의 근거) 자신의 더듬이를 다른 개미들의 더듬이와 닿게 하여 다른 개미들과 여러 정보를 주고받는다고 해요.(3번의 근거) ▶개미 더듬이의 특징

그렇다면 개미가 살고 있는 개미집은 어떤 특징이 있을까요? 많은 개미들은 물기가 적당히 있는 진흙 속에 집을 지어요.(2번의 근거) 왜냐하면 개미집에 물기가 너무 없으면 개미들과 애벌레가 물을 제대로 마시지 못하고, 물기가 너무 많으면 개미집에 물이 고이게 되기 때문이에요. ▶개미집의 특징

개미집에는 알을 낳는 여왕개미와 식량을 모으고 사냥도 하며 알을 기르는 등 여러 가지 일을 하는 일개미 그리고 애벌레들이 살아요.(4번의 근거) 일개미들은 개미집 바깥에서 먹이를 가져오기도 하지만, 어떤 개미들은 개미집 안에 곰팡이나 버섯을 키우는 농장을 가지고 있기도 해요. 사람이 농사를 지어 먹을 것을 얻는 것과 같지요. ▶개미집에 사는 개미의 종류

이렇게 지도해 주세요! 이 글은 개미와 개미집의 특징에 대하여 설명하는 글입니다. 개미 몸의 각 부분은 어떤 기능을 하는지, 개미집의 특징은 무엇인지 파악할 수 있도록 지도해 주세요.

• **주제** 개미와 개미집의 특징

1 이 글은 개미와 '개미집'의 특징에 대하여 설명하고 있습니다.

2 개미는 물기가 너무 없지도 않고, 너무 많지도 않은 적당한 진흙 속에 개미집을 짓는다고 하였습니다.

3 다른 개미에게 먹이가 있는 곳을 알려준 것은 '개미의 더듬이'를 사용한 것이고, 개미가 앞에 있는 벌레의 움직임을 알아차린 것은 '개미의 시력'을 사용한 것입니다.

4 개미와 벌은 같은 조상을 가진 곤충들이라고 하였으므로 개미와 벌은 친척 관계라고 할 수 있습니다.

5 개미는 더듬이로 다른 개미들과 대화를 나눈다고 하였습니다. 이상한 개미와 다른 개미들이 말을 제대로 나눌 수 없다고 하였으므로 이상한 개미에게는 '더듬이'가 없다는 것을 알 수 있습니다.

6 이 글은 개미와 개미집의 특징에 대하여 설명하고 있습니다. 개미의 '턱'은 아주 튼튼하고, 개미의 눈은 시력이 좋지 않지만 움직임을 재빨리 알아차리며, 개미는 더듬이로 물체의 특징을 알아내거나 다른 개미들과 정보를 주고받을 수 있습니다. 그리고 개미는 '물기'가 적당히 있는 진흙 속에 개미집을 짓고 개미집에는 여왕개미, 일개미, 애벌레 등이 산다고 하였습니다.

생각 글 쓰기

◆예시 **답안** 개미는 커다란 먹이를 들지 못하여 먹이가 모자라게 될 것이다.

이렇게 지도해 주세요! 개미의 턱은 잘 발달되어 아주 튼튼하고 강해서 자신보다 커다란 물건을 번쩍 들어 올릴 수 있다고 하였습니다. 개미가 이러한 일들을 못 하게 된다면 어떤 어려움이 발생할지 생각할 수 있도록 지도해 주세요.

23회 컴퓨터는 언제 만들어졌을까?

▶ 본문 102~105쪽

1 컴퓨터 2 ④ 3 ① 4 과학 5 키보드 6 에니악, 전선, 열
어휘 다지기 01 (1)-㉢ (2)-㉡ (3)-㉠ 02 (1) 일기 예보 (2) 암호

컴퓨터는 언제 처음 만들어졌을까요? 가장 처음에 만든 컴퓨터는 지금 우리가 사용하는 컴퓨터와 많이 달랐어요. (1번의 근거, 3번의 근거)

▶지금과 다른 처음 만든 컴퓨터

컴퓨터가 만들어진 까닭은 전쟁 때문이었어요. 컴퓨터가 만들어진 것은 1939년부터 1945년까지 일어난 2차 세계 대전 때였지요. 이때 영국은 독일에서 사용하는 암호를 알아내기 위하여 컴퓨터를 만들었어요. 그리고 비슷한 시기인 1946년에는 미국에서 '에니악'이라는 이름을 가진 컴퓨터를 만들었어요. 높이가 5.5미터, 길이 24.5미터, 무게가 30톤이나 되었어요. 에니악은 미국 육군들이 적군의 대포에서 쏜 포탄이 어디로 날아갈지 계산하기 위하여 만들었다고 해요. 하지만 시간이 흐른 후 에니악은 일기 예보나 우주선 연구 등 여러 가지 과학 연구를 위하여 사용되었어요. (3번의 근거, 2번의 근거, 3번의 근거, 3번의 근거, 4번의 근거)

▶컴퓨터가 만들어진 까닭

이러한 컴퓨터들의 사용법은 오늘날의 컴퓨터 사용법과 많이 달랐어요. 오늘날에는 우리가 키보드를 눌러서 글자 등을 입력하지만, 처음 만든 컴퓨터들에는 키보드가 없었어요. 컴퓨터에 무언가를 입력하려면 컴퓨터에 연결된 전선의 위치를 바꿔 주어야 하는 등 불편한 점이 많았어요. 또한 진공관이 번쩍거리고 선이 이리저리 꼽혀 있었으며 소리도 아주 요란했답니다. 그리고 컴퓨터를 작동시키면 컴퓨터에서 엄청난 열이 발생하여 컴퓨터에 불이 나지 않을지 늘 신경을 많이 써야 했어요. (5번의 근거, 3번의 근거)

▶처음 만든 컴퓨터의 사용법과 특징

이렇게 지도해 주세요! 이 글은 컴퓨터가 만들어진 배경과 지금 우리가 쓰는 컴퓨터와 어떤 점이 다른지 설명하고 있습니다. 컴퓨터가 만들어진 시대와 당시의 컴퓨터들이 작동하는 모습을 함께 제시하여 글의 내용을 쉽게 이해할 수 있도록 지도해 주세요.

• **주제** 컴퓨터가 만들어진 까닭과 처음 만든 컴퓨터들의 특징

1 이 글은 처음 만든 '컴퓨터'들의 특징에 대하여 설명하고 있습니다.

2 영국에서 가장 처음으로 컴퓨터가 만들어졌고 이 컴퓨터는 영국이 독일의 암호를 알아내기 위하여 만든 것이라고 하였습니다.

3 에니악은 높이가 5.5미터, 무게가 30톤이었다고 하였습니다.

4 에니악은 나중에 여러 가지 과학 연구를 위하여 사용되었다고 하였습니다. 그리고 슈퍼컴퓨터도 과학 연구에 필요한 계산을 해 주었다고 하였으므로 슈퍼컴퓨터와 에니악의 공통점은 '과학' 연구를 위하여 사용되었다는 것입니다.

5 처음 만든 컴퓨터들에는 '키보드'가 없었기 때문에 무언가를 입력하려면 컴퓨터에 연결된 전선의 위치를 바꿔 주어야 했다고 하였습니다.

6 이 글은 처음 만든 컴퓨터들의 특징에 대하여 설명하고 있습니다. 최초의 컴퓨터는 2차 세계 대전 때 영국이 독일의 암호를 알아내기 위하여 만들었습니다. 1946년에는 미국에서 '에니악'이 만들어졌습니다. 그리고 처음 만들어진 컴퓨터들은 키보드가 없었고 컴퓨터에 무언가를 입력하려면 '전선'의 위치를 바꿔 주어야 했으며, 컴퓨터가 작동할 때 '열'이 많이 발생했다고 하였습니다.

생각 글 쓰기

◆예시 **답안** 컴퓨터를 작동시키면 컴퓨터에서 엄청난 열이 발생하였기 때문이다.

이렇게 지도해 주세요! 처음 만든 컴퓨터는 지금의 컴퓨터와 달리 진공관이 번쩍거리고 선이 꼽혀 있었으며, 작동시키면 엄청난 열이 발생했다고 하였습니다. 현재의 컴퓨터와 다른 점을 중심으로 설명해 주세요.

24회 변기도 예술이 될 수 있을까?

▶ 본문 106~109쪽

1 예술 작품 2 ④ 3 (1) ㉡ (2) ㉠ 4 ③ 5 ⑤ 6 예술가, 변기
어휘 다지기 01 (1)-㉡ (2)-㉠ (3)-㉢ 02 (1) 전시 (2) 다양

예전에는 그림이나 조각만 예술 작품이라고 여겼어요. 하지만 이제는 그림뿐만 아니라 모든 것이 예술 작품이 되는 시대가 되었고 심지어 주변에 있는 물건도 예술 작품이 될 수 있어요. 그리고 이미 100년 전에 변기를 예술 작품으로 전시한 예술가도 있었어요.

1번, 2번의 근거

▶모든 것이 예술 작품이 되는 시기가 됨.

우리는 ㉠멋지고 훌륭한 예술 작품들은 모두 예술가가 직접 만들거나 그려야 한다고 생각해요. 그런데 변기는 예술가가 직접 만들거나 그리지 않은 일상생활 속의 물건이에요. 그렇다면 어떻게 변기가 예술 작품이 될 수 있었을까요? 그 까닭은 예술가마다 자신의 생각을 표현하는 방법이 다르기 때문이에요. 예술가들은 작품을 직접 그리거나 만들기도 하지만, 자신의 몸을 움직이거나 주변의 물건을 사용하여 전시하는 등 아주 다양한 방식으로 자신의 생각을 표현하기도 해요. 그러다 보니 변기라는 물건을 사용해서 자신의 생각을 표현하는 예술가도 나온 것이지요.

4번의 근거 / 5번의 근거

▶변기가 예술 작품이 될 수 있는 까닭

변기를 예술 작품으로 전시한 예술가는 마르셀 뒤샹이라는 사람이에요. 뒤샹은 변기로 자신의 어떤 생각을 표현한 것일까요? 뒤샹은 변기로 '모든 것이 예술 작품이다.'라는 생각을 표현했어요. ㉡예술 작품을 직접 만들거나 그릴 필요가 없다는 뜻이에요. 이렇게 뒤샹이 자신의 자유로운 생각을 변기를 통하여 표현한 덕분에 많은 예술가들이 여러 가지 방법으로 자신들의 생각을 표현하기 시작했어요. 그래서 지금은 예술의 폭이 예전보다 훨씬 넓어졌지요.

1번, 4번의 근거

▶변기를 예술 작품으로 전시한 뒤 변화한 예술에 대한 생각

이렇게 지도해 주세요! 이 글은 모든 것이 예술 작품이 될 수 있다는 것을 설명하는 글입니다. 뒤샹의 생각과 뒤샹 이전과 이후에 예술에 대한 생각이 어떻게 변화하였는지 파악할 수 있도록 지도해 주세요.

• **주제** 모든 것이 예술 작품이 될 수 있다는 생각

1 이 글은 모든 것이 '예술 작품'이 될 수 있다는 생각을 설명하고 있습니다.

2 이 글은 예술 작품에 대하여 예를 들어 설명하고 있습니다.

3 세영이는 두루마리 휴지를 직접 만든 것이 아니지만 어떤 것이든 예술 작품이 될 수 있다는 뜻이므로 ㉡이 알맞습니다. 유명한 화가가 그린 그림은 예술가가 직접 만든 작품이므로 ㉠이 알맞습니다.

4 뒤샹은 직접 만든 작품뿐만 아니라 직접 만들지 않은 것들도 예술 작품이라고 생각하였습니다. 즉, 예술 작품의 범위를 더욱 넓힌 것입니다. 모든 것이 예술 작품이 된다고 한 것에는 여전히 직접 만든 작품들도 포함됩니다.

5 전시관 직원은 뒤샹의 작품인 변기를 예술 작품이 아니라고 생각하였기 때문에 뒤샹의 변기를 치운 것입니다.

오답 **풀이**

① 뒤샹이 전시한 것은 변기입니다.
② 전시관 직원은 변기를 예술 작품으로 생각하지 않았기 때문에 변기가 더럽다고 생각하고 치웠을 것입니다.
③ 뒤샹은 변기를 예술 작품으로 생각하고 전시한 것입니다.
④ 전시관 직원은 변기를 예술 작품으로 생각하지 않았습니다.

6 뒤샹 이전에는 '예술가'는 예술 작품을 직접 만들어야 한다는 생각이 강했습니다. 그러나 뒤샹이 '변기'를 예술 작품으로 전시하면서 모든 것이 예술 작품이 될 수 있다는 생각으로 바뀌었습니다.

생각 글 쓰기

◆예시 **답안** 많은 예술가들이 뒤샹처럼 여러 가지 방법으로 자신들의 생각을 표현하기 시작하였다.

이렇게 지도해 주세요! 뒤샹이 변기로 '모든 것이 예술 작품이다.'라는 생각을 표현한 뒤부터, 많은 예술가들이 예술의 형식에 얽매이지 않고 자유롭게 자신들의 생각을 표현하기 시작했다는 점을 설명해 주세요.

25회 우리 조상들의 염색 기술

▶ 본문 110~113쪽

1 염색 2 ⑤ 3 염료 4 ④ 5 ㉮ 6 ① 7 자연, 푸른

어휘 다지기 01 (1)-㉠ (2)-㉢ (3)-㉡ 02 (1) 조상 (2) 대개

예부터 우리 민족은 하얀 옷을 주로 입었어요. 하지만 우리 조상들은 옷감에 여러 가지 색깔을 물들여서 옷을 만들기도 했어요. 그러면 옛날에는 옷을 염색하는 공장이 없었는데, 우리 조상들은 어떻게 옷을 염색했을까요?

1번의 근거 ▶여러 가지 색깔을 물들여서 옷을 만든 우리 조상들

옷을 염색하는 데에 사용하는 재료를 '염료'라고 해요. 2번의 근거 우리 조상들은 염료를 모두 나무나 꽃 등의 자연에서 얻었어요. 이 염료들은 대개 몸에 좋은 식물에서 얻는 것이기 때문에 우리 몸에도 이롭지요. ㉠염료를 가장 손쉽게 얻을 수 있는 방법은 식물을 이용하는 것이었어요. 왜냐하면, 식물은 매우 다양한 종류가 있어서 여러 가지 색깔의 식물들에서 염료를 손쉽게 얻을 수 있기 때문이에요. 3번의 근거 예를 들어 홍화, 꼭두서니라는 식물로 붉은색을 얻을 수 있고, 쪽으로 푸른색, 2번의 근거 댓잎이나 버드나무 가지로 검은색을 만들 수 있다고 해요. 4번의 근거

▶우리 조상들은 모든 염료를 자연에서 얻음.

그렇다면 염료를 만드는 구체적인 순서는 무엇이었을까요? 쪽으로 푸른색을 만들려고 하면, 먼저 3월에 쪽을 심어야 했어요. 2번, 6번의 근거 그리고 8월에 쪽을 베어서 항아리에 시냇물과 함께 넣고 일주일 동안 기다렸어요. 그 후에 조개껍데기를 구운 가루를 뿌리며 물을 휘저었지요. 그러면 위쪽에는 맑은 물, 아래쪽에는 푸른색 물이 생기는데, 5번의 근거 ㉡그 물로 옷을 푸른색으로 염색했답니다.

▶쪽으로 푸른색 염료를 만드는 구체적인 방법

이렇게 지도해 주세요! 이 글은 우리 조상들의 염색 기술에 대하여 설명하는 글입니다. 우리 조상들이 자연에서 염료를 어떻게 얻었는지 파악할 수 있도록 지도해 주세요.

• **주제** 우리 조상들의 염색 기술

1 이 글은 우리 조상들의 '염색' 기술에 대하여 설명하는 글입니다.

2 쪽으로 푸른색 염료를 만들려면 3월에 쪽을 심고, 8월에 쪽을 베어서 항아리에 시냇물과 함께 넣고 일주일 동안 기다렸다고 하였습니다.

3 식물은 매우 다양하여 여러 가지 색깔의 식물들에게서 '염료'를 손쉽게 얻을 수 있기 때문에 식물을 이용하여 염료를 얻는다고 하였습니다.

4 댓잎과 버드나무 가지로 검은색 염료를 얻을 수 있다고 하였습니다.

5 우리 조상들이 푸른색을 만들 때 마지막 단계에서는 위쪽에는 맑은 물, 아래쪽에는 푸른색 물이 생긴다고 하였습니다.

6 ㉡은 아래쪽에 생기는 푸른색 물로, '쪽'에서 얻은 것입니다.

7 이 글은 옛날 사람들의 염색 기술에 대하여 설명하고 있습니다. 우리 조상들은 모든 염료를 '자연'에서 얻었다고 하였고, 마지막 문단에는 쪽으로 '푸른'색 염료를 만드는 구체적인 방법이 나타나 있습니다.

생각 글 쓰기

◆예시 **답안** 자연에서 얻은 염료는 몸에 좋은 식물에서 얻는 것이므로 몸에도 이롭다.

이렇게 지도해 주세요! 우리 조상들이 염색을 할 때 자연에서 얻은 염료는 나무나 꽃 등의 식물에서 얻는 것이기 때문에 몸에도 이롭다고 하였습니다. 공장에서 사용하는 인공적인 염료보다 환경에도 좋은 영향을 끼칠 것이라고 예상할 수 있습니다. 자연에서 얻은 염료와 공장에서 얻은 염료의 차이점을 생각해 볼 수 있도록 지도해 주세요.

26회 음악가 모차르트의 삶

▶ 본문 114~117쪽

1 모차르트 2 ③ 3 ② 4 사랑(결혼) 5 ④ 6 고향, 빈

어휘 다지기 01 (1)-㉡ (2)-㉠ (3)-㉢ 02 (1) 클래식 (2) 결심

여러분은 '모차르트'라는 사람에 대하여 들어 보았나요? 모차르트는 우리가 알고 있는 클래식 음악들을 정말 많이 만든 음악가예요.(1번의 근거) 모차르트는 250년 전, 오스트리아의 잘츠부르크에서 태어났어요.(2번의 근거) 모차르트의 아버지는 음악가였고 모차르트가 3살 때부터 모차르트에게 음악을 가르쳤어요. 모차르트는 음악적 재능이 아주 ㉠뛰어나서 5살 때부터 노래를 만들기 시작했고, 소년 시절에 음악을 더 배우기 위해 여행을 다녔어요.(2번의 근거)

▶어릴 때부터 음악적 재능이 뛰어났던 모차르트

그러나 모차르트는 항상 즐거운 삶을 산 것은 아니었어요. 모차르트는 여행을 마친 뒤 다시 고향에 돌아왔는데,(2번의 근거) 고향을 다스리는 높은 사람이 모차르트의 음악적 재능을 제대로 알지 못하여 모차르트는 아주 적은 돈을 받을 수밖에 없었어요.(3번의 근거) 결국 모차르트는 고향을 떠나기로 결심했어요.

▶고향에서 음악적 재능을 인정받지 못해 이사함.

모차르트는 오스트리아의 빈으로 이사를 갔어요. 그리고 다행히 빈은 모차르트의 음악적 재능을 제대로 알아주는 곳이었지요.(2번의 근거) 모차르트는 빈에서 아주 유명한 음악가가 되었고, 「피가로의 결혼」, 「마술피리」 등 유명한 작품들을 만들었지요.(2번의 근거) 모차르트는 35살의 나이로 일찍 세상을 떠났지만, 오늘날에도 많은 사람들이 모차르트의 음악을 즐겨 듣고 있어요.

▶모차르트는 빈에서 유명한 작품을 만들고 35살에 죽음.

이렇게 지도해 주세요! 이 글은 음악가 모차르트의 삶에 대하여 설명하는 글입니다. 모차르트가 살아온 과정을 알 수 있도록 지도해 주세요. 모차르트의 음악 작품을 실제로 들려주면 학생들의 흥미를 유발할 수 있습니다.

• **주제** 음악가 모차르트의 삶

1 이 글은 음악가 '모차르트'의 삶에 대하여 쓴 글입니다.

2 모차르트는 여행을 마치고 다시 고향에 돌아왔다고 하였습니다.

3 모차르트는 고향에 돌아왔지만, 고향을 다스리는 높은 사람이 자신의 음악적 재능을 제대로 알지 못하여 고향을 떠났다고 하였습니다.

4 피가로의 결혼과 마술피리의 내용은 모두 남녀의 '사랑(결혼)'에 대한 이야기입니다.

5 '뛰어나다'는 '남보다 월등히 훌륭하거나 앞서 있다.'라는 뜻입니다.

오답 풀이

① '써서'의 뜻입니다.

② '뒤쳐져서'의 뜻입니다.

③ '내려가서'의 뜻입니다.

⑤ '주어서'의 뜻입니다.

6 음악가 모차르트는 오스트리아의 잘츠부르크에서 태어났고, 3살 때부터 아버지께 음악을 배우고, 5살 때 노래를 만들기 시작하였습니다. 모차르트는 여행을 마치고 '고향'으로 돌아왔지만 인정을 받지 못했습니다. 그래서 자신의 재능을 알아주는 '빈'으로 이사를 갔고 거기에서 「피가로의 결혼」, 「마술피리」 등 유명한 작품을 만들었습니다. 모차르트는 35살의 나이로 일찍 세상을 떠났다고 하였습니다.

생각 글 쓰기

◆예시 **답안** 모차르트는 빈으로 이사를 가서 자신의 음악적 재능을 인정받고 유명한 음악가가 되었다.

이렇게 지도해 주세요! 모차르트는 자신의 고향으로 돌아왔지만 음악적 재능을 인정받지 못하자, 빈으로 이사를 가서 유명한 작품들을 만들었다고 하였습니다.

27회 신문 기사는 어떻게 만들어질까?

▶ 본문 118~121쪽

1 신문, 과정 2 ④ 3 ① 4 ㉰, ㉮, ㉱, ㉯ 5 ② 6 인쇄
7 인터뷰, 제목

어휘 다지기 01 (1)-ⓒ (2)-ⓐ (3)-ⓑ 02 (1) 당선 (2) 인터뷰

우리가 읽는 신문 기사는 어떻게 만들어질까요? 신문 기사는 다음과 같이 여러 과정을 거쳐서 만들어져요. (1번의 근거) ▶신문 기사를 만드는 과정

신문의 취재 기자는 신문에 기사로 쓸 만한 것들을 찾아다니면서 여러 정보를 모으고, 여러 사람들과 인터뷰를 해요. 그리고 여러 정보와 인터뷰를 모아서 글을 써요. (2번의 근거) 그렇지만 이 글이 바로 신문 기사가 되는 것은 아니에요. ▶취재 기자가 하는 일

취재 기자가 글을 쓰면 편집 기자가 글을 다시 보면서 틀린 곳은 없는지 확인해 보고, (3번의 근거) 이 글을 신문의 어느 곳에 넣으면 좋을지, (2번의 근거) 신문 기사의 제목은 무엇으로 할지 등을 정해요. 이러한 일은 혼자서 하는 것이 아니라 여러 명의 편집 기자들이 매일 모여서 회의를 하여 정해요. (3번의 근거) ▶편집 기자가 하는 일

그렇게 신문의 내용과 형식이 정해지면 신문을 인쇄하기 시작해요. (3번의 근거) 신문을 인쇄하는 일은 인쇄 기술을 가진 회사에서 맡아요. (2번, 3번의 근거) 그렇게 해야만 많은 양의 신문이 빨리 인쇄되어 다음 날 새벽까지 배달될 수 있기 때문이에요. ▶인쇄 회사가 하는 일

하지만 신문 기사를 빨리 완성하려고 하다가 실수를 하는 경우도 있어요. 1948년에 미국의 한 신문사는 대통령 선거 결과가 아직 나오지 않았는데도 다음 날 신문에 미리 싣기 위하여 '대통령 후보 트루먼이 [㉠]'(이)라고 기사를 썼어요. 그러나 다음 날 대통령으로 당선된 사람은 트루먼이었고, 이 신문사는 트루먼에게 사과를 해야 했어요. (5번의 근거) ▶신문 기사를 빨리 완성하려다가 한 실수의 예

이렇게 지도해 주세요! 이 글은 신문 기사가 만들어지는 과정에 대하여 설명하는 글입니다. 신문 기자들의 역할과 신문이 만들어지는 전체적인 과정을 파악할 수 있도록 지도해 주세요.
- **주제** 신문 기사가 만들어지는 과정

1 이 글은 '신문' 기사가 만들어지는 '과정'에 대하여 설명하는 글입니다.

2 신문의 취재 기자는 여러 정보와 인터뷰를 모아서 신문 기사가 될 글을 쓴다고 하였습니다.

3 신문 기사의 위치, 제목 등을 정하는 편집 기자는 혼자서 하는 것이 아니라 여러 명의 편집 기자들이 매일 모여서 회의를 하여 정한다고 하였습니다.

4 신문 기사는 먼저 취재 기자가 신문에 쓸 여러 정보들을 모읍니다. 다음으로는 취재 기자가 글을 씁니다. 그리고 편집 기자들이 기사의 제목 등을 회의를 하여 정합니다. 마지막으로 인쇄 회사에서 신문을 인쇄합니다.

5 '신문 기사를 빨리 완성하려고 하다가 실수를 하는 경우도 있어요.', '그러나 다음 날 대통령으로 당선된 사람은 트루먼이었고'를 통하여 '대통령 후보 트루먼이 대통령 선거에서 졌다.'라는 잘못된 기사를 썼음을 알 수 있습니다.

6 요즘에는 신문을 '인쇄'하는 회사들이 점점 문을 닫고 있습니다. 그렇게 인터넷으로 신문 기사를 볼 수 있으므로 점점 '인쇄'된 신문을 읽는 사람들이 줄어들고 있다고 할 수 있습니다.

7 이 글은 신문이 만들어지는 과정에 대하여 설명하고 있습니다. 신문 기사가 될 글을 쓰는 신문 취재 기자는 여러 정보와 '인터뷰'를 모아서 글을 쓴다고 하였습니다. 신문 편집 기자는 취재 기자가 쓴 글에서 틀린 곳을 확인하고 신문 기사의 위치와 '제목'을 정한다고 하였습니다. 신문이 완성되면 인쇄 회사에서 신문을 인쇄한다고 하였습니다.

생각 글 쓰기

◆예시 **답안** 많은 양의 신문이 빨리 인쇄되어야만 다음 날 새벽까지 배달될 수 있기 때문이다.

이렇게 지도해 주세요! 신문은 여러 곳에서 많은 사람들이 읽기 때문에 아주 많은 양을 인쇄해야 합니다. 그래서 신문을 인쇄하는 일은 인쇄 기술을 가진 회사에서 맡아야 한다는 점을 설명해 주세요.

28회 옛날 사진_김개미

▶ 본문 122~125쪽

1 사진 2 ⑤ 3 오빠 4 ③ 5 ③ 6 ④ 7 경험

어휘 다지기 01 (1)-㉡ (2)-㉠ 02 (1) 우렁차게 (2) 낄낄거리는데

앨범을 뒤적이다
1번의 근거
㉠배꼽이 빠질 뻔했다 ▶1~2행: 옛날 사진에 있는 아기 모습을 봄.
2번의 근거
기저귀 하나 달랑 찬
못생기고 우락부락한 아기가
양손에 과자를 든 채
2번, 6번의 근거
입을 커다랗게 벌리고
우렁차게 울어 젖혔다
2번의 근거
오빠의 약점을 찾아낸 것 같아
2번의 근거 ▶3~8행: 옛날 사진에 있는 아기가 오빠라고 생각함.
신이 나서 ㉡낄낄거리는데
6번의 근거
㉢어이쿠야, 그게 나라니
3번의 근거 ▶9~10행: 옛날 사진에 있는 아기가 자신인 것을 알고 당황함.

이렇게 지도해 주세요! 이 시는 자신의 옛날 사진을 본 경험을 쓴 시입니다. 시를 읽으며 옛날 사진을 보는 말하는 이의 마음이 어떠할지 알 수 있도록 지도해 주세요.

• **주제** '나'의 옛날 사진을 본 경험

1 이 시의 말하는 이는 옛날 '사진'을 보고 있습니다.

2 앨범 속 아기의 모습에 대한 오빠의 반응은 나타나 있지 않습니다.

오답 **풀이**

① 말하는 이는 앨범을 뒤적이다 배꼽이 빠질 뻔했다고 하였습니다.
② 앨범에 있는 사진의 아기가 양손에 과자를 들고 있다고 하였습니다.
③ 앨범에 있는 사진의 아기가 입을 커다랗게 벌리고 우렁차게 울어 젖혔다고 하였습니다.
④ 말하는 이는 오빠의 약점을 찾아낸 것 같아 신이 나서 낄낄거렸다고 하였습니다.

3 ㉠의 까닭은 기저귀 하나 달랑 찬 못생기고 우락부락한 아기가 '오빠'라고 생각하였기 때문입니다.

4 ㉡은 '웃음을 억지로 참으면서 입 속으로 웃는 소리를 자꾸 내는데.'라는 뜻이므로 웃는 표정이 어울립니다.

5 이 시의 말하는 이는 옛날 사진에 있는 못생기고 우락부락한 아기를 보고 오빠인 줄 알고 낄낄거렸는데, 그 아기는 오빠가 아니라 자신이었습니다.

6 이 시에서 말하는 이는 아기 사진을 보고 오빠인 줄 알고 낄낄거렸는데, 시의 마지막에서 사진에 있는 아기가 오빠가 아니라 자신이었다는 것을 알고 놀라고 당황하였습니다. 하지만 속상한 마음은 나타나 있지 않습니다.

7 보기 의 「잠자는 사자」는 주무시고 계신 아버지의 양말을 벗겨 드린 경험, 「옛날 사진」은 사진을 보고 당황한 경험을 다양한 표현을 사용하여 쓴 시입니다. 이 시들은 말하는 이의 '경험'을 눈에 보이듯이 표현하고 있습니다.

생각 글 쓰기

◆ 예시 **답안** '발이 넓다'는 '아는 사람이 많다.'라는 뜻이다.

이렇게 지도해 주세요! 신체와 관련된 표현을 풍부하게 알려 주고, 그러한 표현의 뜻이 신체의 부분과 어떠한 관련이 있는지 알 수 있도록 지도해 주세요.

29회 풀이래요_손동연

▶ 본문 126~129쪽

1 강아지풀 2 ② 3 ④ 4 붙어 5 ㉢ 6 ⑤

어휘 다지기 01 (1)-㉡ (2)-㉢ (3)-㉠ 02 (1) 올망졸망 (2) 얼기설기

아빠는

날 보고

강아지풀이래요.

아빠 뒤만
3번의 근거
졸래졸래

따라다닌다고
'강아지풀'이라고 불리는 까닭
– 아이고,
2번의 근거
요 귀연 강아지풀아!
아빠가 부르는 말
그래요. ▶1연: '나'를 강아지풀이라고 부르는 아빠

엄마는

날 보고

도깨비바늘이래요.

엄마에게
4번, 5번의 근거
꼬옥 붙어

안 떨어진다고
'도깨비바늘'이라고 불리는 까닭
– 아유,
2번의 근거
요 예쁜 도깨비바늘아!
엄마가 부르는 말
그래요. ▶2연: '나'를 도깨비바늘이라고 부르는 엄마

내가

풀이면

엄마 아빤 들판이지 뭐.

날 안아 주시는…….
5번의 근거 ▶3연: 엄마, 아빠를 들판이라고 하는 '나'

이렇게 지도해 주세요! 이 시는 부모님이 자신을 불러 주는 별명을 말하면서 부모님에 대한 사랑을 드러낸 시입니다. 시를 읽으면서 자신의 경험이나 기억을 떠올릴 수 있도록 지도해 주세요.

• **주제** 부모님과 '나'의 사랑

1 이 시에서 아빠는 '나'를 '강아지풀'이라고 부릅니다.

2 이 시에는 아빠와 엄마가 '나'에게 하는 말을 '아이고, 요 귀연 강아지풀아!', '아유, 요 예쁜 도깨비바늘아!'라고 직접적으로 표현하고 있습니다.

오답 **풀이**
① 이 시에 장소가 나타나 있지는 않습니다.
③ '나'를 '강아지풀', '도깨비바늘'이라고 표현하고 있지만, 부모님을 나무라고 표현하고 있지는 않습니다.
④ 부모님이 '나'의 이름이 아니라 별명을 지은 까닭을 소개하고 있습니다.
⑤ 이 시에는 시간의 흐름이 나타나 있지 않습니다.

3 이 시를 읽고 말하는 이가 아빠 뒤를 따라다니는 장면을 떠올릴 수 있습니다.

오답 **풀이**
① 말하는 이의 동생에 대한 내용은 나타나 있지 않습니다.
② 아빠는 말하는 이를 강아지풀이라고 한다고 하였지만 강아지에 대한 내용은 나타나 있지 않습니다.
③ 말하는 이는 철봉에 매달려 있는 것이 아니라 엄마에게 꼬옥 붙어 안 떨어진다고 하였습니다.
⑤ 말하는 이는 엄마 아빠를 들판이라고 하였지만 친구에 대한 내용은 나타나 있지 않습니다.

4 엄마에게 꼬옥 '붙어' 안 떨어지기 때문에 엄마는 말하는 이를 도깨비바늘이라고 부르는 것입니다.

5 '도깨비바늘'은 엄마에게 꼭 붙어서 안 떨어지는 아이의 모습을 사랑스럽게 표현한 말입니다. 무서운 느낌이 든다는 것은 알맞지 않습니다.

6 보기 에서는 자신의 경험과 기억을 떠올리며 시를 읽는 것을 설명하고 있습니다. 희진이는 할머니께서 자신을 '강아지'라고 부르며 귀여워하신 경험을 떠올리며 시를 읽었습니다.

생각 글 쓰기

◆ 예시 **답안** 들판에서 강아지풀이나 도깨비바늘이 자라는 것처럼 부모님께서 '나'를 길러 주시기 때문이다.

이렇게 지도해 주세요! 이 시에서 엄마와 아빠는 '나'를 '강아지풀'과 '도깨비바늘'이라고 불렀습니다. '나'는 자신이 풀이라면 부모님은 자신을 길러 주시고 안아 주시는 넓은 존재이므로 '들판'이라고 생각한 것입니다.

치과 의사 드소토 선생님_윌리엄 스타이그

▶ 본문 130~133쪽

1② 2② 3여우 4④ 5⑤

어휘 다지기 01 (1)-㉢ (2)-㉠ (3)-㉡ 02 (1) 고루 (2) 명랑

[앞부분 줄거리] 치과 의사 드소토 선생님은 이를 고치는 솜씨가 아주 좋았습니다. 이가 아픈 여우가 찾아왔을 때 열심히 치료했지만 여우는 의사 선생님을 잡아먹으려고 생각했습니다.
1번의 근거

"내일 여우를 못 들어오게 하면 어떨까요?"

부인이 말했어요.

"난 일을 한번 시작했다 하면 끝을 내는 성격이오. 우리 아버지도 그렇게 하셨고." / 선생님이 말했지요.

"하지만 우리 자신을 지키기 위해서는 ㉠무슨 수를 써야만 해요."

부인이 말했어요. 선생님 부부는 계획을 세울 때까지 이야기하고 또 이야기했어요.

"그게 좋겠군." / 하고 선생님은 말하더니, 곧 코를 골며 잠에 빠져들었어요.
좋은 방법을 생각함.
▶선생님 부부는 여우에게서 자신을 지킬 수 있는 계획을 세움.

다음 날 아침, 정확하게 열한 시에 여우가 아주 명랑한 얼굴로 나타났어요. 이는 하나도 아파 보이지 않았지요.
2번의 근거

드소토 선생님이 여우의 입안으로 들어가자 여우가 갑자기 입을 탁 다물었어요. 조금 뒤, 여우는 다시 입을 벌리면서 / "장난이에요, 헤헤!" / 하고 웃어 댔지요.
2번의 근거

"장난치지 말아요. 우리는 지금 치료를 하고 있으니까."

선생님이 호되게 말했어요. 부인은 새 이를 힘겹게 들고 올라왔어요. / "아직 안 끝났습니다."
여우를 혼냄.

선생님은 커다란 병을 들어 올리며 말했어요.
여우의 이가 들러붙게 하는 약이 들어 있는 병

"최근에 아내와 내가 놀라운 약을 만들었는데, 이 약을 한 번만 바르면 죽을 때까지 이가 안 아플 거요. 어때요? 이 특별 치료를 처음으로 받아 보지 않겠습니까?"
▶드소토 선생님이 장난을 치는 여우에게 새로운 약을 권함.

〈중략〉

㉡'아무도 너희를 다시는 만나지 못할걸.'

여우가 속으로 중얼거렸지요. 여우는 방금 이 생쥐 부부를 잡아먹기로 마음먹었으니까요. 그것도 새 이로 말이지요.
1번, 4번의 근거

일을 마친 드소토 선생님은 걸어 나와서 말했어요.

"자, 이제 입을 꽉 다무세요. 그리고 몇 분 동안 그대로 계세요."

여우는 선생님이 시키는 대로 했어요. 조금 뒤에 여우가 입을 벌리려고 했을 때 이가 단단히 들러붙어서 꼼짝도 하지 않았어요!
2번의 근거

"이런, 미안하군요. 미리 말씀을 드렸어야 했는데……. 하루나 이틀 동안 입을 벌릴 수 없을 겁니다. 이 약은 이에 고루 퍼져야 하거든요. 하지만 걱정하지 마세요. 다시는 이가 아프지 않을 테니까요!"

여우는 얼떨떨해서 드소토 부부를 멍하니 바라보았지요. 그러고는 계단을 비틀비틀 내려갔어요.
▶여우는 이가 들러붙어서 드소토 선생님 부부를 잡아 먹지 못함.

이렇게 지도해 주세요! 이 글은 드소토 부부가 지혜를 발휘하여 여우에게 잡아먹힐 위기를 벗어나는 내용입니다. 글을 읽을 때 등장인물의 성격, 심리, 행동을 파악할 수 있도록 지도해 주세요.
• **주제** 여우의 위협에서 벗어난 드소토 부부의 지혜

1 여우는 드소토 선생님을 잡아먹으려는 생각을 하였습니다.

2 다음 날 여우가 다시 치과에 왔을 때 이는 하나도 아파 보이지 않고, 아주 명랑한 얼굴로 나타났다고 하였습니다.

3 드소토 부부가 생각한 ㉠은 드소토 부부를 '여우'가 잡아먹지 못하게 하는 방법입니다.

4 ㉡은 여우가 드소토 부부를 잡아먹을 것이므로, 드소토 부부를 누구도 볼 수 없게 된다는 여우의 속마음입니다.

5 보기는 등장인물의 입장이 되어 글을 읽는 방법입니다. ⑤는 드소토 선생님의 입장이 되어 읽은 것입니다.

생각 글 쓰기

◆예시 **답안** 드소토 부부는 여우가 잡아먹지 못하게 이가 들러붙게 하는 약을 썼다.

이렇게 지도해 주세요! 드소토 부부는 여우의 이를 치료하였지만 여우가 자신들을 잡아먹을 생각을 하고 있는 것을 알고, 이가 들러붙게 하는 약을 써서 위기를 벗어났습니다. 등장인물의 입장이 되어 생각해 볼 수 있도록 지도해 주세요.

31회 우리나라 글자의 역사

▶ 본문 136~139쪽

1 글자 2 ⑤ 3 ④ 4 ⑤ 5 잠, 한자 6 (1) 껑 (2) 비슷하게
7 한자, 훈민정음, 언문
어휘 다지기 01 (1)-㉢ (2)-㉡ (3)-㉠ 02 (1) 불편 (2) 흉내

우리는 매일 말을 하고 글자를 읽습니다. 한글은 우리나라의 고유 문자이지요. 이렇게 우리가 사용하고 있는 한글이 만들어진 것은 약 600년 전입니다. 그렇다면 한글이 만들어지기 전에 우리 조상은 글을 어떻게 썼을까요? (3번의 근거) (1번의 근거) ▶ 한글이 만들어진 때

한글이 없던 시절, 우리 조상은 생각이나 말을 글로 적을 글자를 가지고 있지 않았어요. 그래서 말이나 생각을 글로 쓸 때는 한자를 사용했어요. (2번, 3번의 근거) [㉠], ㉡'물을 마시다'를 글로 쓰려면 '물'이라는 뜻을 가진 한자와 '마시다'라는 뜻을 가진 한자를 함께 쓰는 것이지요. 그러나 '퐁당퐁당', '첨벙첨벙' 같은 흉내 내는 말을 한자로 나타내는 것은 어려웠어요. (3번의 근거) 그래서 흉내 내는 말의 뜻을 가진 한자가 없으면 비슷한 소리를 가진 한자를 빌려 와야 했어요. 예를 들어, 흉내 내는 말인 '첨벙첨벙'을 한자로 쓰려면 '첨'이라고 소리 나는 한자를 가져오고, (5번, 6번의 근거) '벙'이라고 소리 나는 한자는 없으므로 가장 가까운 소리인 '방'이라고 소리 나는 한자를 가져와서 쓰는 거예요. ▶ 한글이 없을 때의 불편함.

이처럼 우리말을 한자로 나타내는 것은 너무나 불편하였기 때문에 세종 대왕은 오랫동안 고민하여 한글을 만들게 됐어요. (2번의 근거) 세종 대왕은 글자를 만들고 '훈민정음'이라는 이름을 붙였어요. (3번의 근거) 훈민정음은 '백성을 가르치는 바른 소리.'라는 뜻이에요. 그 뒤 조선 시대에는 '언문'이라고 불리다가, (3번의 근거) 일제 강점기 때에 '한글'이라는 이름이 붙게 되었어요. '한글'의 '한'은 '크다'는 뜻이므로 '한글'은 '큰 글'이라는 뜻이지요. ▶ 세종 대왕이 훈민정음을 만듦.

이렇게 지도해 주세요! 이 글은 한글이 만들어지기 전에 우리 조상들이 글을 쓴 방법과 한글의 탄생에 대하여 설명하고 있습니다. 우리 조상들이 한자로 글을 쓴 방법을 학생들이 이해하기 쉽게 예를 들어 설명해 주세요.

• **주제** 한글이 있기 전 조상들이 글을 쓴 방법과 한글의 탄생

1 이 글은 우리나라 '글자'의 역사에 대하여 설명하는 글입니다.

2 이 글은 한글이 만들어지기 전에 우리 조상이 글을 쓴 방법과 한글의 탄생에 대하여 설명하였습니다.

오답 풀이
① 한자로 쓴 소설에 대하여 나타나 있지 않습니다.
② 한글의 아름다움보다는 한글이 만들어지기 전에 우리 조상이 한자로 글을 어떻게 썼는지 나타나 있습니다.
③ 이 글은 우리가 사용하는 말을 글로 쓸 때 어떻게 썼고 한글은 어떻게 만들어졌는지에 대하여 설명하는 글입니다.
④ 우리 조상이 사용하였던 글씨체가 아닌 글자에 대하여 설명하고 있습니다.

3 한자로 흉내 내는 말을 나타내는 것은 어렵다고 하였습니다.

4 ㉠ 뒤에 '물을 마시다'를 한자로 쓰는 예가 나왔으므로 ㉠에는 '예를 들어'가 알맞습니다.

5 이 글에 따르면 '잠을 자다'를 글로 쓰려면 '잠'이라는 뜻을 가진 '한자'와 '자다'라는 뜻을 가진 한자를 써야 합니다.

6 이 글에 따르면 '껑'이라고 읽히는 한자는 없기 때문에 가장 '비슷하게' 소리 나는 '강'이라는 한자를 쓴 다음, '충'이라고 소리 나는 한자를 가져와서 쓰면 됩니다.

7 한글이 만들어지기 전에는 '한자'를 사용하여 글을 썼습니다. 이를 불편하게 여긴 세종 대왕은 '훈민정음'이라는 글자를 만들었습니다. 그리고 한글은 조선 시대에는 '언문'이라고 불렸고, 일제 강점기 때에 우리 민족의 글이라는 뜻에서 '한글'이라는 이름이 붙게 되었습니다.

생각 글 쓰기

◆ 예시 **답안** '한글'은 '큰 글'이라는 뜻이다.

이렇게 지도해 주세요! 세종 대왕이 처음 우리 글을 만들었을 때에는 이름이 '훈민정음'이었다가, '언문'이라는 이름을 거쳐 '큰 글'이라는 뜻에서 '한글'이라는 이름이 붙게 되었다고 하였습니다.

32회 새로운 다섯 자리 우편 번호

▶ 본문 140~143쪽

1 우편 번호 2 ④ 3 043, 83 4 배달 5 준호 6 07223
7 다섯, 앞, 지역
어휘 다지기 01 (1)-㉡ (2)-㉢ (3)-㉠ 02 (1) 배달 (2) 지역

'04383'이라는 숫자의 정체는 무엇일까요? 바로 서울에 있는 국립 중앙 박물관의 '우편 번호'예요. 우편 번호는 우편이나 물건을 배달받기 위한 주소를 나타내는 번호이지요.(4번의 근거) 예전에는 우편 번호가 여섯 자리였는데, 2015년 8월 1일부터 다섯 자리로 새롭게 바뀌었어요.(1번, 2번의 근거) 이렇게 다섯 자리로 바뀌면서 예전보다 우편 번호를 기억하기 쉬워졌다고 해요.(5번의 근거)

▶다섯 자리로 바뀐 우편 번호

그럼, 우편 번호 다섯 자리가 어떤 정보를 담고 있는지 살펴볼까요? 먼저 우편 번호 앞 세 자리는 지역을 나타내요.(2번, 5번의 근거) 지역이 다르면 우편 번호 앞 세 자리도 달라지지요. 예를 들어 국립 중앙 박물관은 서울특별시 용산구에 있어요. 용산구에는 우편 번호의 앞 세 자리를 043으로 쓰는 곳이 있고, 044로 쓰는 곳이 있어요. 국립 중앙 박물관은 043으로 쓰는 곳에 위치하고(3번의 근거) 있기 때문에 우편 번호 앞 세 자리가 043이 돼요.

▶우편 번호 앞 자리의 의미

다음으로 우편 번호의 뒤 두 자리는 지역을 백 개로 나누고 00부터 99까지 번호를 붙인 거예요.(2번의 근거) 예를 들면, 서울특별시 용산구라는 지역을 백 개로 나누고 00부터 99까지 번호를 붙인 것이지요. 그리고 그 백 개의 번호 중에서 국립 중앙 박물관은 83으로 쓰는 곳에 위치하고(3번의 근거) 있어서 우편 번호의 뒤 두 자리를 83으로 써요. 즉, 국립 중앙 박물관은 [㉠]에 있는 거예요.

▶우편 번호 뒤 두 자리의 의미

이렇게 지도해 주세요! 이 글은 우편 번호 다섯 자리에 대하여 설명하고 있는 글입니다. 우편 번호 다섯 자리가 담고 있는 정보에 대하여 쉽게 이해할 수 있도록 설명하고 지도해 주세요.

• **주제** 새로운 다섯 자리 우편 번호의 특징

1 이 글은 새로운 다섯 자리 '우편 번호'에 대하여 설명하고 있는 글입니다.

2 국립 중앙 박물관뿐만 아니라 모든 곳이 다섯 자리 우편 번호를 사용합니다.

3 국립 중앙 박물관은 우편 번호의 앞 세 자리를 '043'으로 쓰고, 뒤 두 자리를 '83'으로 쓰는 곳에 있다고 하였습니다.

4 '물건을 가져다가 몫몫으로 나누어 돌림.'이라는 뜻을 가진 낱말은 '배달'입니다.

5 우편 번호가 다섯 자리로 바뀌어서 불편한 사람들이 많아졌다는 내용은 나타나 있지 않습니다.

오답 풀이
미정: 우편 번호의 앞 세 자리는 지역을 나타낸다고 하였습니다.
윤아: 우편 번호에는 지역에 대한 정보가 있으므로 처음 가는 곳을 찾을 때 도움이 될 것입니다.
하영: 우편 번호의 자릿수가 여섯 자리에서 다섯 자리로 바뀌면서 예전보다 기억하기 쉬워졌다고 하였습니다.

6 ㉮는 우편 번호의 앞 세 자리를 072로 쓰는 곳에 위치하고 있고, 우편 번호의 뒤 두 자리는 23을 쓴다고 하였으므로 ㉮의 우편 번호는 '07223'입니다.

7 이 글은 '다섯' 자리 우편 번호의 특징에 대하여 설명하였습니다. 국립 중앙 박물관의 우편 번호를 통하여 우편 번호 '앞' 세 자리는 지역을 나타내고 우편 번호 뒤 두 자리는 '지역'을 백 개로 나누고 번호를 붙인 것이라고 하였습니다.

생각 글 쓰기

◆ **예시 답안** 편지나 택배 등을 배달하는 분들의 일이 예전보다 쉬워졌을 것이다.

이렇게 지도해 주세요! 우편 번호의 자릿수가 여섯 자리에서 다섯 자리로 바뀌면서 더 기억하기 쉬워졌다고 하였습니다. 다른 장소를 예로 들어 우편 번호로 지역을 알아보고 우편 번호가 어떤 편리함을 주는지 설명해 주세요.

33회 봄에 꽃샘추위가 자주 발생하는 까닭

▶ 본문 144~147쪽

1 꽃샘추위 2 ③ 3 (1) 따뜻한 (2) 덜 추운 4 ③ 5 ㉡ 6 까닭, 지구 온난화, 제트

어휘 다지기 01 (1)-㉢ (2)-㉡ (3)-㉠ 02 (1) 계절 (2) 이동

3~4월은 추운 겨울이 지나고 봄이 오는 계절이지요. 하지만 봄이 왔다고 하여 안심할 수는 없어요. 왜냐하면 봄이라도 매일 따뜻하지는 않기 때문이지요. 봄은 따뜻하다가도 갑자기 며칠은 겨울만큼 추운 날도 있어요. 이렇게 봄에 찾아오는 추위를 '꽃샘추위'라고 부르는데, 꽃샘추위가 해마다 더욱 심해지고 있다고 해요.(1번, 2번의 근거) 꽃샘추위는 왜 찾아오고, 왜 더욱 심해지는 것일까요? ▶꽃샘추위의 뜻

중국 북쪽에는 시베리아라는 매우 추운 곳이 있는데,(2번의 근거) 그곳의 공기는 매우 차가워요. 차가운 공기는 따뜻한 곳으로 움직이기 때문에, 시베리아보다 덜 추운 우리나라 쪽으로 차가운 공기가 움직이지요.(3번의 근거) 특히 꽃이 피기 시작하는 3~4월에 이 차가운 공기가 우리나라로 많이 내려와 추워지게 되는데 이 추위가 바로 꽃샘추위에요. ▶꽃샘추위가 생기는 까닭

요즘 꽃샘추위가 더욱 심해지는 까닭은 무엇일까요? 그것은 환경이 파괴되었기 때문이에요.(4번의 근거) 우리가 자동차를 타거나 공장에서 물건을 만들 때 내뿜는 열이 지구를 뜨겁게 만드는데, 이것을 '지구 온난화'라고 해요.(2번의 근거) 그런데 이 지구 온난화가 점점 심해지고 있는 거예요. ▶심해지고 있는 지구 온난화

우리나라 북쪽에는 '극 제트'라는 공기 흐름이 있어요.(2번의 근거) 「극 제트는 북극과 시베리아의 차가운 공기가 내려오는 것을 막아 주는데, 지구 온난화 때문에 극 제트가 약해진다고 해요.(2번, 5번의 근거) 그래서 북극과 시베리아의 찬 공기가 잘 이동할 수 있고, 이 때문에 꽃샘추위가 더욱 심해지고 있어요.」(「」: 4번의 근거) ▶꽃샘추위가 심해지는 까닭

이와 같이 지구 온난화가 계속되면 꽃샘추위도 더욱 심해질 것이고, 우리나라는 봄이 없어지게 될 수도 있다고 해요. 우리는 봄을 지키기 위하여 환경을 지켜야 해요. ▶봄을 지키는 방법

이렇게 지도해 주세요! 이 글은 봄에 꽃샘추위가 발생하여 심해지는 까닭에 대하여 설명하고, 환경을 지켜야 한다고 주장하는 글입니다.

- **주제** 꽃샘추위가 발생하는 까닭과 더욱 심해지는 까닭

1 이 글은 봄에 우리나라에 '꽃샘추위'가 발생하는 까닭과 꽃샘추위가 더욱 심해지는 까닭에 대하여 설명하고 있습니다.

2 시베리아는 중국 북쪽에 있다고 하였습니다.

3 차가운 공기는 '따뜻한' 곳으로 이동하는 성질이 있습니다. 그래서 시베리아보다는 '덜 추운' 우리나라 쪽으로 차가운 공기가 이동합니다. 이 때문에 발생하는 추위를 꽃샘추위라고 부릅니다.

4 꽃샘추위가 더욱 심해지는 까닭은 사람이 환경을 파괴하여 지구의 온도가 올라가 차가운 공기를 막아 주는 극 제트가 약해지기 때문이라고 하였습니다.

오답 풀이
① 나무보다 꽃을 많이 심는 것은 꽃샘추위와 관련이 없습니다.
② 꽃샘추위가 점점 심해지기 때문에 봄이 사라지고 있는 것입니다.
④ 시베리아 지역의 공사에 대한 내용은 나타나 있지 않습니다.
⑤ 자동차와 공장의 매연을 줄인다면 지구 온난화를 막을 수 있어서 꽃샘추위가 점점 발생하지 않을 것입니다.

5 지구가 뜨거워지는 지구 온난화 때문에 극 제트가 점점 약해진다고 하였습니다.

6 꽃샘추위가 발생하는 '까닭'은 시베리아의 차가운 공기가 우리나라로 내려오기 때문입니다. 그리고 꽃샘추위가 더욱 심해지는 까닭은 '지구 온난화' 때문에 극 '제트'가 약해져 북극과 시베리아의 차가운 공기가 더 잘 내려오기 때문입니다.

생각 글 쓰기

◆ **예시 답안** 추운 날이 길어져서 봄이 사라지게 될 것이다.

이렇게 지도해 주세요! 지구 온난화로 인해 꽃샘추위가 더욱 심해지면 추운 날이 길어지면서 봄이 점점 짧아지게 될 것입니다. 이를 막기 위하여 우리는 환경을 지켜야 한다는 점을 설명해 주세요.

34회 에어프라이어

▶ 본문 148~151쪽

1 에어프라이어 2 ④ 3 기름, 공기 4 ⑤ 5 ③ 6 ④ 7 이름, 기름, 장점

어휘 다지기 01 (1)-㉡ (2)-㉠ (3)-㉢ 02 (1) 장점 (2) 수분

'에어프라이어'는 공기라는 뜻을 가진 영어 'Air'와 튀기는 도구라는 뜻을 가진 영어 'Fryer'를 합쳐서 만들어진 이름이에요. 에어프라이어는 무엇이고, 어떻게 작동하는지 알아볼까요? (1번, 2번의 근거) ▶에어프라이어의 이름

음식을 튀기려면 음식에 튀김 가루를 뿌리고, 아주 뜨거운 기름에 넣어야 해요. 음식이 뜨거운 기름에 들어가면 수분이 날아가게 되는데, 음식의 수분이 날아가면 음식이 바삭해져요. 그래서 사람들은 음식의 바삭한 맛을 즐기기 위해 튀김을 먹어요. ▶기름으로 음식을 튀기는 원리

그런데 에어프라이어는 기름을 쓰지 않고 음식을 튀기는 기계예요. 에어프라이어에는 뜨거운 공기가 나오는 곳이 있는데, (4번의 근거) 기름 대신 뜨거운 공기가 음식의 수분을 날아가게 하여 (3번, 5번의 근거) 음식이 바삭해지는 거예요. 뜨거운 공기가 에어프라이어의 바닥과 벽에 부딪히면서 음식의 구석구석 골고루 닿게 되어 음식이 잘 튀겨지게 돼요. (4번의 근거) ▶에어프라이어의 작동 원리

에어프라이어로 튀긴 음식의 맛은 어떨까요? 신기하게도 기름으로 튀긴 음식과 거의 비슷한 맛을 내요. (4번의 근거) 하지만 더 튀김 같은 맛을 내려면 음식에 기름을 약간 발라서 에어프라이어에 넣으면 돼요. (6번의 근거) 에어프라이어는 기름으로 음식을 튀길 때보다 기름을 훨씬 적게 쓰거나 전혀 쓰지 않는다는 장점이 있어 (4번의 근거) 점점 더 많은 가정에서 사용하고 있어요. (4번의 근거) 또한 기름에 튀긴 음식보다 에어프라이어로 튀긴 음식이 열량도 더 낮지요. ▶에어프라이어의 장점

이렇게 지도해 주세요! 이 글은 에어프라이어의 작동 원리에 대하여 설명하는 글입니다. 에어프라이어의 작동 원리를 설명해 주고, 에어프라이어로 음식을 튀기는 것과 기름으로 음식을 튀기는 것의 특징을 비교하여 알 수 있도록 지도해 주세요.
- **주제** 에어프라이어가 음식을 튀기는 방법

1 이 글은 '에어프라이어'에 대하여 설명하는 글입니다.

2 이 글에서는 에어프라이어가 음식을 튀기는 방법에 대하여 설명하고 있습니다.

3 에어프라이어는 '기름'을 쓰지 않고 뜨거운 '공기'로 음식을 튀기는 기계라고 하였습니다.

4 에어프라이어로 만든 튀김의 맛은 뜨거운 기름에 튀긴 음식의 맛과 거의 비슷하다고 하였지만, 더 바삭한 맛을 내려면 음식에 기름을 약간 발라 주어야 한다고 하였습니다. 따라서 에어프라이어로 만든 튀김이 기름에 튀긴 음식보다 더 바삭하다고 할 수는 없습니다.

5 에어프라이어에서 나오는 뜨거운 공기가 음식의 수분을 날아가게 하여 음식을 바삭하게 하는 것입니다.

6 에어프라이어로 더 바삭하고 맛있게 하려면 음식에 기름을 약간 바르고 에어프라이어에 넣어야 한다고 하였습니다.

7 이 글의 첫 부분에는 에어프라이어라는 '이름'의 뜻이 나타나 있습니다. 그리고 '기름'으로 음식을 튀기는 방법, 에어프라이어로 음식을 튀기는 방법에 대하여 알려 주었습니다. 마지막 부분에는 에어프라이어의 '장점'을 설명하며 에어프라이어를 점점 더 많이 사용하고 있다고 하였습니다.

생각 글 쓰기

◆예시 **답안** 에어프라이어로 튀긴 음식은 기름이 없거나 많지 않아 건강에 더 좋을 것이다.

이렇게 지도해 주세요! 에어프라이어로 튀긴 음식은 기름으로 튀긴 음식보다 기름이 적게 들어간다는 장점이 있다고 하였습니다. 기름을 적게 쓴다면 기름에 튀긴 음식보다 느끼하지 않고 건강에도 좋을 것입니다.

35회 태풍은 왜 생길까?

▶ 본문 152~155쪽

1⑤ 2㉢ 3① 4 서쪽에서 동쪽으로, 동쪽으로 5 서준
6 자전, 방향

어휘 다지기 01 (1)-㉢ (2)-㉡ (3)-㉠ 02 (1) 수증기 (2) 주변

여름에 뉴스를 보면 우리나라로 태풍이 다가오고 있다는 내용을 자주 볼 수 있어요. / 태풍은 무엇일까요? 바닷물은 햇빛을 받아서 뜨거워지면 수증기가 되고, 이때 바다 주변의 뜨거운 공기가 위로 올라가면서 수증기가 된 바닷물도 같이 올라가요.(2번의 근거) 그렇게 수증기들은 많이 모여서 큰 구름이 되어 비바람을 몰고 다니는 회오리가 되기도 하는데, 이런 회오리를 태풍이라고 부르지요. 그렇다면 태풍은 어떻게 생기는 것일까요? ▶태풍이 만들어지는 과정

태풍은 중국 남쪽의 바다에서 자주 생기는데,(1번의 근거) 여름에 우리나라까지 올라와 우리나라로 태풍이 자주 오게 되는 거예요.(3번의 근거 / 3번, 5번의 근거) 여름에 태풍이 우리나라까지 올라오는 까닭은 무엇일까요?(1번의 근거) 그것은 지구가 자전하기 때문이에요. 자전은 지구가 매일 한 바퀴씩 도는 것을 말한답니다.(3번의 근거) ▶태풍이 우리나라까지 올라오는 까닭

지구는 서쪽에서 동쪽으로 돌기 때문에(4번, 5번의 근거) 북쪽이나 남쪽으로 날아가는 물체는 원래 방향보다 약간 동쪽으로 휘어지게 돼요.(4번의 근거) 예를 들어 우리가 왼쪽에서 오른쪽으로 뱅글뱅글 돌면서 공을 앞쪽으로 던진다면 공은 앞쪽을 향해 정확히 날아가지 않는답니다. 그 까닭은 우리가 오른쪽으로 돌고 있기 때문에 공이 날아가는 방향이 오른쪽으로 살짝 휘게 되고, 실제로 공은 원래 던지려던 앞쪽보다 약간 오른쪽으로 날아가게 되는 거예요. ▶지구의 자전

태풍도 마찬가지예요. 중국 남쪽 바다에서 태풍이 만들어졌다면 태풍은 북쪽인 중국 대륙 방향으로 이동하는데, 지구의 자전 때문에 태풍의 방향이 동쪽으로 살짝 휘어져서(5번의 근거) 북동쪽에 있는 우리나라까지 오게 되는 것이지요.(3번의 근거) ▶지구의 자전이 태풍에 미치는 영향

이렇게 지도해 주세요! 이 글은 태풍이 만들어지는 과정에 대하여 설명하는 글입니다. 지구의 자전 때문에 태풍의 방향이 바뀌는 것을 이해할 수 있도록 예를 들어 설명해 주세요.

• **주제** 태풍이 만들어지는 과정과 우리나라까지 올라오는 까닭

1 이 글은 태풍이 생기는 과정과 우리나라까지 올라오는 까닭에 대하여 설명하고 있습니다.

오답 풀이

① 이 글에는 태풍이 불 때 나타나는 여러 가지 모습에 대하여 나타나 있지 않습니다.

② 이 글에서는 태풍이 만들어지는 과정을 연구한 과학자에 대하여 설명하고 있지 않습니다.

③ 이 글에는 태풍의 피해를 막기 위한 여러 가지 방법들에 대하여 나타나 있지 않습니다.

④ 이 글에서는 태풍이 우리나라까지 올라와서 좋은 점과 나쁜 점에 대한 내용은 나타나 있지 않습니다.

2 바닷물이 뜨거워지면 수증기가 생기고 그 주변 공기가 뜨거워집니다. 그리고 수증기가 뜨거운 공기와 함께 올라가서 큰 구름이 된다고 하였습니다.

3 지구의 자전 때문에 태풍이 사라진다는 내용은 나타나 있지 않습니다.

4 지구가 매일 서쪽에서 동쪽으로 돌기 때문에 날아가는 물체의 방향은 동쪽으로 휘어진다고 하였습니다.

5 이 글에는 태풍의 여러 가지 종류에 대하여 나타나 있지 않습니다.

6 이 글은 태풍이 생기는 과정에 대하여 말하고, 태풍이 우리나라까지 올라오는 까닭을 설명하고 있습니다. 이를 위해 지구의 '자전'에 대하여 설명하고, 지구의 자전 때문에 날아가는 물체의 '방향'이 휘는 현상에 대하여 알려 주었습니다. 이를 바탕으로 지구의 자전 때문에 태풍이 우리나라로 올라온다고 하였습니다.

생각 글 쓰기

✦예시 **답안** 태풍의 방향이 휘지 않아서 북쪽인 중국 대륙 방향으로 갈 것이다.

이렇게 지도해 주세요! 지구가 서쪽에서 동쪽으로 자전을 하기 때문에 태풍의 방향이 살짝 휘어서 북동쪽인 우리나라로 올라온다고 하였습니다. 그런데 지구가 자전을 하지 않는다면 방향이 휘지 않아서 북쪽인 중국 대륙 방향으로 갈 것이라고 설명해 주세요.

36회 악기의 종류

▶ 본문 156~159쪽

1 악기 2 ⑤ 3 ① 4 컴퓨터 5 ② 6 ③ 7 종류, 관, 타, 전자
어휘 다지기 01 (1)-㉢ (2)-㉡ (3)-㉠ 02 (1) 진동 (2) 연주

악기를 연주하거나 들어 본 적이 있나요? 악기의 종류는 정말 많아요. 1번, 2번의 근거 악기의 종류는 크게 현악기, 관악기, 타악기로 나눌 수 있지요. ▶악기의 종류

먼저 현악기는 줄을 이용하여 소리를 내는 악기를 말해요. 2번의 근거 악기에 있는 줄을 문지르거나 당겨서 소리를 낼 수 있어요. 3번의 근거 현악기에는 기타, 바이올린, 가야금, 거문고 등이 있어요. 그리고 관악기는 관처럼 생긴 악기로, 우리가 숨을 내쉬면서 관을 진동시켜서 소리를 내는 악기를 말해요. 2번의 근거 입으로 부는 피리, 리코더, 나팔, 플루트, 트럼펫 등이 있어요. 다음으로 타악기는 두드리거나 쳐서 소리를 내는 악기를 말해요. 2번의 근거 타악기에는 북, 트라이앵글, 캐스터네츠 등이 있어요. 3번의 근거 ▶현악기, 관악기, 타악기의 특징

그런데 요즘에는 컴퓨터 기술이 발달하여 '전자 악기'라는 것이 등장했어요. 전자 악기는 컴퓨터를 이용하여 온갖 소리들을 합치거나 뺄 수 있어서 새로운 소리를 만들 수 있지요. 4번의 근거 대표적인 전자 악기로는 신시사이저가 있어요. 2번의 근거 ▶전자 악기의 특징

또한 기술의 발달로 음악은 많이 다양해졌어요. ㉠현악기, 관악기, 타악기들과 함께 전자 악기를 사용하여 만든 곡들도 많이 나오고 있어요. 현악기 연주에 전자 악기 음을 넣어 만든 음악이나 고전 음악을 전자 악기로 편집하여 새롭게 만든 음악 등 기술의 발달로 수많은 음악들이 만들어지고 있어요. 5번의 근거 이렇게 다양한 악기로 만든 음악은 또 무엇이 있을지 찾아볼까요? ▶기술의 발달이 음악에 미치는 영향

이렇게 지도해 주세요! 이 글은 여러 가지 악기의 종류와 컴퓨터를 사용하여 새롭게 만들어진 악기에 대하여 설명하고 있는 글입니다. 각 종류의 악기들이 소리를 내는 방법과 음악의 변화도 함께 알 수 있도록 지도해 주세요.

• **주제** 악기의 종류

1 이 글은 악기의 '종류'에 대하여 설명하고 있는 글입니다.

2 타악기는 두드리거나 쳐서 소리를 내는 악기라고 하였습니다. 컴퓨터 기술이 발달하여 등장한 악기는 전자 악기입니다.

3 윤서는 두드리거나 쳐서 나는 소리로 음악을 만들 것이라고 하였기 때문에 타악기를 사용할 것입니다. 혜리는 줄을 이용하여 소리가 나는 악기를 사용한다고 하였으므로 현악기를 사용할 것입니다. 따라서 윤서는 타악기 중 하나인 북, 혜리는 현악기 중 하나인 기타를 사용하는 것이 알맞습니다.

4 전자 악기는 '컴퓨터'를 이용하여 온갖 소리들을 합치거나 뺄 수 있어서 예전에는 존재하지 않았던 새로운 소리를 만들 수 있다고 하였습니다.

5 ㉠은 현악기, 관악기, 타악기들과 함께 전자 악기를 사용하는 것입니다. 그러나 현악기인 바이올린과 첼로 연주로 만든 음악은 전자 악기를 사용하지 않은 것입니다.

6 악기를 누르면 소리가 나고 흰색과 검은색 건반으로 이루어진 악기는 '피아노'입니다.

오답 풀이
① 기타는 악기에 있는 줄을 당겨서 소리를 내는 현악기입니다.
② 나팔은 입으로 불어 관을 진동시켜서 소리를 내는 관악기입니다.
④ 바이올린은 악기에 있는 줄을 문질러서 소리를 내는 현악기입니다.
⑤ 트라이앵글은 쳐서 소리를 내는 타악기입니다.

7 이 글은 악기의 '종류'에 대하여 설명하고 있습니다. 현악기는 줄을 이용하여 소리를 내는 악기입니다. 관악기는 숨을 내쉬면서 '관'을 진동시켜 소리를 내는 악기입니다. '타'악기는 두드리거나 쳐서 소리를 내는 악기입니다. 그리고 컴퓨터 기술의 발달로 새로운 악기인 '전자' 악기도 만들어졌고 최근에는 기술의 발달로 수많은 음악들이 만들어지고 있다고 하였습니다.

생각 글 쓰기

◆예시 **답안** 예전부터 있던 악기로 내지 못하는 새로운 소리를 만들 수 있다.

이렇게 지도해 주세요! 전자 악기는 컴퓨터로 새로운 소리를 만들어 내는 악기라고 하였습니다. 따라서 현악기, 관악기, 타악기들과 함께 전자 악기를 사용하면 새로운 소리를 만들 수 있다는 점을 설명해 주세요.

37회 자동차의 역사

▶ 본문 160~163쪽

1 ① 2 ④ 3 하늘 4 ④ 5 인공 지능 6 인력거, 기름, 지붕
어휘 다지기 01 (1)-ⓒ (2)-ⓛ (3)-㉠ 02 (1) 용도 (2) 생산

우리는 길을 걸어갈 때 쉽게 자동차를 볼 수 있어요. 하지만 자동차가 있기 전에 사람들은 오랫동안 말이 끄는 마차나 인력거를 탔답니다. 그렇다면 언제 처음 자동차를 만들었을까요? (1번의 근거) ▶자동차가 없던 때의 교통수단

자동차는 1760년대에 프랑스에서 가장 처음 만들었어요. (2번의 근거) 이 자동차는 경유나 휘발유 같은 기름으로 움직이는 것이 아니라 증기로 움직이는 자동차였어요. (2번의 근거) 그래서 크기도 엄청 크고 속도도 걷는 것보다 느렸다고 해요. (2번의 근거) ▶처음 만들어진 자동차

지금처럼 기름을 사용하여 달리는 자동차는 1885년에 독일에서 만들었어요. (2번의 근거) 이 자동차는 의자에 큰 바퀴만 달아 놓은 모양이었고, 비나 바람을 막아 줄 지붕이나 창문은 없었지요. 오늘날처럼 지붕과 창문이 있는 자동차는 1910년에 미국에서 만들었어요. ▶1880년대 독일 자동차

그 후 1945년부터 많은 종류의 자동차들을 생산하기 시작했어요. 1960년대에는 자동차에서 자신이 좋아하는 음악을 들을 수 있게 되었고, 1981년에는 일본에서 최초로 길을 알려 주는 '내비게이션'이 있는 자동차를 만들었어요. 그리고 최근에는 사람 대신 인공 지능이 운전해 주는 자동차를 만들었고, (5번의 근거) 이제 곧 하늘을 나는 자동차도 만들 예정이라고 해요. (3번의 근거) ▶1945년부터 최근까지의 자동차

인공 지능이 운전하는 자동차를 타고 다닌다면 우리는 차 안에서도 여러 가지 일을 할 수 있을 거예요. 그리고 ㉠하늘을 나는 자동차가 많아진다면 땅에 있는 도로들은 점점 다른 용도로 쓰이게 되겠지요? ▶인공 지능 자동차

이렇게 지도해 주세요! 이 글은 자동차의 역사에 대하여 설명하는 글입니다. 자동차가 있기 전에 타고 다닌 교통수단, 자동차의 발전 과정, 앞으로 만들 자동차의 특징에 대하여 이해할 수 있도록 지도해 주세요.

• **주제** 자동차의 역사와 앞으로 만들 자동차

1 이 글은 자동차의 역사에 대하여 설명하는 글입니다.

2 가장 처음 프랑스에서 만든 자동차는 증기로 움직이는 자동차였습니다.

오답 풀이
① 소의 힘으로 움직이는 자동차에 대한 내용은 나타나 있지 않습니다.
② 기름으로 달리는 자동차는 가장 처음 만든 자동차 다음에 독일에서 나왔습니다.
③ 가장 처음 만든 자동차는 걷는 속도보다 느렸다고 하였습니다.
⑤ 자동차를 움직일 때 전기가 필요한 것은 전기차입니다.

3 이제 곧 '하늘'을 나는 자동차도 만들 예정이라고 하였습니다.

4 하늘을 나는 자동차가 많아진다면 자동차가 도로를 달리지 않아 도로들은 점점 다른 용도로 쓰이게 될 것이라고 하였습니다. '자동차가 더 많이 달릴 수 있게 바뀐 도로'는 반대되는 모습으로 알맞지 않습니다.

5 보기에서는 비행기를 자동으로 운전해 주는 컴퓨터 프로그램이 있다고 하였습니다. 비행기와 같이 '인공 지능' 자동차도 자동으로 운전해 주는 기능이 있다고 하였습니다.

6 이 글은 자동차의 역사에 대하여 차례대로 설명하고 있는 글입니다. 자동차가 있기 전에는 말이 끄는 마차나 사람이 끄는 '인력거'를 타고 다녔습니다. 1760년대에는 증기로 움직이는 자동차를 프랑스에서 만들었습니다. 1880년대에는 독일에서 '기름'을 사용하는 자동차를 만들었습니다. 1910년대에는 미국에서 '지붕'과 창문이 있는 자동차를 만들었습니다. 1980년대에는 일본에서 길을 알려 주는 내비게이션이 있는 자동차를 만들었고, 최근에는 인공 지능이 대신 운전해 주는 자동차를 만들었다고 하였습니다.

생각 글 쓰기

◆**예시 답안** 인공 지능이 대신 운전해 주기 때문에 차 안에서 책을 읽거나 쉴 수 있다.

이렇게 지도해 주세요! 인공 지능이 운전하는 차를 타고 다닌다면 차 안에서도 여러 가지 일을 할 수 있을 것이라고 하였습니다. 즉 인공 지능이 운전하는 동안 밖의 경치를 보거나 쉬는 등 자신이 하고 싶은 일을 할 수 있다는 좋은 점이 있습니다.

38회 나만 보면_이송현

▶ 본문 164~167쪽

1② 2열 살 3①, ③, ④ 4① 5⑤ 6⑤

어휘 다지기 01 (1)-㉡ (2)-㉠ (3)-㉢ 02 (1) 보글보글 (2) 폭신폭신

아빠는 나만 보면
1번의 근거
아빠도 열 살 같대요.
2번의 근거
아들, 딱지치기 한 판 어때?
3번의 근거
폭신폭신 이불 위에서 레슬링하자!
3번의 근거
엄마 몰래 국자에 달고나 해 먹을까?
3번의 근거 ▶1~5행: 친구 같은 아빠의 모습
아빠는 나만 보면

자꾸만 열 살짜리가 되려고 해요.

이러다가

㉠내가 아빠의 아빠 되겠어요.
아빠가 '나'보다 더 어리게 느껴짐. ▶6~9행: 아빠와 '나'는 함께 시간을 보내어 즐거움.

이렇게 지도해 주세요! 이 시를 읽을 때 시 속의 장면을 구체적으로 떠올릴 수 있게 가족이나 친구들과 즐거운 시간을 보낸 경험을 생각해 볼 수 있도록 지도해 주세요.

- **주제** 아이 같은 아빠와 보낸 즐거운 시간

1 이 시는 '아빠'와 즐겁게 시간을 보낸 경험을 나타낸 시입니다.

2 이 시에서 아빠는 '나'를 보면 아빠도 '열 살' 같다고 합니다.

3 아빠는 '나'와 딱지치기 한 판, 이불 위에서 레슬링하기, 달고나 해 먹기를 하고 싶어 합니다.

4 ㉠은 아빠가 열 살짜리처럼 행동하여 아들인 '나'보다 아빠가 더 어리게 느껴진다는 뜻입니다.

5 자신의 경험이나 기억을 떠올리며 시를 읽은 것은 '시를 읽으면서 아빠랑 같이 놀았던 일이 기억났어.'라고 말한 '하나'입니다. 말하는 이가 아빠랑 노는 모습을 시로 읽으며 자신도 아빠랑 같이 놀았던 기억을 떠올렸기 때문입니다.

오답 풀이

① 아빠의 모습이 재미있다는 느낌만 나타냈습니다.
② 달고나가 먹고 싶었다는 느낌만 나타냈습니다.
③ 이불이 폭신폭신하다는 표현이 실감 난다고 하였지만, 자신의 경험이나 기억을 떠올린 것은 아닙니다.
④ 시에 나타난 아빠의 마음이 느껴진다고 하였지만 **보기**에서 말하는 방법으로 읽은 것은 아닙니다.

6 「나만 보면」에서는 아빠가 '나'와 함께하고 싶은 마음, 「떡볶이」에서는 말하는 이가 단짝과 함께하고 싶은 마음이 나타나 있습니다.

오답 풀이

① 「나만 보면」에서는 아빠가 '나'에게 '엄마 몰래 국자에 달고나 해 먹을까?'라고 말하지만 달고나를 먹는 장면은 나타나 있지 않습니다. 그리고 「떡볶이」에서 국물을 먹는 장면은 나타나 있지 않습니다.
② 「떡볶이」에 등장하는 사람은 '단짝'입니다.
③ 「나만 보면」에서 아빠의 생김새는 나타나 있지 않고, 「떡볶이」에서도 단짝의 생김새는 나타나 있지 않습니다.
④ 「나만 보면」에서는 색깔을 표현하는 말이 나타나 있지 않습니다.

생각 글 쓰기

◆ 예시 **답안** 말하는 이는 자신과 함께 시간을 보내는 아빠를 좋은 분이라고 생각할 것이다.

이렇게 지도해 주세요! 시에 나타난 말하는 이의 마음을 짐작해 보는 문제입니다. 말하는 이는 열 살짜리처럼 재미있게 노는 다정한 아빠를 좋은 분이라고 생각하였을 것입니다.

39회 7년 동안의 잠_박완서

▶ 본문 168~171쪽

1 매미, 개미 2 ④ 3 노래 4 ⑤ 5 ⑤

어휘 다지기 01 (1)-ⓛ (2)-ⓒ (3)-ⓣ 02 (1) 되약별 (2) 고달픔

[앞부분 줄거리] 개미 마을에 흉년이 계속되어 개미들이 먹을 것이 점점 없어졌습니다. 개미들이 걱정에 빠져 있을 때 어린 일개미 한 마리가 와서 아주 크고 싱싱한 먹이를 발견했다고 말했습니다. 늙은 개미와 다른 일개미들이 어린 일개미를 따라가 보니 정말 반짝거리는 두꺼운 갑옷을 입은 큰 먹이가 있었습니다. 젊은 일개미들이 먹이를 옮기기 위해 달라붙자 늙은 개미가 일개미들을 말리며 말했습니다. (매미 애벌레)

"조용히들 들어라. 이건 틀림없는 매미란다. 매미는 한여름을 시원한 나무 그늘에서 노래 부르기 위해 몇 년이나 어두운 땅속에서 날개와 목청을 다듬는단다. (3번의 근거 – 늙은 개미가 매미를 먹지 못하게 하는 까닭) 보아하니, 이 매미는 5년도 넘게 참고 기다렸겠는데? 내 짐작이 틀림없다면 7년은 족히 됐을라. 한여름의 노래를 위해서 7년을……."

개미들은 7년이 그저 기나긴 시간이라는 것밖에는 그것이 얼마만 한 동안인지를 짐작도 할 수 없습니다. 여태껏 그들이 살아온 동안의 몇 곱절이나 되기 때문입니다. (2번의 근거)

"우리가 땀 흘려 일하는 동안, 마치 '용용 죽겠지.' 하는 것처럼 팔자 좋게 노래나 부르는 매미는 우리들의 먹이가 돼도 싸요. 어서 우리 마을의 광 속으로 나르라고 명령을 내리세요." / 늙은 개미는 젊은 개미들이 좀 더 생각할 수 있게 먹이 앞을 막아서며 말했습니다.

"매미는 그 한 철의 노래를 위해 7년이나 어둠과 외로움 속에서 자기의 재주를 갈고닦았는데도……." (매미의 끈기와 인내심을 보여 줌.)

젊은 개미가 투덜댔습니다.

"노력을 하려면 우리처럼 먹이를 위해서 해야지, 아무짝에도 쓸모없는 그까짓 노래를 위해 7년 아니라 10년을 했어도 대단할 게 뭐 있담." (매미의 노력을 하찮게 여기는 젊은 개미)

▶ 매미를 옮기려는 젊은 개미들과 말리는 늙은 개미

그러자 또 다른 개미들이 여기저기서 한마디씩 하는 소리가 들렸습니다.

"나는 매미의 노랫소리가 참 듣기 좋았는데. 일하는 고달픔이 가실 만큼……." (2번의 근거 – 다른 젊은 개미의 반박)

「"나도야. 매미의 노래를 들으며 나는 처음으로 땅 위의 여름이 얼마나 아름다운가를 알았어."

"나도 네 기분을 알 것 같아. 언젠가 친구들하고 뙤약볕 아래에서 송충이 한 마리를 끄느라 애를 쓰고 있었는데, 매미 소리가 들리잖아? 여름의 산과 들이 햇빛에 빛나는 걸 정신없이 바라볼 수 있었던 건 순전히 매미의 노래 때문이었어."」 (「」: 매미 노래의 가치)

▶ 여름에 들었던 매미의 노래를 떠올리는 젊은 개미들

"그렇담 이 매미를 살려 주란 소리가 되잖아. 가만있자, 이게 정말 매미일까? 이 두루뭉수리 갑옷 속에서 꿈틀대는 게."

「"아닐 거야. 높은 나무로 날아오를 날개도, 아름다운 소리를 내는 악기도 보이지 않는걸. (2번의 근거) 무엇보다도 이게 매미라면 햇빛을 찾아 땅 위로 나갈 수가 있어야 할 텐데, 그걸 못 하고 우리의 포로가 된 것만 봐도 이건 매미가 아닌 게 분명해."」 (「」: 먹이를 매미가 아니라고 생각하는 까닭)

개미들은 또다시 술렁거리기 시작했습니다.

▶ 먹이가 정말 매미인지 의심하는 젊은 개미들

이렇게 지도해 주세요! 이 글은 인내와 끈기의 가치를 일깨우는 동화입니다. 또한 다른 사람과 다르거나 조금 더뎌 보이는 사람을 어떻게 대해야 하는지 생각해 보게 하는 글입니다. 글을 읽고 이야기를 일상생활에 적용해 볼 수 있도록 지도해 주세요.

• **주제** 끈기와 인내심의 가치

1 이 글에는 '매미' 애벌레와 '개미'들이 등장합니다.

2 젊은 개미는 매미에게 나무로 날아오를 날개도, 아름다운 소리를 내는 악기도 보이지 않는다고 하였습니다.

3 늙은 개미는 매미가 '노래'를 부르기 위해 땅속에서 7년을 기다렸다고 하였습니다.

4 늙은 개미는 7년을 기다린 매미가 노래를 부를 수 있도록 돕고 싶어서 젊은 개미를 말렸습니다.

5 매미처럼 자신이 원하는 것을 이루기 위해 오랜 시간 동안 끈기 있게 노력한 사람은 현수입니다.

생각 글 쓰기

◆ 예시 **답안** 자신을 살려준 늙은 개미가 고마웠을 것이다.

이렇게 지도해 주세요! 늙은 개미가 아니었다면 개미들의 먹이가 되었을 매미의 마음을 헤아려 볼 수 있도록 지도해 주세요.

40회 꽃보다 아름다운 마음_김진락

▶ 본문 172~175쪽

1⑤ 2② 3 볶은(죽은) 4⑤ 5㉠

어휘 다지기 01 (1)-㉡ (2)-㉢ (3)-㉠ 02 (1) 세차게 (2) 정성

[앞부분 줄거리] 옛날 어느 왕국에 지혜로운 왕자가 살았습니다. 왕자는 신붓감을 구하기 위해 자신의 신부가 되고 싶어 하는 여인들을 모두 궁으로 초대했습니다. 여인들 중에는 값비싼 보석을 두른 귀족 여인들도 있었고, 산골짜기 외딴집에 사는 링링이라는 소녀도 있었습니다. 왕자는 여인들에게 꽃씨를 한 알씩 나누어 주었습니다. 그리고 가장 아름다운 꽃을 피운 사람을 신부로 맞이하겠다고 말했습니다. 그로부터 여섯 달이 지났습니다.

궁의 앞마당에는 이른 아침부터 수많은 처녀가 모여들었습니다. 처녀들은 하나같이 눈부시게 아름다운 꽃이 활짝 핀 화분을 들고 있었습니다. (왕자가 준 꽃씨가 아닌 다른 꽃씨를 심음.) 그 모습을 보자 링링(이야기의 주인공)은 온몸에서 힘이 쏙 빠져나가는 기분이었습니다.

'아, 다들 꽃을 피웠구나. 도대체 어떻게 피웠을까?'

부잣집 처녀들 틈에서도 늘 당당했던 링링이지만 지금 이 순간만큼은 자신이 너무도 초라하게 느껴졌습니다. (1번의 근거) 꽃을 피우지 못한 화분처럼 자신도 쓸모없게만 느껴졌습니다. 〈중략〉 ▶꽃을 피우지 못해 부끄러워하는 링링

빈 화분을 든 채 맨 뒤에 서 있던 링링은 쓸쓸히 발길을 돌렸습니다. (1번의 근거) 차마 왕자 앞에 빈 화분을 내보일 용기가 나지 않았던 것입니다. 링링은 아무도 모르게 궁을 빠져나가려고 했습니다. (1번의 근거) 바로 그때 왕자의 시선이 그녀에게로 향했습니다.

"잠깐! 어째서 화분을 보이지도 않고 그냥 돌아가시오?"

왕자가 물었습니다.

"왕자님, 저는 꽃을 피우지 못했습니다. 아무리 정성을 기울여도 싹이 트지 않았습니다. (링링의 정직한 태도를 보여 줌. – 2번의 근거) 꽃을 피우지 못한 빈 화분을 차마 보여드릴 수 없었습니다."

▶ 왕자에게 솔직하게 고백하는 링링

링링의 말이 끝나자 왕자의 얼굴에 환한 미소가 피어났습니다. (링링이 자신이 찾는 신붓감이었기 때문에) 왕자는 그 자리에서 무릎을 꿇고 링링에게 말했습니다.

"당신이 피운 꽃이 가장 아름답군요." ('정직'이라는 꽃)

링링은 깜짝 놀랐습니다. 〈중략〉

▶링링의 대답을 듣고 청혼하는 왕자

"내가 나눠 준 꽃씨는 사실 볶은 꽃씨였습니다. 꽃을 피울 수 없는 죽은 씨앗이었죠. (3번, 4번의 근거) 그런데도 여러분이 어떻게 꽃을 피웠는지 그저 신기할 따름입니다. 하지만 여기 이 화분을 보십시오. 비록 꽃은 피지 않았지만 이 화분에는 그 무엇과도 바꿀 수 없는 아름다운 꽃이 피어 있습니다. 바로 정직이라는 이름의 꽃입니다."

그제야 처녀들은 붉게 달아오른 얼굴을 숨기려는 듯 고개를 푹 숙였습니다.

▶망신을 당한 다른 처녀들

이렇게 지도해 주세요! 이 글은 거짓을 통해 성과를 이루는 것보다 정직하게 행동하는 것이 중요하다는 교훈을 주는 글입니다. 글을 읽고 링링과 다른 여인들, 왕자의 행동을 평가해 볼 수 있도록 지도해 주세요.

• **주제** 정직함의 중요성

1 링링은 꽃이 핀 화분을 들고 있는 처녀들을 보고 자신이 초라해지는 기분이 들었지만, 화는 나지 않았습니다.

2 꽃을 피우지 못한 빈 화분을 가져간 링링을 통해 정직한 마음가짐을 배울 수 있습니다.

3 왕자는 여인들에게 '볶은' 꽃씨를 나눠 주었습니다.

4 왕자가 처음부터 죽은 씨앗을 주었기 때문에 링링이 꽃을 피우지 못한 것입니다.

5 왕자는 꽃을 피우지 못했다는 링링의 말을 듣고 환하게 웃었습니다. 따라서 왕자가 링링이 꽃을 피우지 못해 실망했다는 말은 알맞지 않습니다.

생각 글 쓰기

◆ 예시 **답안** 여인들이 자신에게 거짓말을 했기 때문이다.

이렇게 지도해 주세요! 왕자는 여인들에게 죽은 씨앗을 주었습니다. 하지만 여인들이 꽃이 핀 화분을 가지고 와서 왕자를 속이려고 했기 때문에 표정이 어두워진 것이라고 설명해 주세요.

실력 진단 평가 정답

01 ③ 02 ④ 03 로마 04 ② 05 공룡 06 ⑤ 07 ③ 08 돌, 여자 09 ④ 10 윤서 11 금 12 특성 13 사투리 14 검사 15 화석 16 금 17 화석 18 검사 19 인도 20 특성

www.ggumtl.co.kr

청소년들 모두가 아름다운 꿈을 이룰 그날을 위해
꿈을담는틀은 오늘도 희망의 불을 밝힙니다.

이 책을 추천합니다.

●● 초등학생에게 국어 독해 공부가 필요한 이유는 분명합니다. 글을 읽고 스스로 독해하는 능력이 부족하면 모든 과목의 학습 능력이 떨어질 수밖에 없습니다. 독해 능력은 무조건 책을 많이 읽는다고 길러지는 것이 아니라, 좋은 글감으로 쓰인 글을 읽고, 여기서 정보를 찾아 논리적으로 이해하는 연습을 반복할 때 길러지는 것입니다.

– 문주호 (청봉초등학교 수석 교사)

●● 독해 능력이 떨어지면 수업을 따라가지 못해서 공부에 흥미를 잃게 되기도 합니다. 그래서 독해 공부가 중요합니다. 이 책으로 공부하면 쉽고 재미있는 짧은 글부터 어렵고 긴 글까지 단계별로 읽으며 독해력을 기를 수 있습니다. 매일 독해 공부를 한 뒤, 모르는 어휘에 대한 공부도 함께 하면서 독해력의 기초를 다질 수 있는 좋은 교재입니다.

– 오정남 (밀양초등학교 교사)

●● 초등학교 입학 전부터 꾸준히 독해 공부를 해 온 아이라, 다양한 글을 많이 읽을 수 있는 교재가 필요했습니다. 이 책에서는 문학 작품 외에도 인문, 사회, 과학, 기술, 예술 등 여러 분야의 글감을 골고루 접할 수 있습니다. 또한 문제를 통해 글의 주제를 잡고, 세부적으로 중요한 내용을 정리하면서 어휘까지 복습할 수 있어서 좋았습니다.

– 노인희 (방산초등학교 2학년 학부모)

지은이 꿈을담는틀 편집부 **펴낸곳** (주)꿈을담는틀
펴낸이 백종민 **등록번호** 제302-2005-00049호
대표전화 1544-6533 **팩스** 02-749-4151 **펴낸날** 2020년 8월 13일 재판 1쇄
주소 서울시 영등포구 당산로 50길 3 꿈을담는빌딩 **홈페이지** www.ggumtl.co.kr

현직 초등 교사들이 알려 주는

초등 1·2학년/3·4학년/5·6학년

공부법의 모든 것

〈1·2학년〉 이미경·윤인아·안재형·조수원·김성옥 지음 | 216쪽 | 13,800원
〈3·4학년〉 성선희·문정현·성복선 지음 | 240쪽 | 14,800원
〈5·6학년〉 문주호·차수진·박인섭 지음 | 256쪽 | 14,800원

★ 개정 교육과정을 반영한 현장감 넘치는 설명
★ 초등학생 자녀를 둔 학부모라면 꼭 알아야 할 모든 정보가 한 권에!

KAIST SCIENCE 시리즈

미래를 달리는 로봇

박종원·이성혜 지음 | 192쪽 | 13,800원

★ KAIST 과학영재교육연구원 수업을 책으로!
★ 한 권으로 쏙쏙 이해하는 로봇의 수학·물리학·생물학·공학

하루 15분 부모와 함께하는 말하기 놀이

룰루랄라 어린이 스피치

서차연·박지현 지음 | 184쪽 | 12,800원

★ 유튜브 〈즐거운 스피치 룰루랄라 TV〉에서 저자 직강 제공

가족과 함께 집에서 하는 실험 28가지

미래 과학자를 위한

즐거운 실험실

잭 챌로너 지음 | 이승택·최세희 옮김
164쪽 | 13,800원

★ 런던왕립학회 영 피플 수상
★ 가족을 위한 미국 교사 추천

메이커: 미래 과학자를 위한 프로젝트

즐거운 종이 실험실

캐시 세서리 지음 | 이승택, 이준성, 이재분 옮김
148쪽 | 13,800원

★ STEAM 교육 전문가의 엄선 노하우

메이커: 미래 과학자를 위한 프로젝트

즐거운 야외 실험실

잭 챌로너 지음 | 이승택, 이재분 옮김
160쪽 | 13,800원

★ 메이커 교사회 필독 추천서